Phébus *libretto*

LONGUE MARCHE

II

VERS SAMARCANDE

BERNARD OLLIVIER

LONGUE MARCHE

A PIED

DE LA MÉDITERRANÉE JUSQU'EN CHINE

PAR LA ROUTE DE LA SOIE

II

VERS SAMARCANDE

Phébus *libretto*

Documents cartographiques de base (p. 10-11 et 12-13)
reproduits avec la permission de l'UNESCO
© UNESCO, 1994

Illustration de couverture :
Roland & Sabrina Michaud
Badghis; sur la route de Samarcande
Agence Rapho, Paris

© Éditions Phébus, Paris, 2001
www.phebus-editions.com

La caravane de la vie, regarde-la, comme elle passe
De chaque instant, saisis la joie !
Ne te soucie pas, ô saqi, *du lendemain de tes convives*
Tends-nous la coupe, verse le vin, écoute-moi : la nuit s'en va.

OMAR KHAYYAM

La Route de la Soie
Route de la Soie
Route des épices
Route à travers les steppes d'Eurasie
Autres routes commerciales
Grande Muraille de Chine
Route de l'encens
Marche accomplie en 1999
Marche accomplie en 2000
Marche prévue en 2001
Marche prévue en 2002
Roma
Danube
Volga
Oural
GRÈCE
Athènes
Constantinople
Sardes
Bolou
Merzifon
Tokat
Mer Noire
ANATOLIE
Sivas
TURQUIE
Erzurum
Mer Caspienne
Mer d'Aral
Iaxartes (Syr-Daria)
TURKESTAN DE L'OUEST
Lac Balk
Ferghana
Antioche
MÉSOPOTAMIE
Dara
Tabriz
Nisibis
Boukhava
Alexandrie
Tyr
Damas
Palmyre
Merv
Samarcande
Le Caire
ÉGYPTE
Gaza
Jérusalem
Bagdad
IRAK
Ecbatane
Téhéran
Nishapur
Bactres (Balkh)
Petra
Ctésiphon
Hindu-Kush
Myos Hormus
Désert syrien
Euphrate
Tigre
Suse
Ispahan
IRAN
Taxila
Leuce Come
Apologos
Nil
Golfe Persique
Médine
PENJAB
Harappa
Djeddah
Ormuz
Indus
La Mecque
Mohenjo-Daro
PÉNINSULE ARABIQUE
Karachi
Barygaza (Broach)
SOMALIE

Mer Noire

TURQUIE

Dohoubayezit

Tabriz

Mer

Caspienne

Qazvin

Bagdad

Téhéran

Shahro

IRAK

Aran

Semnan

Tigre

Euphrate

Désert d

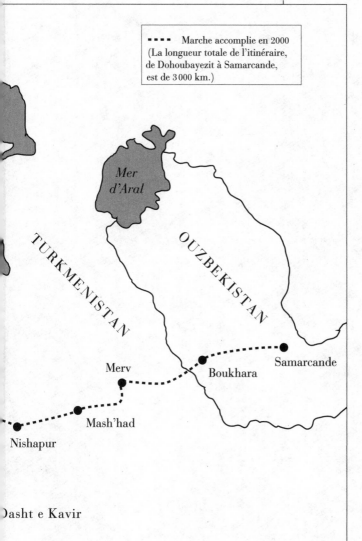

67°

Marche accomplie en 2000
(La longueur totale de l'itinéraire,
de Dohoubayezit à Samarcande,
est de 3 000 km.)

Mer
d'Aral

TURKMENISTAN

OUZBEKISTAN

Merv

Boukhara

Samarcande

Mash'had

Nishapur

Dasht e Kavir

IRAN

I

L'ORAGE

14 mai 2000. Entre Erzouroum et Dohoubayezit.
Kilomètre zéro.

Le chauffeur du bus ne comprend pas.

– Tu veux descendre ici ? C'est la steppe, il n'y a rien. Nous serons dans un quart d'heure à Dohoubayezit…

– Non, je veux m'arrêter maintenant. Je veux marcher.

Je n'ai ni le temps ni le vocabulaire turc pour lui expliquer que je tiens absolument à commencer ici même un voyage de trois mille kilomètres à pied. Il est vrai que cela peut surprendre… Incrédule, il se tourne vers son coéquipier et ils échangent quelques mots. Je suppute que cela doit être quelque chose comme : est-ce licite d'abandonner un voyageur en pleine campagne ? Ce roumi d'Occident est-il un dément ?

Nous avons quitté Erzouroum au petit matin. Avant de monter dans ce bus, j'ai dû, depuis mon départ de Paris, prendre trois avions : Paris-Istanbul ; Istanbul-Ankara ; enfin Ankara-Erzouroum. D'en haut, confortablement sanglé dans mon fauteuil, j'ai regardé défiler les paysages, les villes et les villages traversés l'an dernier[1]. Ici même, dans ce décor désolé, grillé par le soleil de juillet, j'étais tombé le nez dans

---

1. *Longue marche*, A pied de la Méditerranée jusqu'en Chine par la Route de la Soie, I. Traverser l'Anatolie, Éditions Phébus, Paris, 2000.

l'herbe, abattu par la dysenterie. Et me voici prêt à repartir du même endroit, au mètre près, afin de terminer l'étape initiale qui devait me conduire jusqu'à Téhéran, en Iran. De là, je prendrai la route pour Samarcande, la ville aux coupoles turquoise qui me fait rêver depuis l'enfance. Je serai alors à mi-chemin de cette Route de la Soie que j'ai entrepris de parcourir seul, à pied, et en quatre ans. Car je tiens à reprendre le trajet interrompu à l'endroit précis où la maladie m'a terrassé. Un geste pour le moins tatillon : mais c'est qu'il y va pour moi de mon intégrité. J'ai formé un projet bien défini, je n'entends pas le brader à la première peccadille ni le raboter à la première proposition. Je ne raterai pas un pouce de la route qui doit me conduire jusqu'à Xi'an, en Chine, et tant pis si je passe pour un intégriste ou un maniaque ! Voilà pourquoi il faut d'abord que j'obtienne du chauffeur qu'il veuille bien s'arrêter. Il croit avoir compris :

– Tu veux aller aux toilettes, c'est ça ?

– Non, je veux descendre et marcher.

Sa mimique et le regard qu'il jette à l'autre sont éloquents : « Un fou, on est tombé sur un fou. » Il consent à freiner et je saute du véhicule aussi lestement que me le permettent mon sac de quinze kilos et mes godillots. Consterné et impuissant devant ce comportement hautement insensé, il redémarre.

Je n'ai pas le loisir de me livrer à une rêverie nostalgique sur les événements qui s'étaient passés ici il y a dix mois. Avant même que le bus soit hors de vue et sans que j'aie le temps de sortir mon imperméable du sac, une trombe d'eau glacée et de neige fondue accompagnée d'un vent violent obscurcit la plaine. Ça commence bien. Je vois des petits bergers s'accroupir et s'abriter sous un morceau de plastique. Délicatement tombés sur les moutons noirs qui se serrent les uns contre les autres pour résister au vent et au froid, les flocons de neige ne fondent pas et les bêtes prennent l'aspect de nègres en chemise, ces gâteaux dont je raffolais enfant. Je n'ai pas réim-perméabilisé ma capote et bientôt je suis, au-dedans comme au-dehors, trempé comme une soupe. Même les kangals, ces chiens turcs si redoutables, s'aplatissent sur le sol pour laisser passer l'orage, c'est dire. Heureusement pour moi, d'ailleurs, car je n'ai pas eu le temps de me couper un bâton – seule arme que je sache manier contre ces monstres sanguinaires – et ce n'est pas ici, dans cette plaine pelée, que j'aurais des chances d'en trouver.

Ce coup de vent et de neige me cloue sur place. La bourrasque venue de l'est gonfle ma cape et me déséquilibre. Aveuglé par la pluie qui me cingle le visage, arc-bouté pour résister aux rafales, je suis chahuté, bousculé, méchamment giflé par l'averse. Par prudence, je me résous à imiter les petits bergers. Faute du moindre abri sur cette steppe abandonnée des dieux, je m'accroupis à l'écart de la route, loin des camions qui roulent à l'aveuglette, vaguement protégé par ma capote que je maintiens contre vents et marées, d'une main vite gelée par le froid. Le chauffeur, qui file à l'abri vers la ville, doit se réjouir : voilà ce qui arrive aux têtes de pioche. Bien fait !

C'est le moment que je choisis pour reprendre la réflexion plutôt pessimiste que j'ai entamée dans le ciel depuis mon départ de Paris. De nouveau la question, sans réponse, me taraude : où vais-je et pourquoi ? Et d'abord, pourquoi suis-je reparti – m'arrachant à ceux que j'aime et qui m'aiment, j'en ai eu de sacrées preuves – après les tourments de l'an dernier ?

Lorsque, en avril 1999, j'ai quitté Istanbul pour accomplir la première étape de ce long voyage, la réponse à ces questions était facile : j'avais envie de marcher, de voir du pays, de rencontres, d'apprendre pas à pas cette mythique Route de la Soie. L'enthousiasme me soulevait. La joie d'accomplir ce cheminement solitaire que j'espérais fécond me poussait en avant, m'aidait à porter mon barda et à supporter tous les menus tracas, j'avais des ailes. Mais j'ai beau être une bonne nature, comme on dit, la traversée de l'Anatolie a eu raison de mon allégresse et a quelque peu modéré ma détermination. Blessures, agressions par les kangals ou – mieux encore – par les hommes, guerre civile entre Kurdes et Turcs qui s'appliquaient, les uns comme les autres, à me prendre pour un traître à leur cause… enfin, maladie et rapatriement sanitaire, j'ai payé cher en peurs et en souffrances cette première des quatre étapes que j'ai prévues.

Si j'examine le parcours de cette année, non seulement il ne se présente pas mieux, mais vraisemblablement il promet pire. Accroupi sous le fragile abri de mon imperméable si perméable, tétanisé sous ce déluge polaire, je n'envisage guère mon avenir immédiat d'un œil serein sur cette route qui disparaît sous la trombe. Je dois me l'avouer : je ressens de l'appréhension, et même une vraie frousse, pour être honnête. Et si mes tripes sont nouées, ce n'est pas imputable qu'à l'orage.

Il me faut cette année accomplir un trajet particulièrement long, car à la distance initialement prévue de deux mille cent kilomètres entre Téhéran et Samarcande, je surajoute l'achèvement du parcours que je n'ai pu mener à bien l'an dernier, soit environ neuf cents kilomètres supplémentaires. Or les trois pays que je dois traverser ont une réputation abominable. L'Iran, durant les vingt ans de sa révolution islamique, a montré de lui au monde entier des images de sinistre violence, d'intégrisme sourcilleux et brutal, et il n'entrouvre aujourd'hui ses portes qu'après de nombreuses années d'isolement et d'une guerre impitoyable contre l'Irak. Le Turkménistan – ex-république soviétique –, que je dois aborder après l'Iran, est dirigé par l'ancienne nomenclature communiste, fraîchement convertie au libéralisme le plus âpre. De même pour l'Ouzbékistan, lui aussi administré d'une main de fer par les vieux apparatchiks du « parti ». Ces deux pays, à ce que j'ai lu et entendu, ont réussi à ajouter aux défauts du système, théoriquement abattu avec le mur de Berlin, les pires tares d'un capitalisme mafieux. Les trois pays disposent de polices nombreuses et sous-payées qui ont la réputation d'être de féroces détrousseuses de touristes isolés. Voilà qui est fait pour rassurer, d'autant que les risques politiques ne sont pas les seuls que je vais devoir affronter. Je pars en mai, et la majeure partie de mon voyage va s'effectuer en été alors que je dois traverser ou longer trois déserts parmi les plus chauds d'Asie centrale, lesquels sont peuplés de petits animaux aussi sympathiques à fréquenter que cobras, scorpions et tarentules. Or, si je fais face sans trop d'effroi aux dangers liés à l'homme, je suis terrorisé par tout ce qui rampe ou pique, et le moindre moustique suscite chez moi une profonde antipathie. Ajoutons que je pars sans avoir résolu les problèmes de santé provoqués par mon premier voyage – la Faculté ayant elle aussi ses impuissances –, et que ma pharmacie a quadruplé en volume depuis l'an dernier sans que pour autant je me sente rassuré.

Baissant la tête sous l'averse, comptant les gouttes d'eau qui tombent de mon nez comme d'une gouttière entre mes genoux, j'essaie de trouver, contre tout entendement, quelques bonnes raisons de poursuivre mon projet. Elles étaient lumineuses il y a une semaine encore à Paris. Mais il est vrai aussi que plus la date du départ approchait, plus elles me paraissaient contestables. Allons, il faut que je me secoue, que je retrouve le goût de dédaigner les petits tracas qui aujourd'hui me submergent, pour ne plus envisager que les bonheurs futurs que cette marche insensée va m'apporter. J'ai vécu l'an passé en Turquie des moments magiques, de ces fragiles instants où règne entre soi et le monde une telle harmonie que l'on se prend à regretter de ne pouvoir suspendre le temps. Des moments fugitifs et vifs comme des vols d'étourneaux, dérobés à l'absurdité de nos vies d'hommes, qu'il fait bon se remémorer quand la tristesse revient. C'est à la recherche de ces bonheurs-là que je pars, et la Route de la Soie – qui voici plus de vingt siècles nous a menés vers un nouveau monde – me semble bien propre à faire naître de tels enchantements. Je veux, quoi qu'il arrive, la suivre jusqu'au bout, ou du moins aussi loin que mes forces me porteront. Car j'avance en âge et, à soixante-deux ans, je ne suis pas sûr que la belle santé qui m'a accompagné jusque-là se maintiendra.

Mais je suis bâti de cet optimisme chevillé d'inconscience qui m'incite toujours, comme je m'y suis efforcé au long de ma vie professionnelle de journaliste, à vérifier par moi-même les informations que je reçois, quoi qu'il m'en coûte. Ces trois pays qui s'entrouvrent au monde après un si long isolement m'attirent et m'effraient tout à la fois. Je veux savoir. Et puis surtout il y a, mêlées, cette envie et cette crainte de la solitude, qui pourraient, qui devraient me conduire au bout de moi-même, au terme de ce long parcours initiatique et tardif.

Lorsque l'averse prend fin, les chaussures pleines d'eau, je reprends la route plate et rectiligne à vive allure pour me réchauffer et atteindre au plus tôt la ville où mon chauffeur a déjà dû claironner la nouvelle : il a rencontré un étranger fada qui préfère suivre à pied les autobus plutôt que de les utiliser.

Trois heures et dix-huit kilomètres plus tard, j'entre dans Dohoubayezit où j'ai passé des heures d'horreur voici dix mois. L'hôtel où j'étais descendu a changé de propriétaire et je ne reconnais personne. Le temps est gris, il fait même un peu frisquet, et le merveilleux cône blanc et glacé du mont Ararat – sur lequel, m'apprend-on, un alpiniste s'est tué la semaine passée – se cache sous un amoncellement de nuages. Je dîne dans un petit restaurant d'une brochette de mouton et d'un plat de riz. Tout en mastiquant sans appétit, la tête ailleurs, j'essaie de chasser les idées sombres qui depuis Paris ne me lâchent guère. A dire vrai, en rentrant à l'hôtel, je ne me donne pas une chance sur dix de parvenir au but. Alors je me secoue encore une fois et, avant de m'endormir, je me rassérène en pensant que si je ne parcours pas cette Route de la Soie en quatre ans, eh bien je la parcourrai en cinq. Et puis soyons sérieux : le monde que je vais découvrir est-il pire que celui que je quitte ? La folie inquiétante qui agite nos villes, le stress ambiant, l'envie comme moteur et le pouvoir comme but ultime de tout agissement, l'agressivité élevée au rang de vertu, tout cela est-il plus rassurant que ces contrées lointaines où je vais ? Je m'en retourne vers des mondes construits à l'échelle de l'homme, car la marche ramène le regard à une juste dimension, apprend à gouverner le temps. Le marcheur est un roi. Un roi qui souffre d'être à contre-courant mais qui a choisi, pour aller mieux, les grands espaces plutôt que le divan des rebouteux... Je veux libérer ma tête et mon corps des contraintes qui s'y sont accumulées, je voudrais aussi les libérer de la crainte...

Je dors mal. Mes muscles que je n'ai pas eu le temps d'entraîner dernièrement tirent un peu, et je suis réveillé sans cesse, comme l'an passé, par des meutes de chiens sauvages qui se livrent des batailles hurlantes dans les rues. Au matin, le ciel est toujours aussi gris. Dohoubayezit, décidément, ne me vaut rien. J'ai hâte de quitter ce lieu. Devant une échoppe, un vieil escogriffe vend des bâtons par fascines. Combien le fagot ? Deux cent cinquante mille lires, dit le faquin. Je choisis soigneusement un bâton et lui tends cent mille lires. Il flaire la bonne affaire, veut plus, beaucoup plus, barguigne, cherche à m'extirper un gros billet de la main. Alors arrive un policier, soucieux de pratiquer les quelques mots d'anglais qu'il connaît. Qu'est-ce qui se passe ? demande-t-il. L'autre, faux cul, débite un long discours. Le pandore traduit :

– Il te fait cadeau du bâton, il ne veut pas te faire payer pour si peu.

Et la fripouille qui voulait m'arnaquer une minute plus tôt me rend cérémonieusement le billet que je lui avais généreusement donné. J'éclate de rire et remercie avec ostentation... Lui et moi ne sommes pas dupes.

Sur la route, ma joie est de courte durée. J'ai opté, depuis mon quartier général normand, pour des étapes raisonnables la première semaine, afin d'adapter peu à peu mon organisme. Le petit parcours prévu pour le deuxième jour est idéal pour une remise en forme. Mais Telçeker, le village où j'ai décidé de m'arrêter après vingt et un kilomètres, se réduit à quelques masures. Inutile d'y rêver d'un restaurant... Les seuls Kurdes qui m'abordent me proposent pour une fortune en dollars une visite au mont Ararat, alors que le sommet est totalement enseveli sous les nuages. Un roumi sans voiture ne saurait-il être à leurs yeux qu'un imbécile ? Comme je leur tiens tête, ils changent de registre et réclament en chœur : bakchich, bakchich, bakchich...

Au diable mes bonnes résolutions, je vais pousser jusqu'à Gürbulak, le village frontière. J'y prendrai une chambre, et demain je me reposerai en allant visiter la curiosité locale : le trou qu'a laissé un gros météorite qui, au début du siècle, s'est abattu à quatre kilomètres de la bourgade. Après quoi, je passerai en Iran.

Devant une caserne, d'où naturellement aucun troufion ne sort pour me secourir, deux chiens bâtards m'attaquent en me prenant en tenaille. Je dirige alternativement mon bâton vers l'un ou l'autre, mais ils me serrent un peu plus à chaque fois que je tourne le dos à l'un pour me défendre de l'autre. Je me retrouve vite en mauvaise posture, quand enfin un soldat de faction compatissant apparaît : il se baisse, ramasse un caillou, et les chiens, instantanément calmés et apeurés, s'éloignent. Je retiendrai la leçon…

A midi, je déjeune de pain et de figues sèches, assis au bord du chemin. Rien à faire, mon esprit dérive, je n'arrive pas à être là où je suis. En fait, je ne tiens pas la forme. Une bruine fine et froide tombe sur la steppe. Un homme d'une trentaine d'années qui revient des champs à cheval, une longue bêche sur l'épaule, me sourit de sa bouche sans dents et me lance ce qui m'apparaît comme des amabilités. Mais deux autres énergumènes, peu après, arrêtent leur camion et me réclament sans aménité de l'argent. Une autre déception m'attend à Gürbulak où j'arrive éreinté par ces trente-cinq kilomètres : il n'y a pas ici le moindre hôtel. Quelques maisons de terre tristes et des bâtiments genre HLM pour les douaniers sont disséminés sur la steppe. Des hordes de camions sont garés dans la plus grande confusion sur une vaste prairie transformée en bourbier par les pluies et les fuites d'huile et de gazole. Spectacle de désolation, de débâcle. Mais, ne perdant pas le nord, une bande de changeurs se précipite sur moi, agitant des liasses de billets. Les dollars doivent être enfouis au plus profond de leurs poches.

– As-tu des dollars, des marks ? me jette le plus rapide.

Ce lieu de change ne m'inspire guère. Mais il ne me lâche pas :

– Sept mille rials pour un dollar ! insiste-t-il.

A Dohoubayezit, on m'en proposait cinq mille. Mais je l'ai déjà dit, je n'ai pas envie de faire affaire dans ce lieu qui me déprime. L'homme me court après :

– Sept mille deux cents, sept mille cinq cents, sept mille huit cents, huit mille !

Je tiens bon et cherche à me libérer des gêneurs.

– Huit mille deux cents !

Je comprends que je ne me débarrasserai d'eux qu'en cédant. Je change donc quelques dollars et les lires turques qui me restent. J'apprendrai, après la frontière, qu'en Iran un dollar s'achète neuf mille cinq cents rials.

L'homme me confirme qu'à Bazargan, de l'autre côté, il y a plusieurs hôtels. Je décide donc, malgré mes jambes de plomb et le sac qui me lacère les épaules, de tenter ma chance en passant ce soir. Adieu au trou du météorite.

Après avoir enfin trouvé ma voie dans la jungle des camions, j'entre dans une grande pièce : la douane turque. Une centaine de bonshommes y sont entassés, la majeure partie parquée derrière une rambarde. Tout au fond, une grappe humaine est accrochée à un petit guichet. Aucune indication, dans quelque langue que ce soit, sur la procédure à suivre. L'endroit pue le tabac et on patauge dans la gadoue. Un jeune homme aimable vient, dans un mauvais anglais, me tirer d'une errance qui me semble durer depuis des lustres.

– Il faut faire la queue derrière la rambarde. Sois patient, depuis quatre heures mon copain et moi on est là et on en a encore pour autant. On se relaie pour garder la place.

Une violente fatigue me saisit. De m'imaginer encore des plombes debout dans ce lieu de rêve, parmi la mêlée caquetante, m'achève. Il n'est pourtant pas question de s'asseoir, il n'y a du reste pas le moindre banc et je n'ai pas un comparse pour faire le poireau dans la file. J'essaie de m'accroupir, les fesses sur mon bagage, mais la pression est telle, les gens si serrés que je vais finir asphyxié.

L'attente est interminable. Là-bas, près du guichet, excédés par la fatigue et l'inhospitalité – le mot est faible –, trois hercules s'engueulent et en viennent aux mains. Canalisés par la rambarde, les bonshommes se mettent facilement d'accord, mais à l'approche du guichet, sans garde-fou, quelques petits malins cherchent à se faufiler. Ce sont dans l'ensemble des chauffeurs iraniens ou turcs. Mon voisin me raconte que son cas est particulier. On lui a volé ses papiers et son argent à Istanbul. Il a obtenu un sauf-conduit de la police turque, mais il n'est pas sûr que cela lui suffise pour regagner le bercail. Un businessman – on le devine à son costume, impeccable qui plus est –, entré là en même temps que moi, s'est dirigé sans hésitation vers une porte vitrée derrière laquelle on aperçoit un officier des douanes en train de boire le thé sur un bureau qui croule sous le papier. Le privilégié ressort peu après. Un habitué des lieux ou du bakchich ? Je ne sais, mais c'est efficace. Il passe la porte-sésame, gardée par un petit homme ventripotent qui ne lésine pas sur les courbettes, alors que je l'ai repéré dès mon arrivée comme étant le roquet de service. La grosse porte est fermée par un énorme cadenas de cuivre qu'il prend soin de verrouiller après chaque passage. On doit d'abord montrer patte blanche.

Les douaniers turcs font montre d'une arrogance méprisante. Comme le suivant doit couper la foule pour accéder à un bureau, il se met soudain à hurler. Il harponne les gens avec une brutalité démente, les aligne en une file toute militaire. L'un d'entre eux n'obtempérant pas assez vite, d'une violente bourrade il le projette contre le mur. Devant ce monstrueux abus de pouvoir, personne ne proteste. Ceux qui rongent leur frein savent bien qu'ils ne pourraient plus passer qu'avec les pires difficultés.

J'ai de la chance : je ne mets que trois heures pour parvenir au fameux guichet. Ma qualité d'Occidental me protège, on ne cherche pas avec moi à resquiller. Le douanier qui tamponne mon passeport juge utile de s'excuser.

– Désolé pour l'attente, dit-il, mais je n'en peux plus, je viens de vérifier six cents passeports, et ici, six cents passeports signifient six cents problèmes…

Dûment estampillé, je suis autorisé à franchir la porte-sésame. Le cadenas de cuivre tombe. Et je débouche… sur une autre pièce guère plus accueillante que la précédente. Au-dessus de la porte d'entrée, un portrait d'Atatürk ; au-dessus de celle qui mène en Iran, les portraits de Khomeini et de Khamenei. Les deux leaders islamiques iraniens sont l'unique décor. Mais l'atmosphère dans ce no man's land est bien différente de celle de la salle de douane turque. Des banquettes de ciment sont installées tout autour de cette pièce sans fenêtres et haute de plafond. Les hommes y bavardent, ce n'est plus la foire d'empoigne de tout à l'heure. Les chauffeurs ont tous confié leur passeport à l'un d'entre eux. Je m'approche et on me fait place. Peu après, la porte s'ouvre et un douanier iranien attrape la pile de passeports, un vétéran, avec sourire chaleureux, prend le mien qu'il pose sur le dessus. Un Iranien anglophone engage la conversation. On veut connaître ma nationalité, les détails de mon voyage. Un cercle se fait autour de moi et on traduit en turc ou en fârsi.

Quand la porte s'ouvre de nouveau, le douanier m'invite à passer. Je proteste, les autres étaient avant moi, dis-je, il n'y a aucune raison pour que… Mais avec des signes de sympathie, les chauffeurs me poussent en avant en me souhaitant bonne route.

De l'autre côté, alors que je m'attends à une épreuve, deux visages amènes me font face derrière leurs guichets. L'un d'eux me tend mon passeport, me salue, et dans la pièce suivante, un douanier me signifie qu'il est inutile que j'ouvre mon sac et que je peux aller. Je n'ai rencontré jusqu'ici aucun de ces hideux excités qu'on m'a tant prédits à Paris. Une issue encore, grande ouverte sur une cour noyée de soleil. Je la franchis. Me voici en Iran. Je suis immédiatement frappé par le changement de décor. La ville de Bazargan s'étale au pied de la colline où sont érigés les bâtiments de la douane. Sur la crête, des guérites de béton et des fils de fer barbelés. Sur l'autre versant, une longue descente bitumée, le long de laquelle est sagement alignée une interminable file de camions. Tout en bas, deux parkings sur lesquels stationne une théorie de poids lourds. Rien à voir avec l'anarchie et la pouillerie d'à côté.

Je n'ai pas fait trois cents mètres qu'un jeune troufion me rejoint.

– Je suis douanier mais j'ai terminé mon service. Est-ce que je peux t'aider ?

Pendant que nous descendons vers le village, l'homme me raconte qu'il effectue son service militaire dans le corps des douaniers mais qu'il a étudié la comptabilité. Ai-je besoin de devises ? Non. Il écarte gentiment les changeurs qui se précipitent vers nous. Ai-je besoin d'un hôtel ? Il me dirige vers l'un des multiples établissements qui bordent la rue, négocie avec le patron avant de me quitter. Ce premier hôtel iranien dans lequel je loge ne me change guère des établissements turcs que j'ai fréquentés. A y bien réfléchir, je note pourtant une différence. C'est qu'ici l'inévitable fuite d'eau dans la salle de bains est bien plus supportable.

J'ai quelques difficultés à repartir au matin suivant. Mes muscles sont noués, et je m'offre déjà une tourista… Ma première étape iranienne, vingt-deux kilomètres entre Bazargan et Makou, me semble ne jamais devoir finir. Épuisé, dès que j'ai trouvé un hôtel, je me jette sur le lit et dors deux heures comme une souche.

La vie ici est douce pour un marcheur. Je m'attendais à une population crispée sur ses certitudes religieuses, hostile aux étrangers. Je ne cesse de m'étonner de la gentillesse et de l'attention chaleureuse que les habitants rencontrés me témoignent. Comme nous n'avons pas de langue commune, les villageois me saluent au passage d'une courbette ou d'un sourire qu'ils accompagnent d'un geste de la main sur le cœur. Ceux qui viennent me serrer la main l'emprisonnent affectueusement entre leurs paumes. Les enfants m'encerclent, mais ce n'est jamais pour mendier ou réclamer argent ou cadeaux. Mahmad, un gaillard d'une dizaine d'années, me fait un bout de conduite, bientôt rejoint par son jeune frère. Je parviens à leur expliquer que je suis français et que je me prénomme Bernard. Aussitôt, d'autres gamins m'entourent et piaffent. Keven, un bavard à la tignasse noire et aux yeux clairs, déroule des mots à l'infini sans se soucier que je comprenne. Le téléphone arabe est efficace, car des ruelles surgissent des nuées d'autres gosses. Lorsque je parviens au bout du village, une bonne trentaine me font cortège.

Rendu à ma solitude, je marche à mon rythme, curieux de ces nouveaux paysages. Les plaines sont cultivées, les lignes de bouleaux sont d'un vert tendre. Nous sommes en mai et les grandes chaleurs sont encore à venir. Soudain, je m'arrête, interdit. Là-bas, sur le plateau, le mont Ararat offre son cône immaculé, resplendissant au soleil. Cadeau fugace, car dix minutes plus tard il a recoiffé son tchador nébuleux.

J'ouvre grand mes yeux, désireux de repérer les us et interdits d'ici. Pour ne pas heurter les susceptibilités, j'ai revêtu une tenue assez peu classique pour un marcheur : pantalon aux multiples poches et large chemise blanche aux manches longues. Peu habitué à des vêtements aussi couvrants je transpire comme un diable, mais là encore je le sais : après quelques jours d'inconfort, je vais m'adapter à la chaleur.

Les tenues des hommes et des femmes ici sont faites pour cacher les corps. Mais les hommes sont libres de porter ce que bon leur semble, à la différence de leurs épouses et de leurs filles. Pour elles trois types de tenues. La plus inhabituelle à mes yeux d'Occidental et la plus choquante est le tchador, ce tissu noir qui les couvre des cheveux jusqu'aux pieds. Pour le maintenir en place, une main agrippe l'étoffe sous le menton afin qu'elle ne laisse apparaître que le visage et une partie du front, l'autre tient le voile au niveau de la poitrine ou du ventre. Lorsqu'une mère donne la main à son enfant, seul son avant-bras, couvert bien sûr, sort du tchador. Pour garder coûte que coûte le visage caché, elle serre le tissu entre ses dents.

La femme peut aussi se vêtir d'un manteau, noir la plupart

du temps, complété par une cagoule – le *maghna'é*. Ces deux tenues sont obligatoires pour toute femme salariée de l'État.

La troisième tenue, plus libre, est presque un signe d'appartenance à la classe moyenne ou bourgeoise. Le manteau, le plus souvent de couleur claire, n'est pas toujours fermé jusqu'en bas et, par l'échancrure, laisse parfois apparaître un blue jeans. Le foulard, sombre, est noué de manière à cacher entièrement les cheveux. Mais quelques femmes osent s'afficher avec des foulards aux tons légers. Il va de soi que, quelles que soient les chaussures, les pieds sont dissimulés par des chaussettes...

Les hommes ignorent la chemise à manches courtes, et la cravate leur est interdite. Quelques fortes têtes portent des ticheurtes. Les hommes pieux couvrent leur tête d'un petit bonnet de laine.

L'État, par l'intermédiaire des redoutés *komités*, veille à ce que ces tenues soient respectées. Mais les vigiles chargés de cette besogne ne s'intéressent qu'aux femmes. Il y a même, me confiera-t-on, de vieux Azerbaïdjanais qui portent ostensiblement la cravate, s'attirant des regards de reproche – mais aucune sanction. En revanche, la moindre mèche folle chez une femme provoque l'intervention des komités qui sillonnent en civil les rues et les parcs.

Mon sac et mes grosses chaussures attirent évidemment les regards. Un militaire, puis un garagiste, m'arrêtent pour m'offrir un thé... et satisfaire leur curiosité. Devant le garage, on me propose l'unique chaise cependant qu'un tabouret accueille théière et verres à moutarde. Cinq ou six commerçants voisins s'accroupissent autour de moi et je suis littéralement bombardé de questions. Penché sur les petits papiers plastifiés préparés à Paris avec l'aide de Sophie, j'ânonne les mots fârsi écrits phonétiquement. Mes hôtes sont en liesse car je fais quelques bourdes linguistiques. Et quand je leur dis que je suis *veuve* – sans doute parce qu'il est impensable ici de confondre les sexes – ils rient franchement. J'apprends à mettre un morceau de sucre dans la bouche et à le laisser fondre à chaque gorgée de thé brûlant. Mais je perds mon statut d'attraction lorsqu'une caravane d'une vingtaine de camping-cars allemands déferle dans le village. Le garagiste, avec force mimiques, m'incite à les imiter. Je lui réponds, par le même langage des mains : préfère-t-il un touriste qu'on touche ou un touriste qu'on voit ? Cette question scelle notre amitié et sa grosse patte cambouisée vient frapper la mienne.

Je n'ai cessé pendant cette pause d'observer au rond-point voisin les gestes d'un flic boudiné dans un uniforme vert qui règle en chef d'orchestre la circulation. Ces gestes d'un ballet superbement ordonné m'ont toujours fasciné et je constate qu'ils font fi des frontières. Quand son collègue vient prendre la relève, il retire d'un geste martial ses lunettes de soleil qu'il lui tend avec majesté. Peut-être font-elles partie de l'uniforme… En tout cas, elles semblent conférer de l'autorité à qui les porte…

A Makou, je m'accorde un jour de repos. Je ne me sens pas vraiment fatigué, bien que la grande étape entre Dohoubayezit et Bazargan pèse encore. Mais je sais surtout, depuis l'an dernier, que je dois me méfier de moi-même. L'euphorie de la marche peut s'apparenter à l'ivresse des profondeurs. Le bonheur d'aller est tel que l'on néglige les avertissements du corps. Une trop grande fatigue me fragiliserait et me rendrait d'autant plus réceptif au moindre microbe que je vis dans des conditions d'hygiène douteuses. Je me bichonne donc et m'offre un premier arrêt alors que mon compteur totalise la somme ridicule de quatre-vingt-deux kilomètres.

Je vais profiter de cette journée pour aller visiter Ghara Kelisa (l'Église noire), qui se trouve à une vingtaine de kilomètres de Makou. Chaque année, le 19 juin, les chrétiens arméniens rallient cette église de saint Thaddeus (que certains traduisent par saint Barnabé !) pour assister à la messe annuelle. Comme le village ne possède aucune structure d'accueil, les fidèles campent autour de l'église. Le spectacle est paraît-il fabuleux et unique.

Mais, même pour des chrétiens arméniens, je ne me sens pas l'âme à camper là quinze jours.

J'ai affrété un taxi avec un chauffeur, Ali, et un guide, Mehdi, qui va rapidement se révéler incapable de guider quoi que ce soit. Il possède autant de mots anglais que je dispose de mots fârsi, et les slogans peints sur les blocs de pierre le long de la route escarpée qui nous conduit vers la haute vallée où se trouve le sanctuaire me resteront à jamais énigmatiques. Mais je me dis que, peut-être, c'est qu'il ne *veut* pas les traduire. Et, de fait, avant même que nous arrivions, je le surprends en flagrant délit de mensonge. Devant ce qui ne peut être qu'une prison en construction (hauts murs sans fenêtres flanqués à chaque coin de miradors), Mehdi à qui je demande : « Une nouvelle prison ? », me répond après un instant de réflexion : « Non, un stade. »

J'ai envie d'ajouter : « modèle Pinochet ? » mais je m'abstiens. Je ne me contenterai pas, cela dit, qu'il soit aussi nul concernant Ghara Kelisa.

L'église est située dans une vallée lunaire. Pas un arbre, une herbe rase déjà brûlée par les premiers soleils. De loin, on aperçoit tout d'abord une sorte de cône de pierres blanches qui se détache sur un fond de montagnes grises. Puis la belle église se dévoile lentement, au gré des replis du terrain. Sur la gauche, le regard plonge dans une vallée sur laquelle glissent de gros nuages. L'église « noire » est en réalité une église couleur sable. Elle fut, au Xe siècle, construite en basalte, ce qui lui valut son nom. Mais au XIIIe puis au XVIIe siècle, des tremblements de terre la mirent à bas. Les pierres de basalte furent partiellement réutilisées pour le mur d'enceinte et pour une tour qui présente une alternance d'anneaux sombres et d'anneaux clairs. Les proportions de la petite construction sont parfaites. Mon guide – comme je le redoutais – se révèle incapable de me dire trois mots sur l'église et se livre, avec Ali, à des pitreries joyeuses, criant sans le moindre respect pour ce sanctuaire d'une religion qu'ils méprisent.

Dans le petit village d'Arméniens près de Ghara Kelisa, les

femmes en robes aux couleurs violentes vaquent et des hommes travaillent à réparer un système d'irrigation, en prévision de l'été qui arrive. Une fillette à la jupe longue qui fut naguère d'un bleu royal vient se planter devant moi en réclamant une photo. Son gilet d'un pourpre lumineux et son sourire éclatant me séduisent… mais dès que je braque l'appareil elle prend un air sérieux, presque triste. Espérant la dérider, je lui offre quelques bonbons mais rien n'y fait, pas plus que le pin's que je mets dans sa main après lui avoir montré sur ma chemise comment il s'agrafe. Ces gadgets qui prennent peu de place et sont légers enchantent les enfants. Des amis ou des lecteurs – certains se défaisant de leur propre collection – m'en ont envoyé par centaines avant mon départ. Qu'ils se rassurent, ils seront distribués, car l'Iran est passé d'une population de dix-neuf millions d'âmes en 1956 à près de soixante-dix millions en 1996, malgré la saignée que la guerre contre l'Irak a creusée dans la population jeune.

La guerre, d'ailleurs, est omniprésente. Dans chaque ville ou village, de grands portraits peints représentent les « martyrs » qui ont laissé leur vie au cours des affrontements. Et dans les cimetières, leurs tombes surmontées du drapeau iranien sont légion et me rappellent les monuments dans nos campagnes à la gloire de la guerre de quatorze.

En rentrant au village, comme je me renseigne auprès d'un homme pour me rendre à la poste, il me questionne en retour sur ma présence ici et un attroupement se forme autour de l'étranger. Un Iranien rasé de frais – une rareté ici – et à la tenue plus recherchée que la moyenne s'offre pour traduire les questions. Il parle un bon anglais. Je l'en félicite.

– J'ai appris l'anglais avec les gens de la Croix-Rouge car j'ai été prisonnier en Irak pendant cinq ans.

– Cinq ans ! sacré problème…

Il jette un regard à gauche et à droite pour s'assurer que personne ici ne peut comprendre et me prend le bras qu'il serre, pour que je sois mieux pénétré des mots qu'il prononce.

– Il y a vingt ans qu'on a de *sacrés problèmes* ici, *my friend*.

Et, comme s'il en avait trop dit, il s'éloigne à pas rapides sans se retourner.

Je reste là, pensif. Je m'attendais à trouver un peuple hostile, soudé autour de la loi islamique. Je viens de rencontrer le premier opposant au régime des mollahs, car vingt ans, c'est l'âge de la « révolution » qui, au nom d'Allah, a porté l'imam Khomeini au pouvoir.

Assis sur les marches de l'hôtel, je profite de la douceur du soir en regardant passer les gens. Une jeune femme au teint d'albâtre et aux sourcils très noirs et arqués a laissé son tchador glisser vers l'arrière, découvrant une épaisse chevelure sombre. Elle ne tient son voile que d'une main, au niveau de son ventre et le tissu noir dessine ses seins et s'entrouvre sur de longues jambes revêtues d'un pantalon bleu en toile de Gênes. Il émane de cette femme, en dépit – ou plutôt à cause ! – du tchador et de la façon dont elle le porte, une protestation muette et une charge érotique palpable. Je la suis des yeux, alors qu'elle s'éloigne à grands pas, son long corps ondulant comme ceux des mannequins lors des défilés de mode.

La journée de repos à Makou m'a requinqué et je reprends la route avec des mollets neufs. Après plus d'une heure de marche, je quitte l'étroite vallée encaissée où se niche la ville. Des maisons troglodytes sur les parois escarpées s'envolent des oiseaux à tire-d'aile. Puis la vallée s'ouvre sur une plaine fertile, piquetée de noyers et où ondulent des blés verts.

A midi, dans le petit restaurant qui sert les inévitables *dönerkebab*, un gamin vient s'asseoir sans façon à ma table et s'empare de mon guide de voyage. Il nomme les figures de la république islamique qu'il y reconnaît, Khomeini le guide, Khamenei son successeur, et le président Khatami qui vient de gagner les élections. Soudain, il tombe en arrêt devant un visage.

– Qui est-ce ?

– Le shah, Mohamed Reza.

Le gamin est fasciné. C'est la première fois qu'il voit le portrait du souverain détrôné. Le livre fait rapidement le tour du restaurant. Lorsque je repars, un homme qui s'échine à laver le pare-brise de son camion sur le terre-plein devant l'auberge m'aborde avec des airs de conspirateur.

– Je suis né il y a quarante ans. Mes parents m'ont appelé Mohamed Reza, comme le shah. Cela m'a posé de gros problèmes. Après la révolution, j'ai dû quitter l'université et je suis devenu chauffeur de poids lourds.

Les Philippe de l'an quarante, chez nous, n'ont pas eu à supporter si cruellement leur prénom… Il est vrai qu'en Iran les ayatollahs veillent depuis vingt ans à ce qu'on ne s'arrange pas trop commodément avec l'Histoire…

Dans la plaine, je constate que contrairement à la Turquie où seules les femmes travaillent aux champs, ici ce sont les hommes qui triment sur les bêches ou les houes. Le soleil est encore haut. Une voiture qui me double à vive allure freine, réalise un demi-tour et revient à ma hauteur. Le chauffeur me lance :

– *I go Tabriz.*

Oui, oui, moi aussi, mais je tiens à y aller à pied. Il est vexé comme un pou et me le montre en voltant inconsidérément, au risque de m'aplatir. Je retrouve chez les Iraniens l'incompréhension à laquelle j'ai dû faire face en Turquie quand je manifestais mon désir de marcher. Est-ce donc si incongru, si extravagant et inconcevable qu'un homme aujourd'hui puisse avoir la simple envie de parcourir le monde à pied ? J'ai l'impression de faire là quelque chose somme toute d'assez banal, mais l'on me renvoie si régulièrement de mon aventure l'image d'une entreprise insensée que je vais finir par en douter…

Après Makou, j'ai pris à ma droite une petite route qui plonge vers le sud. La circulation y est légère, le chemin parfois désert, et je savoure cette solitude. Peu à peu mon rythme de marche devient plus rapide, mes muscles sont en train de s'adapter à l'effort que je leur impose. Mais l'endurance n'est pas encore là. Après vingt-cinq kilomètres, je commence à souffrir. Encore cinq kilomètres et je serai à Shot, dit la carte, *Shut* dit la pancarte bilingue, *shout* prononcent les habitants. J'y arrive mitraillé par un orage de grêle et finis par trouver une chambre à louer chez Mahmad[1], le bistrotier, où six de ses amis moustachus sont attablés et m'accablent de questions. Comme je raconte l'anecdote du shah au restaurant, ce midi : « C'était un bon », dit un des hommes avant qu'un autre renchérisse : « Tous les Iraniens sont admirables, sauf les hommes d'Église. »

Le régime des mollahs aurait-il fini de lécher la confiture et en arriverait-il au pain noir ? Mais j'ai vite la preuve que la révolte ne saurait se faire au grand jour. Malgré ce que je viens d'entendre, deux policiers qui arrivent pour boire un thé se voient salués avec une grande déférence…

Plus tard c'est un gaillard à l'air suffisant qui inspire dès son entrée une sorte de crainte révérencieuse. Il veut tout savoir de moi. Lorsque je m'enquiers de l'existence d'un hôtel dans le prochain village, il me tend un bristol en caractères fârsi.

– Présente ceci et dis que c'est moi qui t'envoie.

Le ton n'admet ni réplique, ni contestation, ni remerciement. C'est un geste princier qui se suffit à lui-même. D'ailleurs, ayant dit, l'homme s'en va. C'est un homme très, très riche, assurent en chœur les moustachus dès son départ… Comme quoi la richesse et la force, ici aussi, font la loi.

La mauvaise carte routière que je possède indique une route allant vers le sud. Elle n'existe que sur le papier, me jurent mes interlocuteurs. Tant pis, j'irai à travers champs, je me refuse à un détour de dix kilomètres pour retrouver une route. On se récrie. Je vais me perdre et courir au-devant de mauvaises rencontres. Mahmad propose de me prendre en voiture demain matin pour me ramener sur la route qui mène

---

1. Compte tenu du contexte politique, je changerai les noms de mes interlocuteurs lorsque leurs dires ou leurs actes pourraient leur attirer les foudres des mollahs ou du komité chargé de faire respecter la loi islamique.

à Tabriz. Devant l'insistance générale, je finis par donner mon accord.

La chambre qui m'a été dévolue est crasseuse à souhait. Un des deux lits a des draps qu'on n'a pas dû changer depuis la révolution, mais par égard pour l'étranger on a équipé l'autre d'une literie moins pouilleuse. Dans les cabinets, je dérange une famille de cafards gros comme le pouce. La fenêtre n'a pas de rideaux et je dois éteindre la lumière pour respecter la décence. Dans la nuit, deux troufions qui patrouillent s'arrêtent sous ma chambrette et allument un feu. Quatre autres bidasses les rejoignent et, sur ce foyer improvisé, ils se font tout simplement chauffer du thé. Autant dire que ma nuit est courte. Et comme aucune voiture ne vient me chercher, comme promis au petit matin, je décide d'aller à travers champs. Compte tenu de l'accueil que j'ai reçu jusqu'ici, je suis sûr que je ne risque rien. Quant au danger de me perdre, je compte bien l'éviter en me servant du GPS dont j'ai fait l'emplette à Paris avant mon départ. Le *Global Position Satellite* est un appareil électronique gros comme un télé-phone portable, qui en se connectant sur les engins spatiaux vous indique l'endroit où vous vous trouvez, au poil près. En outre, pour peu que vous le programmiez correctement, il vous indiquera la direction du lieu où vous souhaitez aller, la dis-tance qui vous en sépare ainsi que la vitesse à laquelle vous avancez. Il est peut-être même capable de décrypter vos désirs, si vous les ignorez... Que peut-on souhaiter posséder d'autre (hormis l'indispensable petit couteau suisse aux nom-breux usages) quand on veut courir le monde sans embûches ? Comme un môme je piaffe de vérifier que cette merveille tient ses promesses. Et aussi de me rassurer quant à mes compé-tences à m'en servir, car j'ai en général une relation hautement problématique avec les engins électroniques, bien trop sophis-tiqués pour moi.

Je quitte donc le village, assuré que le monde est à moi, ce dont semble douter la statue devant laquelle je passe et qui se dresse en plein cœur de la ville, représentant un bidasse en tenue léopard qui brandit d'une main un kalachnikov, de l'autre le drapeau iranien, témoignage du temps où la révolution islamique partait pour conquérir le monde. Mais pour l'heure, j'estime que c'est moi qui pars à sa conquête.

A quelques kilomètres, les ruines d'un caravansérail de briques crues dont il ne reste qu'une partie des fondations me narguent. C'est le premier signe tangible – si l'on peut dire – que je suis bien sur la Route de la Soie. Derrière, l'horizon est barré par la ligne crénelée d'une forêt sur laquelle sont comme posés le petit et le grand Ararat, pointes blanches perçant un ciel turquoise. Je pose mon sac pour mieux goûter le spectacle, et cet ahurissant silence... déchiré par une moto pétaradante, alors que je viens de reprendre ma marche. Le jeune motard, non content de m'assourdir, me bombarde des sempiternelles questions (nationalité, d'où je viens, où je vais, quel est mon âge...) puis sort un stylo à bille de sa poche. Pris de court, je lui donne le mien en échange car il a quand même passé l'âge des pin's. Il repart satisfait. Le lendemain, je constaterai que son stylo est évidemment hors d'usage... Petites rencontres, petites arnaques... J'aurai décidément goûté médiocrement et de petite façon le pays depuis la frontière.

Un vieil homme pourtant m'émeut. On se salue, il m'interroge. Routine. Ayant apparemment compris le parcours que j'effectue, il se poste au beau milieu de la route dans l'intention d'arrêter la première voiture. J'ai toutes les peines du monde à l'en dissuader. Il tient à la main un bol recouvert d'un linge humide. Qu'est-ce que c'est ? Avec des airs de conspirateur, il écarte le chiffon. Ce sont des graines de melon dont le petit germe translucide s'illumine sous les rais du soleil. Il en cueille une d'un doigt précautionneux et la dépose, comme un père attentif, au sein de la terre. Puis il l'enterre délicatement pour ne pas abîmer cette minuscule promesse de melons charnus et ventrus.

Je file à travers champs, guidé par la flèche de mon GPS. Les dernières pluies ont détrempé le sol et, alourdi par le poids du sac, mes chaussures s'enfoncent dans une terre meuble. Ici et là

restent encore des plaques blanches ; c'est la neige qui n'a pas
été totalement fondue par le soleil de printemps. La couche
doit être impressionnante en hiver. Mais les premières chaleurs
ont fait éclore des coquelicots et la plaine est revêtue d'une
étole vermillon qui frémit sous la brise. L'air est frais. Une
légère transpiration mouille mes vêtements et je suis bien. Trois
heures plus tard, je franchis une petite rivière pour rejoindre la
route bitumée lorsqu'une voiture de police s'arrête. Les deux
pandores s'informent de mon but. L'un d'eux écrit au stylo à
bille sur sa paume le nombre de kilomètres qui m'en sépare
puis ils repartent sans même avoir cherché à vérifier mes
papiers. La flicaille relâcherait-elle sa vigilance ? Ce premier
pas vers un univers où régnerait l'insouciance, inexplicablement me ravit. Comme si le verrou d'une crainte diffuse que
j'ai cadenassé depuis mon départ enfin se débloquait.

La petite route grimpe maintenant vers un col pour franchir
une haute colline. Le ravinement a dessiné une série de buttes
rondes qui s'appuient les unes sur les autres et font penser aux
techniques de construction de certaines églises romanes. Alors
que j'arrive au col, une 2CV verte, sautillante comme une gre-
nouille, passe près de moi et pile quelques mètres plus loin
dans un grand dérapage. Un petit homme déplumé en sort
comme s'il était éjecté, fouille dans les objets épars sur les
sièges et s'approche, un grand sac en papier à la main… rempli de bonbons au chocolat. Il en prend une poignée qu'il me
fourre dans les mains tout en me demandant mon nom et ma
nationalité, puis repart aussi vite qu'il est apparu. Les Iraniens
ont l'amitié prompte. Quand je le reverrai, dans la soirée, il me
donnera l'explication de sa précipitation : il est médecin et
était appelé pour un accouchement qui se passait mal. Ce qui
me laisse tout de même pantois, c'est qu'il ne lui vient même
pas à l'idée qu'il aurait pu ne pas s'arrêter du tout. Un étranger, c'est sacré. Quelle idée, lui dis-je, de vouloir à tout prix
offrir des bonbons à un quidam quand on est pressé ! Il balaie
la critique d'une pichenette rassurante :

– La mère et l'enfant se portent bien.

Quand je reprends la route, le soleil tape. A l'est, les neiges sur les hautes montagnes qui séparent l'Iran de l'Azerbaïdjan brillent au soleil comme ces boules qui tournent au plafond dans les bals musettes.

II

LE BAZAR

20 mai. Shah Bolaghi. Kilomètre 151.

Allah Saadi en a marre. Il est 19 h 30 et la journée a été longue. Avachi dans un fauteuil directorial, les pieds confortablement calés sous un bureau grand format, il récupère. Et ce n'est pas ce roumi avec son sac rouge sur le dos qui vient d'entrer dans son restaurant qui le fera émerger de sa somnolence. C'est parfait, car l'étranger, justement, ne réclame rien. Il lâche plutôt qu'il ne pose son barda et se laisse tomber sur une chaise.

Une folie. Je n'aurais jamais dû parcourir ces quarante kilomètres. Mais la route était si belle et les villages si rares que je n'avais guère le choix. Le hameau de Shah Bolaghi sera mon étape aujourd'hui. Presque tous les lieux qui portaient le mot « shah » ont été rebaptisés après la révolution islamique, mais un holà a été mis à ces exécutions posthumes et Shah Bolaghi a gardé dignement son nom. Nous restons ainsi, Allah Saadi et moi, une bonne dizaine de minutes, puis lorsque j'ai un peu récupéré j'ose commander un thé. Il ne me jette même pas un regard. Je n'existe pas. Et je n'insiste pas.

C'est alors que la porte du restaurant s'ouvre à la volée. Il s'agit de Zafer, le médecin rencontré ce midi, toujours aussi pressé et survolté. Il vient caser son ventre contre ma table, sort une poignée de caramels de sa poche et réclame :

– Un thé pour mon ami !

Allah Saadi, cette fois, entend et se dirige à pas mesurés vers la cuisine. S'il n'est pas grand, il compense par un tour de taille qui le rend à peu près sphérique, il est sans âge, entre vingt-cinq et quarante. Une toison noire charbonne sur ses bras et dans l'échancrure de sa chemise, mais il n'a plus un poil sur le caillou. Il marche pesamment en se dandinant comme une oie gavée et ses sandales font « tchuuh, tchuuh » sur le carreau. Lorsqu'il revient je lui demande s'il a une chambre à louer.

Il lève les yeux au ciel, prenant l'autre Allah à témoin de mon inconséquence.

– Où y en a-t-il ?

D'un vague mouvement du menton il désigne l'infini.

Je sors alors la carte de visite donnée par l'homme à l'air avantageux au café hier soir. Il la prend mais il a beau s'y plonger avec une concentration qui l'honore, le persan lui reste un idiome insondable. Le toubib lui vient en aide et lit : « Guly Asadi ». A ce nom, Allah Saadi arbore un sourire radieux. Bien sûr, qu'il a une chambre ! Et il va me servir un bon repas, qu'il part, d'un pas devenu presque alerte, préparer. J'ignore de quoi est fait ce sésame, mais je jouis de son efficacité en dégustant le meilleur dîner qu'on m'ait servi depuis que j'ai franchi la frontière. « Le pain est la grâce divine », dit un dicton persan : je me damnerais pour celui que ce poussah m'apporte.

L'homme de la Faculté est reparti en courant s'occuper de ses malades, mais je ne reste pas longtemps seul. Un gentil nouveau venu m'entraîne, presque de force, pour visiter la sécherie de tabac qu'il possède. Puis il me présente ses deux fils dont l'un baragouine quelques mots d'anglais. Les deux frères ne se ressemblent en rien :

– Normal, me dit l'homme, ils n'ont pas la même mère.

Et de me désigner deux femmes qui m'attendent sur le seuil de la maison voisine, l'une avec un bon sourire qui fend un visage bouffi, l'autre plus jeune avec un rictus noir parce que la bouche est déjà dépourvue de dents. Comme ce spectacle me déprime, je préfère m'en retourner chez mon amphitryon. Mais je n'y retrouve pas l'empressement qu'il m'a manifesté pendant le repas.

Dans le fauteuil où je l'avais vu vautré trône désormais un vieil homme qui semble d'humeur exécrable et me jette un regard assassin. C'est le père – doublé du propriétaire. Lui ne connaît pas Guly Asadi et n'en a cure. Adieu ma chambre. Allah, à petits pas glissés, va se terrer dans la cuisine. Entre alors un autre vieil homme, jovial et dynamique celui-là, qui va saluer le vieux ronchon. Coiffé d'un bonnet de laine tricoté, portant une moustache noire et une longue barbe blanche arrondie comme un éventail, il est royal. Abdullah Abdullahi a surtout un sourire étincelant ; des dents très blanches et deux canines en or : une gueule. Oubliant mes soucis de chambre, alors qu'il vient me saluer je lui demande si je peux le photographier. Il accepte, magnanime. Dès que j'ai sorti mon appareil, le vieil ours s'adoucit : je viens de regagner la chambre. De toute façon je ne suis pas à la rue car en plus de deux jeunes gens oisifs qui se battent pour m'offrir l'hospitalité, le planteur de tabac aussi me propose le gîte. Mais je m'empresse de décliner son offre, redoutant qu'il ne m'invite, aussi, à partager ses femmes.

Lorsque le poussah, qui refait surface, me conduit dans ma « chambre » – une pièce près de la cuisine où je vais dormir par terre –, je lui demande si son nom s'orthographie comme celui du dieu des musulmans. Il est illettré et n'en sait fichtre rien. Dommage, on n'a pas tous les jours l'occasion de dormir dans la maison d'Allah.

Je marche depuis une heure et demie dans la chaleur naissante lorsque j'éprouve le besoin de me retourner. Ô, miracle, Son Éminence le grand Ararat et Sa Suffisance le petit Ararat sont là, majestueux sur le fond de ciel pur. Plongé dans une contemplation hébétée, je n'ai pas entendu venir un petit berger que je découvre avec surprise à mon côté. Après les rituelles questions et sa curiosité étant satisfaite, il grimpe lestement sur un tertre et, en kurde, les mains en porte-voix, crie ce qu'il vient d'apprendre vers l'autre versant de la vallée. Comme un écho, nous entendons alors une voix qui répercute, plus loin encore, le contenu de cette gazette parlée qui se déclame d'un vallon à l'autre. Si je souhaitais passer inaperçu, voilà qui tombe à l'eau : je suis annoncé au moins jusqu'à Tabriz !

Pourtant, à Qarah Ziya Eddin, dieu soit loué, je ne suis pas accueilli en grandes pompes comme il était logique de le penser... Ce qui me permet donc de dénicher tout de suite... une chambre équipée d'un lit confortable et d'une douche tiède. Évidemment, le bonheur étant un état fugace, je suis réveillé avant l'aube par des coups violents frappés sur la cloison de ma chambre : c'est qu'elle sert de limite de buts à un terrain de foot que les garnements du quartier ont improvisé dans le couloir de l'hôtel... Mais enfin, quand les enfants dorment-ils dans ce pays ?

Je crapahute depuis une bonne heure, sous un soleil violent, dans un défilé où se glissent côte à côte la route et la rivière, lorsque à un tournant apparaît le *Bistrot de Mahmad*. Bistrot est un bien grand mot puisqu'il s'agit de quatre gaules plantées dans le sol au sommet desquelles on a ménagé un toit de branchages et d'herbes qui projette son ombre sur deux tables. Je m'installe, enlève sans façon mes chaussettes trempées de sueur et les suspends au soleil. Comme j'attaque mon repas – les inévitables brochettes accompagnées d'un oignon cru et d'une tomate –, Razul gare son gros camion et vient me raconter son infortune : avant la révolution islamique, il baladait des touristes (d'où son maniement magistral de l'anglais), maintenant, son entreprise ruinée, il transporte du fuel. Alors, pour ne pas oublier la langue d'Albion qu'il a apprise voilà vingt ans et qu'il vénère, il ne rate pas une occasion de s'entretenir avec des étrangers quand, d'aventure, il en rencontre.

Comme il lisse sans arrêt sa splendide moustache, je finis par lui demander pourquoi les Iraniens en portent tous une.

– Parce que seules les femmes n'en portent pas, dit-il sans rire.

Réponse imparable, que j'aurai tout loisir de méditer.

Razul est mal payé. Mais dans dix ans son patron lui donnera le camion qu'il conduit. La mesure est habile. Le chauffeur bichonne l'engin comme s'il était déjà le sien. Après son départ je dors une courte sieste sur un tas d'herbes fraîchement coupées. Lorsque je veux payer, non, me dit le patron, tu ne me dois rien. J'insiste car j'ai appris hier que le code de politesse ici veut qu'on refuse au moins deux fois avant d'accepter un présent. Avant-hier, j'ai demandé après avoir révisé ma leçon sur mon petit papier plastifié : combien je vous dois ? à un vendeur de cartes postales. La main sur le cœur, il m'a répondu rien. Cadeau ? Merci ai-je dit, étonné, en empochant les cartes. C'est ce qu'on appelle un impair. Informé, je ne vais pas recommencer à me comporter comme un malotru. J'insiste donc, une fois, deux fois… Mais aujourd'hui il ne s'agit plus du protocole de la politesse : le patron me dit que Razul a payé mon repas en réglant le sien. Je reste toujours médusé devant la discrétion de la générosité orientale. Peut-on imaginer un Occidental vous faisant un cadeau sans en attendre, ne serait-ce que des remerciements, en retour ?

Il est 17 heures. La chaleur a baissé. Mais la côte était rude. Je pose mon sac pour souffler et sécher mon dos en sueur après la passe qui m'a conduit d'une vallée à l'autre. En contrebas, l'oasis d'Evoghli, réjouissante tache verte sur une mer de pierres, semble si proche. Une pancarte annonce cinq kilomètres. En réalité, mon GPS qui ne se trompe pas, lui, dit qu'il y en a dix. Cinq kilomètres plus loin, je retrouverai d'ailleurs la même pancarte, avec le même kilométrage.

Dans la plaine, le spectacle est grandiose. Sur la route, le soleil lance des flammes brèves sur les pare-brise d'une longue

file de voitures. Vers le nord, un nuage de poussière soulevé
par un véhicule fonçant sur un chemin de terre dessine une
longue traînée effilée de comète. Au loin, une chaîne de montagnes qui déclinent toute la gamme des bleus tremble dans
l'air surchauffé. Hélas, la dernière colline au pied de laquelle
je vais passer arbore au-dessus d'une gendarmerie deux
immenses portraits de Khomeini et Khamenei, les guides de la
révolution qui ne me guident en rien et ont tendance à gâcher
l'harmonie bucolique qui règne ici. Je m'attends, en vain, à
voir surgir des armées de pandores, mais non, seules des nuées
d'oiseaux à aigrette qui chantent sur trois notes, et deux aigles
qui tournent dans le ciel m'accompagnent.

La journée serait à compter au nombre des jours fastes si,
arrivé à Evoghli à la nuit, je trouvais – ainsi qu'on me l'a
affirmé – un hôtel. Il me faudra plusieurs jours pour m'apercevoir que le nom d' « hôtel » est donné par les Iraniens aux
restaurants. Lorsque l'établissement offre le couvert et le gîte,
il a le nom de *mossafer-khâné* ou encore de « caravansérail ».
Mais les gargotiers, souhaitant attirer les touristes étrangers,
indiquent « hôtel » sur leurs établissements. Et lorsque je
cherche d'anciens caravansérails qui pourraient se trouver sur
ma route, je ne sais jamais si l'auberge qu'on m'indique est
moderne ou ancienne. Le petit restaurant ainsi que les deux
suivants auxquels je m'adresse refusent de me coucher. Je
m'apprête à dormir à la belle étoile, car la nuit est tombée. La
quatrième gargote que je découvre est tenue par deux hommes
tout de noir vêtus. Nous sommes dans le mois des lamentations durant lequel les Iraniens portent le deuil de la mort
d'Hussain, le troisième imam des chi'ites, assassiné en 680 de
notre ère. L'aîné – un colosse qui semble être le patron – veut
bien me loger si la police est d'accord. Je dormirai, me dit-il,
dans la *meçit*, la pièce réservée aux chauffeurs routiers qui y
font leurs dévotions. Je suis déjà installé pour la nuit dans ce
réduit que seul agrémente un tapis de prière lorsque le cadet
vient me chercher. On transporte mon barda dans la chambre
du serveur qui logera cette nuit dans la meçit ; un *katolik* dans

ce lieu dédié au culte musulman, sans doute que cela faisait désordre.

Quand j'y parviens vers midi, Qapulik m'apparaît comme un pauvre village kurde de maisons de torchis à toits plats où les cigognes nidifient au printemps. La rue principale est vide, et je ne repère qu'un groupe d'hommes vaillants occupés à monter un mur en gâchant de la terre et de l'eau qu'ils lissent de leurs mains. Pas la moindre échoppe, nulle gargote. Le prochain village, à deux heures de marche, est aussi peu commerçant. Je vais donc me passer de manger. On m'offre un verre de thé. Pendant que je le sirote, un petit bout de femme s'approche, portant sur un plateau des galettes de pain, du fromage et du yaourt. Elle s'appelle Somalia et m'invite à venir manger ce frugal repas à l'abri du soleil. Dans le village, l'heure du déjeuner est passée et c'est en cortège que je me rends chez mon hôtesse, chacun désirant voir l'étranger à table. Devant cette cour silencieuse et attentive, je mange tout ce que m'a offert l'hôtesse, sauf la grosse mouche que je laisse lâchement dans le fond du bol de yaourt. Somalia est la deuxième femme de Bayran, un Kurde maigre au visage de musaraigne. Chacune de ses femmes dispose d'une maison et il en change au gré de ses humeurs. Somalia est une femme joyeuse qui a trois garçons dont le plus jeune a deux ans. Elle porte un foulard négligemment noué sous le menton, une longue jupe de coton imprimé et un pull au violet lumineux dont elle a retroussé les manches. Dans la pièce unique où elle habite, trois clous suffisent pour suspendre la garde-robe de la famille : une robe et deux vestes. Un réchaud à gaz est placé sur l'unique meuble, un petit placard émaillé dans lequel on range la vaisselle – quelques verres et quatre assiettes en ferblanc. Le seul luxe du lieu consiste en un grand tapis au mur. Je demande à la maîtresse des lieux si c'est elle qui l'a tissé. Elle me guide alors avec fierté jusqu'à un appentis sans fenêtres dans lequel est installé son métier, un cadre de bois

non raboté sur lequel un ouvrage est en cours. Je dois mani-
fester de l'intérêt car Somalia me fait l'honneur d'une
démonstration : elle et une jeune fille se mettent au métier et
leurs mains entament un joli ballet sur la lisse. Le plus petit
enfant de l'hôtesse se glisse alors sur ses genoux, soulève son
pull et la tète sans que sa mère s'émeuve. Puis elle s'inquiète,
mais à mon sujet : est-ce qu'il ne faut pas que je fasse la sieste
avant de repartir ? Afin que je repose en paix, tout le monde
s'éclipse. Allongé sur les tapis de la pauvre demeure, j'oublie
tout pendant une heure.

Lorsque je repars, la chaleur est encore intense. Les
quelques nuages dans le ciel sont immuables comme sur une
carte postale, l'air est immobile, sur la steppe rien ne bouge.
Seul, de temps à autre, un papillon apporte de la vie dans ce
monde pétrifié. Vers 16 heures, un petit troupeau d'ânes sauvages s'approche pour contempler cet étrange bipède qui ne se
déplace pas en voiture. Les flics qui m'ont abordé hier font
hululer leur sirène en passant près de moi et m'adressent des
signes d'amitié. A Morand, je tourne en rond pour trouver un
« palais » pour touristes. De guerre lasse, épuisé par une étape
de cinquante kilomètres, je monte dans un taxi collectif. Les
autres passagers me font fête et m'annoncent, avant de descendre, qu'ils ont payé mon transport. Mais le chauffeur, un
rouquin à l'air chafouin, arrivé à l'hôtel me réclame dix mille
rials (dix francs). Je paie sans protester, et j'aurais payé dix
fois plus s'il me l'avait demandé tant je suis éreinté. Construit
du temps du shah pour accueillir les nuées de touristes qui
venaient alors, le « palais » est aux trois quarts vide depuis la
révolution. Les tôles du toit rouillent, les canalisations fuient.
Le gérant, qui me demande d'abord trente dollars puis la moitié, me confie que sa sœur s'est mariée à un Marseillais et que,
malgré des appels téléphoniques répétés, elle refuse de revenir
vivre en Iran. Quand je lui réponds que, peut-être, elle préfère
rester dans un pays où le port du tchador est facultatif, il far-
fouille impromptu dans le tiroir de son comptoir et semble
brusquement absorbé par la lecture d'une brochure. Que

craint-il ? Et s'il a raison de se méfier, pourquoi alors m'a-t-il confié son problème ? Mais je suis trop épuisé pour me pencher sur le sort de cette Iranienne de Marseille et de son coquin de frère. Je m'affale sur un lit et dors comme une souche jusqu'au matin.

A la sortie de la ville, un panneau annonce : Tabriz 135 km, Téhéran 755 km. Ces chiffres ne m'effraient ni ne m'excitent. C'est comme si je n'avais plus le feu sacré. Pourquoi, mais pourquoi me suis-je lancé dans cette aventure que je vis aujourd'hui comme une épreuve pénible et fastidieuse ? Pourquoi ? J'ai cru avant-hier retrouver mon élan, mais il me faut l'admettre : je suis parti du mauvais pied et, si je n'y mets pas le holà, je vais finir par prendre en grippe ces steppes imbéciles où rien ne se passe, ce mont Ararat avantageusement planté, l'Iran, les Persans, la marche à pied et le monde entier. J'en suis là quand me double en pétaradant un camping-car dont je constate après coup qu'il porte une plaque d'immatriculation… de Loire-Atlantique. Mais trop tard, il a déjà disparu. Dommage, j'aurais aimé parler quelques minutes en français. Non pas que la nostalgie soit là, mais la plus grande difficulté dans la marche telle que je la pratique est l'affrontement de la solitude. J'en étais à me réconforter de n'avoir pas été dérangé par des touristes qui ne sauraient être qu'inintéressants quand, à ma grande surprise, le camping-car apparaît à l'horizon et vient stopper sur le bas-côté.

– Nous avons pensé que vous étiez européen, dit Gaétan, un garçon qui travaille près de Nantes dans une entreprise d'acheminement de colis.

Avec sa femme, ils ne pensent qu'aux voyages. Gaétan travaille plus d'un an sans vacances et économise. Puis il prend le mois et demi de congés auquel il a droit et un autre mois et demi sans solde et ils partent. Très autonomes, depuis près de deux mois ils visitent l'Iran et se dirigent vers Persépolis. Gaël, un garçonnet aux joues rondes et sa petite sœur, un bébé qui

gigote derrière la vitre, semblent eux aussi aimer le dépayse-
ment.

– Vacances économiques, me dit Gaétan. Je viens de faire le
plein de gazole, soixante-cinq litres, pour la somme de six
francs.

Évidemment, c'est une façon de voir les choses… Mais ce
regard d'épargnant sur les mystères du vaste monde m'achève
et je me sens étrangement libéré quand ils font à nouveau
demi-tour et s'éloignent avec de grands signes d'adieu.
J'apprendrai quelques semaines plus tard qu'on a frôlé la crise
en France, à cause de l'augmentation spectaculaire des prix du
gazole et de l'essence à la pompe.

Je sors mon carnet pour prendre note de cette rencontre
lorsqu'une voiture de police s'arrête silencieusement près de
moi.

– Papiers, dit en anglais celui qui semble être le chef.

Je sors mon passeport mais il n'en veut pas.

– Je veux dire le papier sur lequel vous écriviez, précise-t-il.

Je rigole en tendant mon carnet de voyage. Compte tenu de
ma mauvaise écriture, du style télégraphique de mes notes et
du fait que le français lui est manifestement étranger, il ne
peut rien déchiffrer, mais justement, pour compenser, il décide
de feuilleter avec soin le carnet page par page comme s'il allait
y dénicher la preuve que je suis bien le dangereux terroriste
qu'il doit rêver de coffrer lors de ses rafles. Dépité de n'avoir
rien à verbaliser il me tend à regret mon bloc-notes, lance trois
mots à son collègue qui est resté impassible au volant et repart
sans plus rien me dire. C'est alors que je m'aperçois qu'il n'a
même pas vérifié mes « papiers », à savoir mon identité…

Peu après, c'est un camion d'un remarquable jaune fluo qui
s'arrête, malgré mes gestes indiquant que je n'entends pas
faire du stop. Le chauffeur ouvre la porte de sa cabine et en
descend, transportant un réchaud à gaz et une bouilloire.

– *Tchâï!* propose-t-il.

Je ne refuse jamais un thé. Avant de le préparer, il m'avoue
qu'il me voit, depuis quelques jours, à chaque fois qu'il va

livrer des briques sur la route de Makou à Tabriz. Et il n'en peut plus de questions rentrées. Cette fois, il a décidé d'en avoir le cœur net. Amusé, pendant que l'eau chauffe, je lui raconte mon voyage. Un, puis deux et enfin trois poids lourds aux couleurs aussi criardes s'arrêtent derrière le sien. Ses collègues, tout aussi curieux, sont informés par lui. Et nous nous installons tous à l'ombre des camions pour boire le thé.

Le plus vieux, qui a envie d'entrer en contact avec ce roumi qui l'intrigue, plie soudain et soude l'un à l'autre ses deux index :

– *France and Iran, good*, dit-il, dans un anglais certes approximatif mais ô combien parlant – puis il poursuit, ses deux index plantés sur le front en forme de cornes : *America, no good, satan. Israel no good* – puis faisant aller sa main de gauche à droite : *Alman little good*.

Pour ne pas être en reste, je dis en joignant mes deux index l'un à l'autre :

– *France-Iran friends, France-America friends, France-Israel friends*.

Et les musulmans, qu'est-ce que je pense des musulmans ?

– Il y en a quatre millions en France, dis-je.

L'information – qui surprendra toujours mes interlocuteurs – a l'effet escompté : nous nous tapons sur l'épaule comme si nous étions frères.

A midi, je déjeune sous de grands arbres dans un bistrot à l'écart de la route où j'espère goûter quelque charme champêtre. Des engins de chantier sont remisés un peu plus loin et j'apprends que dans deux mois une autoroute passera à trois mètres de la porte d'entrée. J'en parle au patron qui est content. Il espère que cela lui apportera autant de clients que de décibels.

A l'étape de Sufiyan, j'ai comme je le craignais les plus grandes difficultés à trouver un gîte. Hassan, gros bonhomme jovial qui prend le frais sur le seuil de son épicerie, m'offre un coca mais doute que je puisse me loger. Un jeune garçon me pilote jusqu'à la mosquée devant laquelle stationnent une pléthore d'autocars de pèlerins se rendant à Mash'had, la ville sainte iranienne à l'est du pays. Une foule, composée en majorité de femmes et de vieux, a envahi le lieu. Au sous-sol, on a aménagé un immense dortoir. Mais pas question d'y loger un katolik. Le premier restaurant sollicité refuse lui aussi tout net de m'accueillir. Le second subordonne son accord à un feu vert de la police. Autorisation qu'on ne pourra obtenir, Allah seul sait pourquoi, qu'à 20 heures. Pour ne pas aviver ma mauvaise humeur par une de ces attentes stériles qui favorisent la bile, je remplis mes gourdes pour le lendemain en puisant dans des bidons l'eau qu'on va chercher au loin car celle qui coule du robinet, à Sufiyan, est salée.

Je bavarde aussi avec Djavit, qui vend des sandwichs, et son ami Mohammad, employé de banque. Ce dernier me stupéfie par sa connaissance du football français. Il me cite de mémoire tous les clubs de première division, les noms des entraîneurs et des principaux joueurs. Il est intarissable sur l'épopée lointaine de Saint-Étienne. Il m'explique aussi, un brin docte, pourquoi, dès que je dis que je suis français, les jeunes comme les vieux ponctuent : « Zinedine Zidane » qu'ils prononcent « Zinedin Zeïdane » :

– Très simple, cette popularité, c'est bien sûr parce qu'il est la cheville ouvrière de l'équipe championne du monde, mais c'est aussi et surtout parce qu'il est musulman. Et chacun, ici, prend une part de sa gloire.

Un peu plus tard, trois hommes qui viennent manger un sandwich chez Djavit m'interrogent et l'un d'entre eux, apercevant un mollah sur le marché de l'autre côté de la rue a un geste éloquent : il tourne l'index au-dessus de sa tête (turban) puis dessine avec ses deux mains une barbe et du bout des doigts mime le geste de rejeter, l'accompagnant d'une grimace de dégoût. Ses compagnons approuvent en riant. L'un des consommateurs, découvrant le portrait du shah dans mon livre, en embrasse l'image.

Bizarrement, aucun de mes interlocuteurs ne me parle des émeutes étudiantes qui ont donné lieu, l'été dernier, à une

répression violente de l'armée. Les gens de la rue, moins poli-
tisés, ne se sentent pas concernés par ce qu'ils considèrent
comme un chahut de jeunes. Le mouvement de rejet du régime
des ayatollahs est plus profond et moins épisodique. Plusieurs
fois j'entendrai parler de la nécessité de séparer l'Église et
l'État, alors que la « république islamique » suppose la confusion des deux. Les références au « contrat social » que sou-
haitaient de nombreux intellectuels – et même de rares
mollahs – font leur chemin. C'est une longue route, sans
doute, face à un clergé nombreux (cent quatre-vingts mille) et
ultraconservateur. Imaginez : si nous avions autant de prêtres
en France qu'il y a de religieux en Iran (les pays ont à peu de
choses près la même population), ils seraient, en moyenne,
cinq par commune.

Djavit s'offre, sans demander son avis à la police, à
m'héberger dans le petit réduit qui se trouve au-dessus de sa
boutique. Il y a là un châlit, mais, pour le confort, il va me
chercher une natte. Cette nuit encore, je ne dormirai donc pas
dehors. Hélas le compresseur de sa vitrine réfrigérée, en se
déclenchant toutes les dix minutes, m'impose une nuit
blanche. Au matin, Djavit m'ayant enfermé, je dois attendre
fort tard qu'il vienne m'ouvrir car il ne s'est pas réveillé.

C'est encore le moral en berne que je reprends la route. Je
voudrais rencontrer des gens avec lesquels je puisse avoir
quelque échange, au-delà de ces phrases mimées dont la portée reste quand même modeste… J'ai comme l'impression que
tout est en suspens : le décor est là, les personnages sont prêts
à intervenir, la pièce va enfin se jouer, il ne manque plus que
la lumière pour que tout prenne vie. Mais peut-être est-ce moi
qui ne sais plus éclairer le monde à giorno. J'en suis là de mes
réflexions quand un vieux paysan m'arrête. On bavarde.

– Il y a un type qui est passé par ici, sur la Route de la Soie.

Je caresse brusquement l'espoir fou de trouver un compagnon de marche.

– Il y a longtemps?

Mimique d'ignorance.

– Il était italien.

– Était-il jeune, vieux?

Nouvelle mimique d'ignorance.

– Il s'appelait Marco…

J'ai une illumination.

– Marco Polo?

– Oui, oui…

Ne me reste donc plus qu'à avancer seul… en pensant à Marco Polo. Mais les paysages sont tellement modifiés depuis la marche du Vénitien que j'ai du mal à faire abstraction de la pléthore de camions aux couleurs de sorbets qui me font fête en me saluant à grands coups de klaxon.

Le shah Nasr ed-Din, au XIXe siècle, avait instauré ministre d'État et ingénieur général des Ponts et Chaussées son bien-aimé maître queux qui savait, paraît-il, rôtir les agneaux et les perdrix des montagnes comme personne. Oui mais voilà, si ses kebab régalaient le souverain, ses routes en éprouvèrent plus d'un… Le résultat fut désastreux.

Les choses ont changé. L'Iran a du pétrole, du goudron, et ses routes aujourd'hui sont un modèle de confort que peut lui envier l'Europe. Rien à voir avec les nids-de-poule turcs… Mais cela, il va de soi, importe peu au marcheur que je suis…

Les Soviets, après l'occupation qu'ils firent de la province de 1941 à 1945, ont laissé après leur retrait quelques lignes de chemin de fer. Justement, le conducteur d'un interminable train de wagons-citernes imite ses collègues camionneurs et me fait lui aussi de grands signes. Comme il les accompagne de longs ululements de sirène qui résonnent dans le vallon qui me mène à Tabriz, c'est quasiment en fanfare que je fais mon entrée dans la ville qui a tant fait rêver les voyageurs du Moyen-Orient.

Je suis excité comme une puce à l'idée de découvrir cette cité, qui était encore au début du XXe siècle la plus grande d'Iran. En tout cas son bazar et ses négociants étaient célèbres jusqu'à ce que la Révolution bolchevique fasse émigrer à Istanbul et ailleurs la bourgeoisie marchande.

Il est 14 heures, l'heure de braise, mais je n'en ai cure… Las! Tabriz m'apparaît d'abord sous forme d'un rideau de fumées industrielles qui barrent l'horizon. Je sais bien qu'il faut, aujourd'hui et quel que soit le pays, mériter le cœur des villes. Mais quelle déception tout de même de devoir franchir ces faubourgs misérables et mélancoliques. Je viens pourtant de l'Ouest, la partie chic des abords de grandes villes. Mais à Tabriz c'est là justement que sont implantées les usines polluantes.

Chez Mahshid et Ahmad, les parents d'un ami de Paris, je vais goûter pendant deux jours aux délices de la civilisation dans une vaste maison de quartier chic. Vestige de la fête de Nowrouz, un poisson rouge m'accueille dans l'entrée en sillonnant avec ardeur son bocal. On m'explique que le premier jour de l'année, en Iran, se fête à l'arrivée du printemps et que ce jour de liesse voit se réunir les familles qui conjurent les mauvais esprits en offrant sept présents. Treize jours plus tard, c'est la fête du Sizdahbedar, on quitte les maisons. Le pique-nique est de rigueur pour tous… sauf pour les mollahs qui font la chasse à cette fête païenne qui remonte à plus de trois mille ans – bien avant l'islam et ses dérives.

Mahshid est peintre et ses tableaux ornent une galerie qui court tout au long d'une vaste pièce. A la nuit, dans le jardin rafraîchi par un arrosage tardif, tout en mangeant un *tchelo kebab* et un voluptueux melon rafraîchi, avec la famille et un couple d'amis polyglottes, nous nous livrons avec délices à une conversation brillante. Tout le monde mange beaucoup d'ail car nous sommes jeudi soir et demain est férié, cela n'incommode donc personne.

Je sors mon carnet et je sature mes hôtes de toutes les interrogations que j'ai retenues depuis la frontière. Mais bientôt, la discussion revient sur l'événement principal qui tient en haleine le pays tout entier. C'est demain l'ouverture de la session parlementaire. Il y a trois mois, Khatami, le président en

exercice, a remporté sur les conservateurs une victoire écla-
tante aux élections législatives. Près de soixante-dix pour cent
des électeurs se sont prononcés contre les tenants du pouvoir,
les mollahs intégristes. Partout en Iran on commente aussi le
feuilleton qui provoque depuis trois mois ricanements ou
colère chez les réformateurs. Rafsanjani, l'ancien président de
1989 à 1997, a été – comme les autres religieux conservateurs –
étrillé par les urnes. Comme il est impensable qu'un ancien
président soit ainsi rejeté, on a donc compté et recompté les
bulletins de sa circonscription. D'abord largement battu,
Rafsanjani s'est découvert de nouveaux bulletins favorables à
chaque recomptage. Et par un miracle inexpliqué, après plusieurs manipulations, il a été proclamé d'abord moyennement,
puis triomphalement élu. Mais s'il a gagné un siège, il a perdu
la face. Et il en tirera la conclusion juste avant l'ouverture de
la session, en annonçant qu'il renonce à siéger au Majlis, le
parlement iranien. Sa triste figure, à la télévision, réjouit les
spectateurs qui trouvent dans sa déconfiture une compensa-
tion à la déception de leur « victoire » électorale. Car malgré le
triomphe des réformateurs, le président Khatami n'a pas
beaucoup de pouvoir. Et les conservateurs, par l'intermédiaire
du conseil de la révolution – une assemblée de mollahs coop-
tés et leur leader Khamenei –, contrôlent toujours l'essentiel :
la police, l'armée et la justice.

Cette soirée à palabrer dans l'air tiède sous les grenadiers
apaise enfin les aigreurs qui m'empêchaient de goûter le
monde. J'ai envie de tout voir, d'aller me perdre dans le grand
bazar… mais d'abord je vais aller dormir.

Me rendre à la Masjed e Kabud – la mosquée bleue – avec
quatre charmantes femmes aux noms évocateurs est le plaisir
que je m'offre au matin : Mahshid (dont le nom en persan signifie « visage de lune ») m'escorte avec sa fille Bâhâr (Printemps) accompagnée d'une amie Fariba (Bonté) et de Firouzé
(Turquoise). Âzâdé (Liberté) nous rejoindra.

Impossible hélas d'approcher la fameuse mosquée, l'un des
plus beaux et plus anciens monuments d'Iran, célèbre pour ses

mosaïques. On construit tout autour un centre d'affaires et les grues et les palissades montent la garde et interdisent la visite. Ce qu'on peut en apercevoir de loin montre un édifice fortement dégradé par trois violents tremblements de terre. Un scandale a éclaté récemment. On avait exhumé, en creusant le sol autour de la mosquée, de nombreuses et précieuses poteries. Elles ont disparu. Puis on les a retrouvées… dans un musée d'Israël, l'ennemi juré. On recherche toujours les coupables.

Pour me consoler de cette visite avortée, mes muses m'emmènent au parc d'Elgoli, ancienne demeure princière ouverte au public après la révolution islamique. Ici se rend chaque vendredi le Tout-Tabriz, car dans la ville les distractions sont rares. L'endroit est un peu éloigné du centre et il faut y venir en voiture, privilège de riches même si le parc est ouvert à tous et d'accès gratuit. Il y règne une atmosphère très proche de celle que devaient trouver les élégantes parisiennes qui se rendaient en calèche « au Bois » à la fin du siècle dernier, afin de voir et de se faire voir. On se promène en groupe, on salue les connaissances. Mais gare aux femmes dont le foulard a glissé, découvrant la racine des cheveux, ou qui ont oublié de boutonner jusqu'en bas leur vêtement, laissant entrevoir une jambe… de pantalon, car l'endroit est aussi fréquenté par la flicaille en civil. Les jeunes arpentent les allées. Ici, garçons et filles peuvent se voir, mais de loin et en faisant preuve d'une grande prudence. Tout attouchement, même innocent comme de se tenir la main, tout flirt même discret conduirait à une réprimande, voire une arrestation. Nous prenons un rafraîchissement près de cinq jeunes filles qui bavardent avec animation. Non loin, quatre garçons les lorgnent gentiment et guignent notre table où ils se précipitent dès que nous nous levons. Les œillades s'échangent, mais la retenue est de règle, dictée surtout par la peur du komité. Dans cette société puritaine, dont les gardiens s'octroient tous les droits de répression, les adolescents ne peuvent que s'échanger, discrètement, leurs numéros de téléphone, privilège lui aussi réservé aux nantis. Près du

lac où canotent des familles, des jeunes gens chahutent en traînant un agneau en laisse.

– Petite provocation visant la police, m'expliquent mes
nymphes en constatant mon étonnement. Le Coran interdit de
tenir un chien en laisse et le faire serait sanctionné par une
arrestation. Mais le livre saint n'interdit pas que l'on promène
un petit mouton.

Il est vrai qu'à l'hypocrisie des mollahs on ne peut que
répondre par la même tartufferie...

On connaît l'amour des Persans pour la poésie. Quatre cent
sept poètes furent enterrés dans un petit cimetière de Tabriz,
qu'un tremblement de terre mit suffisamment à mal pour que
l'on n'ait pu identifier que quelques sépultures. Pour réparer
cet outrage d'une terre en colère, les Tabriziens ont construit
un mausolée à leur gloire et à celle de la poésie persane. Mes
guides m'y conduisent, ainsi, non loin de là, qu'à la maison
– devenue musée – de Shahryar, le dernier grand poète mort
en 1988.

Le lendemain, laissant mes hôtes devant le téléviseur qui
retransmet la séance inaugurale du Majlis, j'affrète un taxi
pour rendre visite à sœur Myriam. Nous quittons la ville puis
l'autoroute sur les bords gazonnés de laquelle des familles
pique-niquent, indifférentes au bruit et aux odeurs d'essence.
La petite route qui bifurque vers le nord est bordée de grandes
décharges d'ordures malodorantes et sauvages. Quelques maisons abritent des familles qui se livrent à la récupération de
papiers ou de métaux sur les montagnes d'immondices. Puis
nous entrons dans une zone désertique. La route mal entrete-
nue se fraie un passage entre des collines de pierre et des terres
rouges et nues, plonge dans des gorges que ravinent les eaux à
la fonte des neiges. Un soleil cruel scintille sur les micas de
petites cheminées de sorcière.

Et puis l'œil découvre, au sommet d'une côte, une petite
vallée d'un vert ravageur. C'est là, à trente kilomètres de la

grande ville, que vivent les lépreux. Jadis rejetés par la société, abandonnés des leurs, repoussés dans la montagne, ils attaquaient les voyageurs, mangeaient leurs chevaux. Cette vallée, offerte aux malades par un prince tabrizien, abrite aujourd'hui six cents âmes. Certains, ayant perdu tout lien avec la société bien portante, y ont fait souche depuis plusieurs générations.

Un policier stoppe le taxi qui ne peut entrer dans la cité interdite, mais visiblement mon chauffeur n'y tenait pas. La maladie effraie encore. Un bâtiment qui doit être une sorte de salle des fêtes s'orne de motifs géométriques de couleurs violentes. Dans les petites rues ombragées, je croise quelques personnes dont une femme qui a perdu ses phalanges et son nez.

Trois religieuses me reçoivent avec un plaisir évident. Les visites doivent être rares. Une Autrichienne, une Italienne – Giuseppina – et une Française – Myriam – se dévouent pour leurs malades. Myriam, originaire de Montauban, âgée de plus de soixante-dix ans, travaille ici depuis vingt-cinq ans. Toutes les trois, dont la langue commune est le français ou le fârsi, font partie de la congrégation des Filles de la charité de Saint-Vincent-de-Paul. Aujourd'hui, les malades guéris sont presque toujours renvoyés dans leurs familles. Il y a de moins en moins de lépreux en Iran, me confient-elles, mais des malades arrivent encore, comme cette jeune fille très atteinte qu'on me montre et dont la maladie a été diagnostiquée fort tard. Les lépreux, ici, se marient entre eux et, convenablement soignés, font des enfants sains. Les petites sœurs sont fières de quelques jeunes gens qui ont mené des études brillantes et réussi l'examen difficile d'entrée à l'université.

De nombreuses écoles religieuses, en particulier à Tabriz, Téhéran, Ispahan ou Ouroumiyeh qui prodiguaient un enseignement en français, anglais ou espagnol, ont été fermées après la révolution islamique et les enseignants renvoyés dans leurs pays. Mais on n'a pas renvoyé les petites sœurs de la léproserie de Mash'had, pas plus que celles d'ici, à Baba Baghli. Elles bavardent comme des pies, me parlent de leur vie

ici, des minorités religieuses en Iran. Je m'y perds un peu entre
les catholiques, les arméniens orthodoxes, les assyriens nesto-
riens ou catholiques, les zoroastriens qui sont encore nombreux à Ispahan et à Kerman, et les bahanis dont j'entends
parler pour la première fois. Ces derniers ont fait l'objet de
persécutions après la révolution. A la fois parce que ces
croyants qui se réfèrent à l'islam adorent le Christ et la Sainte
Vierge mais surtout, péché impardonnable ici, parce que le
siège de leur secte se situe à Haïfa, en Israël. Gentilles petites
sœurs, dévouées et optimistes dans ce monde d'exclus et ce
coin oublié, figé par le gel en hiver et fondu par le soleil en été.
Je les embrasserais en les quittant, si j'osais.

Des cris, des plaintes, des pleurs. Ai-je rêvé ? Dans la bous-
culade du bazar de Tabriz que je visite, les lamentations
ricochent sur les murs et les ogives des plafonds en briques. Le
marché de Tabriz est l'un des plus grands d'Iran, après celui
de Téhéran. Il fut le plus grand. Il y a quatre siècles, toutes les
richesses d'Orient s'y étalaient, au gré des caravanes et des
riches marchands qui, des limites extrêmes du monde connu,
y venaient acheter, vendre, échanger tapis et tissus précieux.
Avant la révolution et la fermeture de la frontière russe, le
bazar était encore riche et célèbre. Sur trente kilomètres carrés
– une ville dans la ville – on trouvait épices et parfums
enivrants, jade et pierres rares, poignards aux aciers polis,
épées rehaussées de pierres précieuses, verreries de Venise et
porcelaines chinoises, encens d'Arabie. On y vendait même
des autruches, venues là on ne sait comment et destinées au
marché chinois qui achetait à prix d'or « l'oiseau-cheval », et
c'était là encore qu'on achetait les meilleurs faucons de chasse.
Et puis bien sûr de la soie, des piles, des monceaux, des rouleaux de soieries par milliers, et des montagnes de brocarts
d'or et d'argent.

Perdu dans le dédale des venelles, je ne sais plus où je me
trouve tant les allées bordées de leurs échoppes minuscules se

ressemblent. Pourtant les dessins résultant de la disposition, de la forme et de la couleur des tuiles et des briques n'est jamais semblable et les Tabriziens ne s'y trompent pas. Le fumet des viandes que l'on grille, le bruissement des conversations, la densité de la foule, les cris des commis poussant des chariots surchargés, les teintes variées, multiples, chatoyantes des tissus exposés, ces bruits, ces couleurs, ces odeurs jusqu'à saturation m'enivrent, me chamboulent. Et voici ces gémissements qui me sortent de mon rêve éveillé. Je me guide à l'oreille, m'arrête de temps à autre pour m'orienter. Dans le quartier des bijoutiers aux vitrines ruisselantes d'or et de pierres scintillantes, à un carrefour, je les découvre. Une vingtaine de vieillards à barbe blanche, tous en noir, la tête couverte d'une calotte sombre de tricot, pleurent à grands sanglots déchirants, assis sur des tapis de prière. L'un d'eux use d'un porte-voix pour geindre plus fort que les autres. Suspendus au ciel de l'allée, un portrait de l'imam Khomeini et quelques oriflammes noires. Interdit, je reste planté là. Un gaillard, d'un grand mouchoir blanc, éponge les larmes qui coulent sur son visage raviné. Tous, un chiffon mouillé de leurs larmes à la main, semblent indifférents à la foule qui passe, comme la foule elle aussi est indifférente à leur peine. Mon incompréhension doit être explicite car un jeune homme vient se planter devant moi.

– Ça vous étonne ? C'est le mois des lamentations, dit-il dans un bon anglais. Cette semaine, les chi'ites pleurent la mort d'Hussain.

D'un coup, la mémoire me revient. Hussain, le troisième imam, deuxième fils d'Ali et de Fatima, la fille du Prophète, assassiné en 680 avec une partie de sa famille. Chaque année, on célèbre l'anniversaire de sa mort le jour d'al 'Ashu-râ. Durant plus d'un mois, on suspend des drapeaux noirs à l'entrée des maisons et les hommes prennent le deuil. C'est vrai que la plupart des Persans sont chi'ites, alors que les Kurdes sont sunnites. La différence me semble ténue, pour moi katolik d'Occident... Oui, je sais qu'Ali est le seul calife légitime que reconnaissent les chi'ites. Mais bon, ce qui me frappe là, c'est la fureur fanatique à l'œuvre contre des assassins morts depuis treize siècles…

Khalil ne semble pas pressé de me quitter. Une courte moustache souligne sa bouche gourmande et l'œil vif, un certain négligé dans la tenue désignent un étudiant très moderne. Il se prépare à une carrière dans l'informatique et rêve comme tous les autres jeunes de ficher le camp à l'étranger. Venu au bazar pour quelques courses, il est ravi de pratiquer son anglais car il pense comme beaucoup d'Iraniens qu'en Occident tout le monde le parle. Il s'offre à me servir de guide et me tire vers le marché aux tapis. Je suis content car cela va m'éviter d'être assailli, cerné par ces meutes de rabatteurs qui se présentent comme fils ou associés d'un négociant qui, justement, organise une « exposition » dont ils assurent toujours qu'elle n'a rien à voir avec une vente. Ils vous prient de venir « juste pour voir ». Sur place l'esthète se mue en mercanti. En fârsi, Khalil chasse les importuns d'un mot qui n'admet pas de réplique. D'une galerie où j'admire les tapis somptueux exposés dans les vitrines, nous débouchons dans un vaste espace aux proportions parfaites. Au XIXᵉ siècle, le prince héritier Muzzaffaradin shah, qui résidait à Tabriz, se fit construire un palais à l'intérieur du bazar. Aujourd'hui, l'endroit envahi par les marchands de tapis conserve son nom : Muzzaffarid.

Dans un coin du marché, debout à un carrefour, un mollah semble attendre quelqu'un. Khalil suit mon regard et anticipe ma question :

– Un marieur.

Pour la deuxième fois depuis que je l'ai rencontré, je dois avoir l'air du Persan à Paris, car il éclate de rire. Lorsqu'un homme meurt, m'explique-t-il, sa veuve se trouve privée de ressources car très peu de femmes travaillent. Si elle n'a pas d'enfants, c'est le dénuement. Alors elle doit vite dénicher un mari. Des femmes éplorées, encore en deuil, viennent donc consulter le mollah. Dans cette partie du bazar, de nombreux hommes riches, en particulier des marchands de tapis, sont intéressés à diversifier leur vie sexuelle sans pour autant se mettre en état de péché. Ils vont donc voir l'enturbanné qui leur expose ce qu'il a « en réserve ». Si l'affaire se réalise, le mollah prélèvera sa dîme en échange d'un « mariage temporaire », le *sighé*, parfaitement conforme à la loi islamique… Cela permet à quelques gais lurons de passer la nuit avec une « épouse » de rencontre, qu'il est possible de répudier dès le petit matin, la répudiation donnant lieu elle aussi à une « commission » qu'empochera le mollah. Tout en suivant mon guide, je suis songeur : agence matrimoniale ou souteneur légal, prostitution autorisée… Voilà au moins une manne substantielle pour ce parti religieux qui prêche une sainte pauvreté.

Mon guide me fait ensuite visiter la maison de la Constitution ou Khâné ye Machroutiyat, un bâtiment-musée où se réunissaient au début du siècle les Iraniens progressistes du « mouvement constitutionnel ». Inspirés par la prise de pouvoir d'Atatürk, des civils, des militaires et même quelques ecclésiastiques tentèrent d'instaurer la démocratie en Iran entre 1905 et 1908. Cela se termina par un grand bal des pendus et la Constitution, finalement votée, sombra après le rétablissement de l'empire dans les années 20 par Reza Khan, qui fonda la dynastie Pahlavi. Empire qui à son tour, voici vingt ans, se termina par un nouveau bain de sang. Constante : l'omniprésence des mollahs. Car l'affaire en Iran, et Jane Dieulafoy l'avait déjà compris au XIXᵉ siècle, n'est pas politique, mais religieuse. « Le fanatisme des mollahs, écrit-elle, n'a d'égal que leur ignorance et leur avarice. » Et de prophétiser que tant que l'Iran ne se sera pas débarrassé de leur sournoise tutelle, il ne connaîtra que la misère.

Dans la rue, je m'apprête à jeter quelques cartes postales dans une boîte lorsque Khalil bloque mon bras.

– Que fais-tu ?

– Tu le vois bien, je poste du courrier.

– Les boîtes de la poste sont jaunes, celles-ci sont grises et destinées au courrier adressé à la police.

– …?

– Pour dénoncer ceux qui n'ont pas un comportement conforme à la révolution islamique.

La police a vu grand. La boîte est gigantesque. J'imagine les mains anonymes glissant des billets de dénonciation… Je suis proprement horrifié. Comment ce peuple que je rencontre depuis la frontière turque, ouvert, xénophile, a-t-il pu se donner un régime aussi monstrueux, capable d'institutionnaliser ainsi la délation ?

Nous nous rendons dans une poste. Sans complexe, Khalil se faufile en tête de la longue queue qui attend devant un guichet et m'invite à le suivre. Je n'apprécie pas. J'ai tout mon temps et je suis respectueux de celui des autres. Comme Khalil insiste à haute voix, un quidam se met à râler avec véhémence.

– Tu vois, dis-je à Khalil, on fait scandale.

– Mais il ne proteste pas contre ta présence, au contraire. Il critique ce gouvernement qui a chassé les touristes alors qu'autrefois ils étaient si nombreux et que tout allait mieux.

Je me retourne. L'homme me lance un bon sourire, bienveillant, fraternel.

III

CARAVANSÉRAILS

Mahshid et Ahmad m'ont accompagné en voiture jusqu'à la sortie de la grande ville. La syntaxe de mon hôtesse manifeste la tristesse qu'elle a de me voir partir : « On ne vous oubliera pas jamais », dit-elle, émue. Je l'embrasse, au mépris d'éventuels démêlés avec le komité. Ils ont été si généreux. Et grâce à eux, je discerne mieux l'enjeu politique qu'ont été les élections législatives gagnées par les libéraux de Khatami. J'ai compris que ceux qui ont voté pour l'opposition au régime ne veulent pas d'un nouvel affrontement mais qu'ils ne souhaitent qu'une chose : reconquérir leurs libertés.

Dans l'après-midi, j'ai pu voir à la télévision Khatami prononcer le discours inaugural devant deux sombres barbus, représentants du courant conservateur : Naouri, son rival malheureux aux élections présidentielles, et Rafsanjani, son prédécesseur à la présidence du pays, ridiculisé par le suffrage universel et plus encore par ses propres amis politiques, acharnés à tripoter les bulletins de vote. L'ouverture de la session parlementaire et les lois votées par la nouvelle Chambre seront déterminantes.

J'ai aussi, détail non négligeable, goûté la vraie cuisine iranienne. Hier soir, pour le dîner d'adieu, Mahshid a servi un *koufté tabrizi*, une viande de mouton hachée cuite avec des œufs accompagnée de lentilles et de pommes de terre, ça n'était pas loin d'être un plat de roi.

Je prends la route sous un beau soleil. Je marche à gauche pour faire face aux bolides qui me foncent dessus mais aussi pour décourager les innombrables voitures et camions qui voudraient absolument, malgré moi, me faire économiser mes pas. Tout pour être heureux, direz-vous. Mais, allez savoir pourquoi, mes réflexions sont plutôt tristes. Voilà onze étapes franchies en quinze jours et j'ai l'impression d'un grand vide, d'une désolation. Les gens ne me sont pas hostiles, mais jusqu'ici, je dois constater que pas un, hormis Mahshid et Ahmad, ne m'a ouvert sa porte pour la nuit. Je n'ai pas encore vu un vrai caravansérail, pas eu d'émotions, rencontré personne qui sorte des *Mille et Une Nuits*, croisé aucun derviche ni assisté à aucun miracle, fait connaissance avec aucun djinn, nulle princesse, fée, sultane ni diablesse. Une vie de marcheur au petit pied… D'ailleurs, si les miens, de pieds, sont en Iran, ma tête est encore au pays. Mon enthousiasme, sans lequel un tel voyage est impensable, est resté dans ma maison normande. J'ai mieux voyagé là-bas, penché sur les cartes et les livres, qu'ici. Mash'had est si loin, Samarcande au bout du monde. Je ressens, diffuses, des menaces qui pèsent sur moi. Les souvenirs de la maladie, des agressions dont j'ai été victime l'an dernier dans le Kurdistan turc me poursuivent-ils ? Ma marche est mécanique, sans élan.

J'ai lu dans un ouvrage déniché à la bibliothèque de Tabriz qu'il existait, à Shabli, près d'ici, un caravansérail. Une carte, achetée dans le bazar et un peu plus détaillée que celle que j'avais trouvée en France, m'indique un village qui s'appelle Shibli. Ça doit être cela. C'est un détour de dix kilomètres, mais je vais le tenter. La petite route naguère goudronnée, dont les nids-de-poule sont profonds comme des baignoires, me conduit, après une heure et demie de marche, à l'entrée d'un terrain militaire gardé par une demi-douzaine de soldats armés jusqu'aux dents. Ils ont l'air de s'ennuyer. Voir arriver un *Farangui* sac au dos et transpirant les égaye. Ils n'ont jamais entendu parler d'un caravansérail. J'insiste, un vieux (*ghadimi*) caravansérail, pas une auberge moderne. Non, non, il n'y en a pas.

La route se poursuit par un chemin de terre. Avec mon GPS je ne crains pas trop de me perdre. Trois kilomètres plus loin, il est là, sur la gauche, enkysté… dans le terrain militaire. Une double haie d'un grillage surmonté de barbelés en interdit l'entrée. Les bidasses doivent s'y entraîner à longueur de journée puisque le parcours du combattant y est partiellement installé. C'est un bâtiment de la période safavide, c'est-à-dire du XVIIe ou du XVIIIe siècle. Les murs en terre sont posés sur des patins de pierre. Miné par les eaux de pluie, il tient encore bon malgré les ans et les tremblements de terre. Adossé à la montagne, dominant une riche plaine irriguée, il est tourné vers le mont Sahand où à plus de trois mille cinq cents mètres on voit encore scintiller la neige.

Quant au village de Shibli, il n'existe plus que dans l'imagination des cartographes. Tant pis, trop tard pour faire demitour et ce ne sont pas les troufions qui vont me donner l'hospitalité. Je poursuis donc l'aventure, la morosité bien chevillée à mon âme. Et puis sans crier gare je me retrouve dans un chantier de travaux publics. D'une baraque à l'entrée émergent, hirsutes et aboyants, trois lascars qui ne rigolent pas. Les deux râblés sont armés de gourdins. Le troisième, un colosse, s'avance vers moi, l'air finaud, l'œil méfiant. Il n'a pas besoin de bâton, ses mains sont des massues. Il boite.

– D'où viens-tu ? Où tu vas ?

Il ajoute une autre phrase qu'il accompagne d'une mimique et d'un geste éloquent vers l'est que je traduis par « passe ton chemin ». Je sors de ma poche mes petits papiers-sésames que je récite courtoisement, bon petit soldat. Il ne comprend rien à mon fârsi. De guerre lasse, je les lui tends. Il n'a qu'une main valide et a cherché à dissimuler la moitié de son cuir chevelu arraché en laissant pousser ses cheveux sur la peau vineuse et vernissée. Souvenir de guerre ? Ici, c'est fréquent. Il déchiffre mal mes textes et appelle le nabot aux yeux verts à la rescousse.

J'attends le verdict, résigné. Aux cris d'émerveillement qu'ils poussent, je comprends que je suis gracié. Ils sont épatés que j'aie couvert trois cent cinquante kilomètres depuis la Turquie. Et lorsqu'ils comprennent que je me rends à Mash'had, ils m'invitent, toute méfiance tombée, à boire un thé dans leur cahute. Il n'y a pas de village nommé Shibli, et ils sont les seuls habitants à plusieurs kilomètres à la ronde. Le malabar s'appelle Estrafi, le premier nabot Mahmad, celui aux yeux clairs Zamtchi.

Pourraient-ils me coucher ?

Non, impossible. Ils sont les gardiens de ce chantier. Qu'un chef effectue un contrôle et même Allah ne pourrait rien pour eux. Je fais le clown et mime le vol d'une pelleteuse. Ils rient. Je suggère alors de dormir par terre, dans la petite loge. S'ensuit une longue palabre entre eux à l'issue de laquelle j'obtiens renouvellement de ma grâce. Tout content, je conclus notre accord en leur tirant le portrait, ce qui n'est pas une mince affaire car ils comprennent bien qu'il en va là de leur postérité. Et puis le géant me conduit à sa cabane. Il dormira par terre et moi dans le lit. J'ai beau tempêter, il ne veut rien savoir. J'ai même droit à prendre une douche froide, il y a de l'eau pendant deux heures, de sept à neuf. Je m'endors avant même qu'Estrafi ait terminé sa dernière prière de la journée et quand je me réveille, à 5 heures, il fait ses ablutions dans un seau d'eau devant la porte, avant de se prosterner pour la première prière. On se quitte avec de grandes effusions.

La circulation est infernale. Camions, cars de pèlerins, fourgonnettes, voitures et poids lourds se livrent à une course insensée. Je dois sauter dans le fossé lorsque trois véhicules roulant de front se doublent sur cette route à deux voies. On freine à mort pour éviter la collision, les pneus hurlent, ça dérape, on fait des queues-de-poisson, des tête-à-queue, la même anarchie que sur les routes turques règne ici. Il suffit sans doute de prier Allah pour échapper au grand massacre que la route iranienne promet à tout être doué de raison. Et comme je n'ai pas remis ma vie entre ses mains, je redouble de prudence et plonge dans le fossé tous les dix mètres. A cette allure, je ne vais pas rallier Bastan Abad avant la nuit.

Et c'est de fait tel un zombi que je pénètre dans le petit bourg agricole. Non seulement mes pieds renâclent à avancer, mais depuis le temps que je professe qu'on marche plus avec sa tête qu'avec ses pieds, je dois reconnaître que ma tête n'est pas dans le coup. Elle veut dormir, dormir.

L'escogriffe à tête d'épervier, assis sur ses talons devant le seuil de son auberge, ne se lève pas lorsque je lui demande une chambre. Il se contente de lever quatre doigts, ce que je traduis par quarante mille rials (quarante francs). Je demande à voir. La chambrette est presque propre et, luxe, il y a une douche collective. Lorsque je redescends, le patron a réfléchi et ne lève plus que trois doigts, précisant que le repas est compris. La porte de la chambre n'a pas de serrure, une barre de fer fait office de clé. Pour obtenir de la lumière, il faut aller la brancher au compteur. Le poulet qu'on me sert baigne dans une sauce jaunâtre qui ne me dit rien qui vaille et qui ne me vaut rien puisque à 3 heures du matin je dois piquer un sprint, nu comme un vert, jusqu'aux toilettes. Allah soit loué, le komité ne me surprend pas. Au matin, épuisé, le ventre torturé, j'achève de me déprimer en décidant de rester une journée ici. Chez un barbier, je me fais raser crâne et menton, procède à une grande lessive, histoire de tout remettre à neuf. Physiquement, tout va bien, mon rythme cardiaque qui à mon départ battait à 76 affiche 68. Cela, au moins, me console de ne pouvoir aller visiter, dans la région, le lac Ouroumiyeh où ont fleuri de nombreuses civilisations depuis les Urartiens, un demi-millénaire avant notre ère. Je ne verrai pas ces millions de fameux flamants roses. Pas plus que l'île de Dabudi où, sur la tombe de Houlagou, le petit-fils de Gengis Khan, exécuteur de la secte des Assassins, une cohorte de vierges furent sacrifiées afin de répondre à ses divers besoins dans l'autre monde. Je ne visiterai surtout pas le Takht e Soleiman, le Trône de

Salomon, forteresse qui occupe une des îles du lac et dont on peut encore voir les puissantes murailles et ses trente-huit tours de défense.

Mon aubergiste doit m'avoir à la bonne. Je ne paie plus que vingt mille rials pour les deux nuits… Je m'enfuis avant qu'il me garde pour rien.

Le soleil n'est pas encore levé. Ragaillardi par la journée de repos, je marche d'un bon pas et le sac me semble léger. Le paysage défile : plantations de céréales ou de légumes à l'infini sous les rayons du soleil qui émerge derrière la chaîne du Sabolan ; petites routes blanches en terre zigzaguant vers des villages d'altitude qu'on devine au loin ; ici et là, alignements de peupliers égrenant leurs fleurs comme de petites boules de coton blanc sous le vent frais et léger du matin ; alouettes qui s'étourdissent de trilles et plongent vertigineusement vers le sol. C'est une belle matinée. Mais très vite les camions réapparaissent, monstres puants et vrombissants qui ont pour certains l'audace d'afficher en lettres pimpantes au fronton de leur cabine « *IN GOD WE TRUST* »… De quel dieu parlent-ils ? Du leur, de celui des chrétiens ou du dieu vert qui règne dans ce pays malgré la propagande officielle, le dieu dollar ?

Le soleil tape. Partout, des moteurs Diesel font jaillir pour l'irrigation de l'eau des puits. Au bord de la route, un vieillard placide attend le client. Sur un lit de braises, dans une bouteille d'acier noirci, l'eau bout. Sur un sac d'herbes, il a installé, bien en vue croit-il, un verre. Mais quel chauffeur, qui tous roulent à tombeau ouvert, pourrait le voir ? Je lui donne deux mille rials, somme qui lui paraît si colossale qu'il veut m'offrir quasiment le contenu de sa théière de fortune. Comme je me sauve, le verre à la main il me suit en me suppliant de boire. Je comprends que l'homme est humilié par le don que je lui ai fait. Si j'accepte, c'est du commerce, si je refuse et qu'il garde l'argent, c'est de la mendicité. Le cœur au bord des lèvres, je bois le thé infect, dans son verre infect, et ne réussis à l'ingurgiter que grâce au morceau de sucre qu'il me tend et que je coince entre les dents. Cela m'apprendra à vouloir jouer les généreux donateurs, alors que je me dois d'être ce que je semble être ici pour autrui : un pauvre derviche...

A Ali Khalaj, en contrebas de la route, un petit caravansérail en ruine, sans doute de la période abbasside, m'attire comme la mosquée les fidèles. Mais des maçons qui travaillent non loin m'arrêtent : interdit d'approcher. Probablement pour des raisons de sécurité, mais cela me fait une belle jambe : il sera dit, décidément, que je ne visiterai aucun caravansérail ici.

La tradition de ces palais de caravanes remonte à la dynastie des Achéménides qui régna ici voici vingt-cinq siècles avant d'être vaincue par Alexandre le Grand. Hérodote raconte qu'ils construisirent cent onze édifices sur deux mille cinq cents kilomètres de ce qui allait devenir la Route de la Soie. Le calcul est simple : un caravansérail à peu près tous les vingt ou vingt-cinq kilomètres, une étape normale à pied. A l'origine, il s'agissait essentiellement de relais de poste. Construits en briques de terre crue, ils comprennent un simple enclos avec un logement pour le responsable et les chevaux. Mais très vite, les marchands vont les utiliser pour fuir intempéries et voleurs. Puis les fidèles qui pérégrinent sur la Route de la Soie durant un millénaire, qu'ils soient bouddhistes, chrétiens, manichéens, zoroastriens ou enfin musulmans, y font eux aussi étape.

Les caravansérails vont alors évoluer vers une forme plus sophistiquée. Se présentant à l'extérieur comme des forts afin de défendre leurs hôtes contre les traîneurs de sabre de toute espèce qui ravagent le pays, ils offrent, à l'intérieur, les services que réclament les voyageurs au long cours. Fours pour cuire le pain, réserve d'eau, écuries, magasins de stockage pour les marchandises. Des hommes de métiers, maréchaux-ferrants, gardiens de troupeau, se tiennent à disposition. Les architectes persans recherchent sans relâche la perfection et l'économie de l'architecture, alliée à l'efficacité pratique. Et bientôt, les caravansérails se construisent sur un modèle

unique : un grand rectangle fait de trois murs aveugles inatta-
quables, le quatrième côté étant constitué d'une porte monumentale, surmontée de meurtrières. A l'intérieur, chaque
négociant dispose d'une « suite » composée d'une chambre et
d'une pièce donnant sur la cour ou sur une allée intérieure, où
il peut exposer ses denrées et recevoir ses clients. Construits
généralement non loin des villes et même parfois à l'intérieur
des murs, ils peuvent aussi être implantés dans des zones
inhabitées où ils apportent la vie.

Il est midi, je me sens bien. J'avais prévu une étape ici. Mais
je décide de marcher jusqu'à la suivante. Pour me donner des
forces, je déjeune d'un *âbgousht*. C'est un plat que j'ai découvert à Tabriz et dont je n'ai pas fini de me rassasier. L'aliment
parfait du marcheur. On le sert dans un pot de fer ou de terre
bouillant avec une assiette creuse et un pilon. Le jus du pot est
versé dans l'assiette qu'on remplit de pain jusqu'à ce que le
liquide soit absorbé. Quand on est venu à bout de cette soupe,
on attaque la viande de mouton qui se trouve au fond et on
écrase à l'aide du pilon les légumes : tomates, pommes de terre
et pois chiches. C'est bon, roboratif à souhait.

Au soir, après quarante-cinq kilomètres de marche – une
folie – j'entre à Qara-Siyâh Chaman. Le village signifie Noir
Noir (*Qara* en azéri, *Siyâh* en fârsi). Un nom sinistrement pro-
metteur. De fait, l'unique troquet m'envoie promener lorsque
je demande si je peux dormir. Je tape à quelques portes qui
toutes me refusent le gîte. On m'a dit que les Azéri sont les
meilleurs hommes du monde. On m'a aussi dit qu'ils sont
ladres et peu accueillants. Il semble bien qu'à Qara-Siyâh
Chaman l'hospitalité et la générosité ne soient pas les vertus
qui dominent. Les maisons voisines du bistrot m'opposent le
même refus. Un blanc-bec suffisant affirme vouloir m'aider et
me traîne, sous prétexte de trouver une solution, dans tous les
tchâï-khânés de son aimable cité, mais je constate vite qu'il
cherche à se tailler un petit succès en m'exhibant comme phénomène. Au bout d'une heure et demie où j'accepte de régaler
gracieusement les spectateurs, je dois me rendre à l'évidence :

d'asile il n'y a point. Je vais donc quémander au poste de
police un coin où dormir. Le soldat rigolard qui me reçoit,
embarrassé par sa mitraillette qu'il manie comme un balai, me
conduit jusqu'à son chef qui donne un ordre à son sous-chef,
lequel aboie à son sous-sous-chef qui le transmet sur le même
ton à un subordonné que je suis prié de suivre. Et je me
retrouve devant le gargotier qui tout à l'heure m'a refoulé.
« Nourris et loge cet homme, dit simplement le soldat. Ordre
du chef. » C'est ainsi que je finis attablé devant un plantureux
pilaf et une montagne de grillades, le tout arrosé d'un ayran,
ce yaourt délayé dans du petit-lait auquel, parfois, on ajoute
un trait de miel. Le patron est aux petits soins. Ce qui corro-
borerait ce que je pense depuis quelques jours : les accueils
froids qui me sont faits sont dus à la crainte qu'on a de la
police. Un pays qui possède de si grandes boîtes aux lettres de
dénonciation ne saurait faire bon ménage avec la spontanéité
des sentiments.

Dans la chambre, une vaste pièce au-dessus de la salle de
restaurant, on a posé trois matelas à même le sol. J'y dors en
compagnie du subordonné qui décidément a pris son rôle de
chaperon très au sérieux. En sous-vêtements qui le couvrent
comme si nous avions une nuit polaire à affronter, il ronfle
avec une telle régularité que cette fanfare monotone me berce
et je sombre, hébété, dans un profond sommeil.

La vallée s'est resserrée entre deux falaises. Au fond, un
timide ruisseau qui, voici quelques semaines, était un torrent
furieux emportant tout sur son passage. A 9 heures, la chaleur
a monté et mon crâne rasé réclame son couvre-chef. Après des
fouilles minutieuses, je dois le constater : j'ai perdu mon chapeau. Quel coup ! Mon galurin, mon compagnon de route,
l'ami de mon crâne, qui marche avec moi depuis trois ans et
cinq mille kilomètres. Impossible de continuer sans lui. En toile
de Gênes, délavé, informe, digne d'un musée, il est mon bien le
plus cher. Marcher sans lui ? Pourquoi pas sans chaussures ?

Comment dorénavant affronter les déserts ? Lorsqu'il fait trop chaud, je le trempe dans l'eau et son tissu épais garde long-temps la fraîcheur. Sur la route, mon chapeau c'est mon dra-peau. On n'en a jamais vu de semblable nulle part. On me dit : « Je t'ai aperçu dans telle ville, il y a huit jours, je te reconnais à cause du chapeau ». Il ne se passe pas une étape qu'un homme ne me l'emprunte, histoire sans doute de s'identifier à l'étranger quelques instants. On a proposé de me l'acheter, de l'échanger. Plutôt me passer sur le corps, ai-je systématique-ment fait comprendre aux envieux.

J'ai beau fouiller ma mémoire, je ne parviens pas à me sou-venir quand je l'ai vu pour la dernière fois. Installé sur le des-sus du sac comme chaque jour, il a dû se détacher et tomber. Ma décision est prise. Je stoppe une Jeep qui remonte vers le nord et, penché par la portière, je scrute le bord de la route, espérant le retrouver. Mais revenu à Qara-Siyâh Chaman, je suis Gros-Jean comme devant. Peut-être a-t-il été ramassé par quelqu'un ou emporté par le vent. Désespéré, je retourne à la gargote par acquit de conscience. Devant ma mine dépitée, le patron, hilare, m'accueille sur le seuil et me conduit jusqu'à la table où j'ai pris mon petit déjeuner. Mon chapeau est là, qui trône sur la chaise voisine. J'offre une tournée de tchaï à tout le monde et je laisse la monnaie, c'est bien le moins.

Un brave chauffard s'émeut de mes déboires et me demande :

– Où étais-tu lorsque tu t'en es aperçu ?

– A dix kilomètres.

Je sais que c'était plus loin, mais je ne sais compter en fârsi que jusqu'à dix.

Il attrape mon sac, l'installe dans la cabine de son dix tonnes flambant neuf et m'invite à monter. Dix kilomètres plus loin exactement – il me montre sur son compteur – il s'arrête. Merci mon vieux, à plus tard sur la route, qui sait ?

Se protégeant du soleil sous des pruniers et confortablement installés sur du foin tout juste fauché, quatre vieux me font signe de venir partager leur thé. Parmi eux se trouve le mollah au dentier que j'ai rencontré hier. Il s'appelle Seyiet-Hussain et me présente ses compagnons. L'un d'entre eux, Atsefaleh, a une gueule fabuleuse : des cheveux blancs et drus dressés comme des baguettes, une moustache argentée, une barbe de huit jours sur un visage brûlé de soleil, taillé à la serpe et mangé de rides. Statue parfaite de la virilité vieillissante. Je le photographie en gros plan, sous les rires de ses frères.

La chaleur monte un peu plus chaque jour. Sur la route, aussi peu prudents que les hérissons chez nous, les serpents écrasés étalent leurs peaux brillantes. Le paysage évoque l'Auvergne avec ses vastes collines. La route sinue dans des vallons étroits que creusent inlassablement des torrents. Tout là-haut, dans le soleil, un aigle vire paresseusement, comme attaché à un axe. Sur un versant bien exposé, je trouve les premières vignes. Elles sont théoriquement destinées à produire des raisins secs, puisque la consommation de vin est interdite dans ce pays. Quelques confidences « sous le sceau du secret » m'ont révélé qu'une partie des récoltes, distillée, produit un tord-boyaux dont on m'a même fait goûter, toujours sous le sceau du secret : la « justice » islamique est sans pitié pour ce qui est considéré comme un crime et passible du fouet. Mais là aussi, d'autres confidences m'ont laissé entendre que quelques liasses de rials distribuées à bon escient rendaient Allah beaucoup plus indulgent...

Dans le grand jardin de Miyaneh, c'est fête en ce vendredi. Des dizaines de familles sont venues pique-niquer. Les Iraniens adorent manger dehors. Héritage de leur passé nomade, amour de l'herbe, si rare ici, et des ombrages frais, souci de quitter les maisons surchauffées, désir d'être vu ? Il y a un peu de tout cela dans cette inclination, et il y a surtout, m'a-t-on raconté, une très ancienne nostalgie à l'endroit de tout ce qui a trait au jardin (*paridaïza* en vieux perse, *ferdows* en persan) d'où nous avons tiré notre « paradis ». Mais attention, en Iran, le pique-nique n'est pas synonyme d'inconfort.

On transporte donc de véritables chargements dans les voitures, l'utile et le superflu. Il faut des bonbonnes de gaz pour alimenter les réchauds, des tapis pour s'isoler du sol, des nappes parce qu'on n'est pas des sauvages, des oreillers pour la sieste indispensable après les agapes, et le sacro-saint narghilé sur lequel tirent avec bonheur les hommes comme les femmes. Et, bien entendu objet primordial, le samovar, car on va boire des litres de thé. Mais, par un consensus que je ne peux que louanger, personne ne se munit de transistors. On se retrouve là vers 10 ou 11 heures, famille au complet et parentèle, et on passe la journée à jacasser et à se prélasser dans un bien-être et un oubli du monde que nous rappellent chez nous, certains clichés de bords de Marne, au lendemain de l'avènement des congés payés. La terre peut bien s'arrêter de tourner, on jouit du jour dans un état de béatitude molle, et on ne lève le camp qu'à l'approche de la nuit.

Houchang, qui est libraire, n'a rien de ce que je suis venu chercher chez lui, cartes routières et postales. Mais il ferme son échoppe, me traîne chez lui où il me présente à sa femme Monir et à ses quatre enfants. Monir, comme si elle attendait ma venue, se précipite à la cuisine et je dois avaler une pantagruélique portion de *sareh shilé*, du riz sucré avec amandes pilées et safran, puis une grande tranche de melon. Quand arrivent les fruits secs, je crie grâce. En trois semaines, j'ai perdu l'habitude de manger autant.

Repu, je pars dans la ville à la recherche d'un ordinateur branché sur internet. Devant une boutique de matériel informatique fermée pour cause de vendredi, Kashef Addin, un étudiant, m'aborde. Il veut parler anglais... Et de m'entraîner dans une course qui ne dure pas moins de trois heures, au bout desquelles nous trouvons un ordinateur. Hélas le modem est cassé... A l'hôtel où je rentre, quatre jeunes m'attendent. Ils ont entendu parler de moi et veulent prendre une photo de l'hurluberlu qui suit la Route de la Soie. Je suis prêt à me coucher lorsqu'à 9 heures Kashef Addin m'appelle. Il a trouvé un modem et m'a envoyé un taxi qui doit être dans la cour. En effet.

Ayant fait le plein de nouvelles de Paris, je suis de retour, chantonnant, content, rasséréné. Sur le boulevard près de l'hôtel, sont garés une douzaine d'autocars bourrés de fidèles. En tête de file, une voiture munie de haut-parleurs hurle des slogans; sur chaque véhicule sont tendus de grands calicots noirs surchargés de signes en fârsi. C'est que demain est le 14 Khordad du calendrier iranien, la date anniversaire de la mort de l'imam Khomeini. De tout le pays des milliers de cars convergent vers le mausolée du saint homme, près de Qom, au sud de Téhéran. Il règne dans l'air une atmosphère de précipitation, de violence, loin du recueillement et du deuil. Le fanatisme est là, palpable, certes suscité et canalisé par une organisation à la hauteur des enjeux politiques, mais qui me révulse suffisamment pour que je m'en retourne au plus vite à l'hôtel.

Au matin, devant moi, un couple européen boucle ses bagages. Patrice et Marie, lui français, elle suisse, chargent des sacoches sur deux curieux vélos qu'on conduit allongé sur le dos, le pédalier surplombant la roue avant. Ils vont tout simplement en Chine. A ma grande surprise, Marie n'a pas de tchador mais un foulard qui lui dissimule simplement les cheveux et les oreilles. Et Patrice est en short et ticheurte.

– On ne nous dit rien car nous faisons du sport.

… Et moi alors, mon parcours, ce n'est pas du sport? A vous dégoûter d'être héroïque…

Ali, un jeune garçon rencontré la veille dans la boutique internet de son frère, est venu après la prière du matin me retrouver à l'hôtel. Il propose de m'accompagner un bout de chemin. Hier soir, nous avons bavardé et il m'appelle « le sage ». C'est un croyant fervent, un « fou de Dieu ». Il participe à des séances de flagellation collective où l'on se frappe la tête jusqu'à ce que le sang jaillisse. « Mais ça n'est pas douloureux », dit-il. Dieu l'habite, la dévotion qu'il lui voue envahit

sa vie. Il s'étonne qu'étant un sage je ne sois pas musulman. Je
ne résiste pas, devant une telle obsession religieuse, à le désta-
biliser un peu.

– Ce Dieu dont tu me parles, est-ce le tien ou le mien ?

– Le mien, bien sûr. Allah est tout-puissant.

– Mais comment peux-tu dire cela ? Pourquoi est-ce que ça
ne serait pas une divinité hindoue, ou le dieu d'une tribu perdue d'Afrique noire ou de Bornéo, ou encore – j'hésite une
seconde, puis je me lance – le Dieu des juifs ? Donne-moi une
preuve que c'est le tien.

– Mais je le sais.

– Tout homme sage doit pratiquer le doute. Sans le doute,
on n'approche jamais de la vérité. Les Mongols de Gengis
Khan croyaient dans le Soleil. Les Incas aussi. Et tous étaient
convaincus d'avoir raison.

Je n'ose pas pousser plus loin le raisonnement et mettre en
doute l'existence de Dieu. Ali m'abandonne au bout de trois
kilomètres, essoufflé dans son corps et dans son âme. Je tâche-
rai dorénavant d'éviter les questions religieuses car je sais bien
qu'on ne peut ébranler que celui qui est sur le point de l'être.

Autre méfait imputable à l'ayatollah Khomeini : nulle gargote ouverte en ce jour déclaré férié, les fidèles n'ont pas à se
goberger.

Douze kilomètres après mon départ, à 11 heures, je me
trouve face à une montagne dont l'à-pic impressionnant
décourage toute tentative d'escalade – surtout si l'on est har-
naché d'un sac aussi lourd que le mien. La bouche noire et
vorace d'un tunnel semble avaler une théorie de poids lourds
pour mieux recracher la file explosive qu'elle a ingurgitée par
l'autre bout. Il y a bien une petite route qui file à gauche, vers
nulle part, mais personne ne l'emprunte. J'opte à mon corps
défendant pour le tunnel. La puanteur des gaz d'échappement
me prend à la gorge. Il n'y a pas de trottoir, aucun piéton
n'étant sans doute assez insensé pour s'y aventurer. Je rase le

mur aux moellons noircis de fumées. Tous les vingt mètres, un bloc de pierres contre la paroi dissuade les camions de s'y frotter. Ces contreforts de fortune me servent d'abris provisoires car je marche à gauche, face au danger. Mais quand il me faut les contourner, je dois courir pour éviter d'être écrabouillé, le trafic étant quasi constant. Dans l'obscurité presque totale, le bruit et la masse de ces monstres qui foncent sur moi sont impressionnants. Aucun ne s'écarte à ma vue. Ici comme ailleurs, celui qui a un volant dans les mains est convaincu qu'un piéton s'en sortira toujours – ou qu'il ne vaut pas qu'on freine. A quoi bon, d'ailleurs, puisque aussi bien le marcheur peut le faire ? Le trou noir n'est éclairé que par les phares. Renvoyé par la muraille, le fracas des moteurs m'assourdit et me lacère. Asphyxié par mille pots d'échappement, je respire à petits coups, avalant cette puanteur âcre qui me bloque le larynx. Du poison à l'état pur. Sortir de cet enfer de bruit et de pestilence au plus tôt. Mais aussi loin que je peux voir, griffé par cent faisceaux aveuglants, ce n'est qu'obscurité. Cinq minutes, dix minutes, un quart d'heure. En embuscade derrière un bloc, j'attends qu'un espace se fasse entre deux poids lourds, je prends mon élan et cours jusqu'au suivant. Si la file des camions qui vont dans mon sens se rompt quelques instants, je ne sais plus où je suis et je dois avancer en tâtant le mur pour garder mes repères et ne pas bifurquer vers le milieu de l'asphalte. Mes tempes battent, je tousse et cherche de l'air, ne trouve que les remugles des gaz brûlés.

Enfin une lueur, là-bas, à plusieurs centaines de mètres, la sortie. Le jour pâle qui pénètre dans le souterrain est obturé au passage de chaque camion. On dirait un de ces vieux projecteurs de films d'amateur quand on regarde défiler la pellicule au lieu de se tourner vers l'écran. Abandonnant toute prudence, je file vers l'air libre. Plus que cent mètres, plus que cinquante, plus que vingt. Je suis en apnée, refusant désormais d'avaler le poison du lieu, les jambes raidies par la peur et le stress. Lorsque j'émerge, je me rue vers un grand parking abandonné, sur lequel une tache de soleil tombe à pic par-dessus la montagne.

Je jette mon sac plutôt que je ne le pose et je me livre à une série de respirations profondes, avalant de grandes goulées d'oxygène qui me saoule. Je me sens sale au-dedans comme au-dehors. Le bruit des moteurs qui s'engouffrent ou sortent du trou me semble désormais lointain. Lorsque enfin je retrouve mon souffle, j'examine les lieux. Les parois de la gorge qui précède le tunnel montent droit vers le ciel bleu. Dans cette tranchée, un autre parking a été aménagé un peu plus loin. J'y vois des camions qui stationnent, y aurait-il un tchâï-khâné, une modeste popote ? Il y a, et elle est ouverte. Pour un peu, je croirais à la Providence. En tout cas, je viens pour sûr de séjourner dans l'antichambre de l'enfer.

La salle est aussi enfumée que le tunnel. Une cinquantaine de chauffards, assis à de grandes tables en bois recouvertes d'un plastique transparent – et poisseux – avalent du thé brûlant en s'empiffrant de grandes assiettes de nouilles ou d'âbgousht. Un grand moustachu (ils le sont tous) vient s'asseoir face à moi, boudiné dans un ticheurte où se dandinent les lettres d'une devise que j'aimerais bien décrypter. Il s'informe, veut savoir d'où je sors. Quand je montre du menton l'extérieur, il m'explique qu'il y a un autre tunnel, plus long et très dangereux, interdit aux piétons. « N'essaie pas de l'emprunter, tu risquerais ta vie. »

Alors que je lui demande la signification de la formule qu'il arbore, comme fichée dans sa peau, il se lance dans une explication dont je ne saisis à peu près rien, sinon l'essentiel puisque je comprends qu'il s'agit d'Allah, de la chance et de l'honneur insigne qu'il y a à l'avoir comme protecteur.

Est-ce dû à la pétoche où à la rasade de gazole, je file aux toilettes pour évacuer une tourista dévastatrice. Un thé et un âbgousht plus tard, je fais le tour des tables pour trouver un chauffeur qui accepte de me faire franchir le prochain tunnel. A ma grande surprise, il est très court, à peine cinq ou six cents mètres. Y en a-t-il un autre plus loin ? Non, me dit le chauffeur qui me propose bien sûr de m'amener jusqu'à Téhéran. Je le remercie et demande à descendre, après avoir

compris la méprise du moustachu tout à l'heure. Il a cru que
j'allais dans la direction de Tabriz. Le tunnel où je risquais ma
vie, c'est celui que j'ai emprunté. Reza, mon chauffeur, rigole :
« Tu as eu de la chance qu'on soit jour férié. En temps normal,
la circulation est si dense que tu serais mort avant la sortie. »
Je ne peux, en pensée, que me prosterner moi aussi aux pieds
de Khomeini. D'une certaine façon, je lui dois la vie.

J'en ai ma claque du bitume et des tunnels, auxquels je suis
condamné faute de carte appropriée. Il y a bien de temps en
temps des routes en terre qui prennent la tangente. Mais où
mènent-elles ? A des culs-de-sac ? A des villages sans nom ou
à des steppes sans repère et sans vie ? Pour un simple trekking,
je pourrais tenter ma chance, la provoquer même. Mais
aujourd'hui, j'ai devant moi près de trois mille kilomètres à
parcourir avant la mythique Samarcande, des rendez-vous
douaniers avec des dates inscrites d'ores et déjà sur mes visas.
Comme quoi l'on part pour se libérer des contraintes et l'on se
retrouve, sonné à la sortie d'un tunnel d'enfer, dans l'obligation de continuer…

A Tabriz, voici une semaine, j'ai trouvé à la bibliothèque
d'un musée un document qui laisse à penser qu'un vieux caravansérail existe par-là, au nord, derrière les collines. Et j'ai
une immense envie de lui rendre visite. Mes poumons n'étant
pas encore bien récurés, je m'octroie un moment à l'ombre
près d'un pont de briques dont l'arche centrale s'est effondrée
dans la rivière, comme coupée d'un coup de hache – résultat
d'un tremblement de terre. Des enfants, grimpés sur le pont,
sautent dans l'eau tout habillés. Confortablement adossé à un
muret, le cul au frais sur un gazon fleuri, je m'endors. Au
réveil, je suis bien décidé à aller coûte que coûte voir ce
fameux caravansérail.

La voici, la route. Sur ma mauvaise carte, elle figure en
pointillés. Au jugé, j'ai dessiné un point au nord de la nationale : Jamal Abad, le village de Jamal. Plutôt qu'une route,

c'est un chemin, blanc et sinueux, qui paresse à flanc de colline. Un camion qui descend soulève un nuage scintillant comme une queue de comète qui retombe doucement derrière lui. La côte semble douce, mais compte tenu du soleil et de mon épreuve d'avant déjeuner, je dois faire un effort violent pour l'attaquer. Le soleil me brûle la nuque. Très vite, la sueur coule dans mon cou, se glisse entre le sac et mon dos, ruisselle entre mes fesses, le long de mes jambes et s'arrête enfin, faisant flaque, dans mes chaussures. La colline est plantée d'un blé clairsemé, maigre et courtaud qui vibre lorsque d'aventure un brin d'air l'effleure. Pas une maison, pas un arbre, mais une usine récente plantée à mi-coteau. Il me faut une heure pour y arriver. Je suis littéralement bombardé de questions par les gardiens qui ne voient passer là que les camions qui transportent le gypse.

— Je viens de la frontière, je suis parti voici quinze jours de Dohoubayezit, en Turquie et je vais à Samarcande.

Ils m'observent, incrédules. Je précise :

— Samarcande, en Ouzbékistan.

Ils ne saisissent pas davantage. Les Iraniens ne sont pas plus calés en géographie que les Turcs et je rectifie encore :

— Un peu plus loin que Mash'had.

Elle, ils connaissent, c'est l'un des lieux les plus vénérés du pays.

Je ressors de l'abri ombragé du porche de l'usine pour retrouver la fournaise. La chaleur me coupe le souffle, et nous ne sommes qu'au début de juin. Qu'en sera-t-il lorsque je longerai le Dasht e Kavir, le redoutable désert iranien, en plein mois de juillet ? J'évite d'y penser car à chaque fois je perds un peu plus le fragile espoir d'aller jusqu'au bout de ma route cette année.

Je crapahute depuis une demi-heure lorsqu'un bruit singulier me fait me retourner. Une camionnette d'un autre âge, sans doute aussi vieille que moi, ahane en grimpant la côte. A mon approche, elle hoquette deux ou trois fois puis s'éteint dans un chuintement d'eau vaporisée. A bord, deux petits vieux me sourient de toutes leurs fausses dents. Contrairement aux Turcs qui offrent des bouches édentées, les Iraniens ont recours aux dentiers. Les leurs sont superbes, comme les rires muets qui plissent leurs visages, brûlés des soleils d'innombrables étés. Ils doivent avoir deux cents ans à eux deux. Que j'aille à Jamal Abad les met en joie.

Aller si loin à pied leur apparaît comme une douce folie. Personne, s'il est sensé, ne parcourt plus sept kilomètres à pied depuis l'invention de leur voiture. Le passager me désigne, du pouce, le plateau de la camionnette encombré de fûts en ferraille et d'engins plus ou moins agricoles.

– Monte.

– Non, je préfère marcher.

Les deux visages affichent une consternation sans nom. Je leur explique que je suis la Route de la Soie, que je viens de Makou et que je vais à… Téhéran à pied.

J'ai éprouvé le besoin de raccourcir mon trajet par les deux bouts, manière de rester crédible à leurs yeux. Les sourires reviennent, les râteliers réapparaissent, ils insistent, les joyeux centenaires. Je reste de marbre. Et pour bien montrer ma détermination, après un sourire que je veux aussi chaleureux que les leurs, je leur tourne le dos et reprends l'ascension de la côte. Derrière moi, j'entends le démarreur gémir, puis après un soupir le moteur tousser et s'emballer. Dans un sifflet de vapeur d'eau et le clic-clac des culbuteurs déréglés, la carriole poussive me dépasse. Les deux gentils me font de grands signes amicaux. J'ai quelque remords à les décevoir, mais je dois rester ferme, je me suis promis que je ferais la route à pied, cela ne souffre pas d'exception. Sinon, mon moral déjà vacillant s'effondrerait pour de bon.

Au faîte de la colline, des troupeaux de moutons et de vaches dessinent des figures mouvantes. Les cris des bergers qui s'interpellent d'une vallée à l'autre me parviennent, étouffés. Il règne ici une paix bucolique et je me surprends à regretter d'avoir perdu mes souriants vieillards. Un groupe d'hommes et de gamins, à l'ombre d'un bosquet, près d'un bassin de pierre rempli d'une eau de source, boit le thé. Parmi eux… mes deux vieux qui se lèvent et me font de grands signes. « Tchâï, tchâï! » Ils ont l'air encore plus vieux debout qu'assis, mais leur sourire et leur main tendue sont aussi royaux. Je ne suis pas fâché de poser le sac. Ouvriers agricoles et bergers me font raconter mon histoire. Le soleil s'est calmé. Les moutons boivent à la source, les agneaux bêlent doucement à la recherche de leur mère. Le lieu sert de rendez-vous aux travailleurs du coin. Après une dure journée, pour eux comme pour moi, l'instant est magique. Le thé coule des Thermos. On rit.

Je suis prêt à repartir lorsque Behnam, un jeune homme de vingt ans en chemise bariolée et le menton mangé par une barbe drue de trois jours, vient à moi :

– J'habite à Jamal Abad et tu vas dormir chez moi. Ma maison est proche du caravansérail.

Ce qu'entendant, mes deux centenaires en profitent pour renouveler leur invite et je n'ai pas le cœur à leur dire non une deuxième fois. Je case mon sac sur le toit de la cabine et nous nous entassons tous les trois sur le siège. Ils sont aux anges, mes deux anges, un sourire bloqué sur leurs belles dents. Le moteur proteste, puis rugit, et dans un sifflement arrache la guimbarde à la côte. Malgré le bruit, ils papotent en chevrotant, heureux de la vie, et leurs bonnes bouilles me mettent en joie. Et puis sans crier gare, celui qui est calé entre le conducteur et moi entonne une chanson à tue-tête. L'autre n'y résiste pas et accompagne son copain sur un bout de refrain. Leur entrain me gagne, je me détends enfin et alors mes soucis de naguère s'envolent, l'angoisse du tunnel s'efface. Dans ce doux jour qui tombe, la vie est belle et l'optimisme de ces deux-là est revigorant. Le chauffeur est plus attentif au chant de son vieux copain qu'à la conduite de son antiquité, mais nous sommes seuls sur la petite route. Je bats le rythme sur le tableau de bord poussiéreux et j'applaudis lorsque la chanson s'achève. Ils se tournent vers moi, c'est à moi de chanter.

De bon matin me suis levé c'était dimanche,
A la carriole j'ai attelé la jument blanche,
Pour m'en aller au marché,
Dans le chef-lieu du comté,
Paraît qu'y avait des généraux à vendre...

J'ai droit à une ovation, le conducteur en lâche le volant. Heureusement, son fourgon connaît la route.

Soudain, au détour du chemin, il est là. Un caravansérail planté fièrement au sommet d'une colline, aux briques rouges qui flamboient dans le soleil couchant. Son haut mur aveugle, flanqué de tours aux quatre coins et en son centre domine la route que nous empruntons. C'est le plus grand et le plus authentique caravansérail que j'aie vu depuis mon départ d'Istanbul l'année dernière. Il ne m'est pas nécessaire de m'en approcher plus pour le dater. De style abbasside, il date du XVIIᵉ siècle. Ces constructions, toutes construites sur le même modèle, sont dues au shah Abbas le Grand qui en fit édifier entre 1200 et 1800, selon les historiens persans. Bâties en briques cuites, elles ont mieux résisté au temps que les bâtiments plus anciens construits en blocs de terre crue, facilement ravinés par les intempéries.

Mes deux vieillards arrêtent la voiture à l'entrée du caravansérail près duquel Behnam m'attend, et nous nous congratulons avec émotion.

Tehmour et Malaka, les parents de Behnam, me souhaitent la bienvenue. Le thé est déjà prêt. Je fais honneur, mais au fond je piaffe : le caravansérail est là, à portée de ma main... Behnam m'y accompagne et son ami Housheng nous y rejoint. L'édifice est bâti selon un plan lui aussi très classique : une cour rectangulaire avec au centre une citerne. Autour, les chambres, puis les écuries et les magasins. Ce vaste espace a été récupéré par les paysans qui y parquent leurs brebis en hiver. Plusieurs murs sont gravement endommagés. « Ce sont les Russes qui se sont amusés à le canarder », dit mon guide.

Sans doute quand ils occupaient le nord de l'Iran à la fin de la dernière guerre, se partageant le pays avec les Anglais.

Du toit, la vue porte à l'infini aux quatre points cardinaux. La position choisie pour bâtir ce lieu d'accueil et de protection est sans faille. Il était possible, de là, de voir venir les caravanes… et les ennemis et les voyageurs égarés pouvaient repérer le caravansérail de fort loin. En contrebas s'étagent en pente douce les quelques maisons à toit plat du village qui ne doit pas comporter plus de quinze familles. Je reste là, et Behnam doit s'y reprendre à plusieurs fois pour me sortir de ma rêverie.

Ce qu'il veut, lui, c'est me faire visiter le domaine familial. J'y vois le premier *ghanat* que j'ai cherché sur ma route en vain. Un très grand nombre de villages persans sont alimentés en eau par ces canaux d'irrigation dont certains peuvent atteindre quarante kilomètres de long. Se retrouve là le génie persan pour tout ce qui a trait au jardin – le paradis – et à la fraîcheur. Il a fallu aux ingénieurs et au peuple un amour immense de l'onde toujours fraîche, du mirage qu'est l'oasis, pour qu'ils construisent ces canaux d'une remarquable maîtrise.

Behnam me montre avec fierté les plantations d'abricotiers, et je respire avec bonheur cette paix que m'apporte toujours la fréquentation des vergers – on ne naît pas impunément normand… Pour la première fois depuis trois semaines, la chaleur de cette famille, la joie communicative de mes deux centenaires, la découverte enfin de ce beau caravansérail m'enivrent. Et le calme de ce village kurde – où aucune femme ne porte le tchador –, qui n'a guère dû changer depuis dix siècles, comparé aux bourgs situés sur la nationale, est un baume. Seule trace de modernité, la moto de Behnam.

Dans la cour de la maison, où se mêlent roses trémières pour le plaisir des yeux, framboises et cerises pour celui du palais et l'ombre douce de trois arbres sous lesquels il fait bon bavarder aux heures chaudes, la fraîcheur du soir est bienfaisante. Nous dînons sur la terrasse. Tehmour a neuf enfants, dont cinq garçons. Behnam est le dernier. Malaka est sa mère, mais compte tenu de l'âge que je lui donne – moins de trente-cinq ans –, elle n'est sans doute pas la mère des huit autres. Le maître des lieux a-t-il plusieurs femmes, a-t-il divorcé, est-il veuf ? Je pose la question d'une manière si embrouillée qu'il ne comprend pas. A la télévision qui marche ici comme ailleurs dès qu'un étranger arrive, on montre des scènes de flagellation collective. Tehmour qui fréquente pourtant la mosquée apprécie peu ce spectacle et, le doigt vissé sur la tempe, ne s'en cache pas.

Après le dîner, Tehmour et son fils installent sur la terrasse une grande moustiquaire et deux matelas. Nous dormirons ici, Behnam et moi, et j'y passe, à l'ombre du caravansérail, une nuit enchanteresse. L'air est chaud, le ciel constellé et d'une pureté qui réconcilie avec le monde. Je me réveille souvent, comme les enfants la nuit de Noël, et je reste les yeux ouverts sur ce ciel de lit magique. Au matin, un oiseau perché sur le fil qui retient la moustiquaire m'offre un concert alors que le ciel blanchit vers l'est. Tehmour sort de la maison et s'avance vers le mur qui domine la vallée et ses terres et, la main posée sur le mur, contemple longuement le paysage. Il doit préparer sa journée de travail, en évaluer les tâches, et se réjouir d'habiter un lieu si bucolique et, qu'on le veuille ou non, propice au bonheur. Une demi-heure plus tard, les paupières encore lourdes de sommeil, Behnam aura exactement le même geste. Malaka qui s'active dans la maison a rangé les couvertures de la nuit et préparé le thé. Pendant que la lumière monte lentement sur la vallée, nous déjeunons d'œufs frits et de yaourt ainsi que d'un grand bol de lait sucré au miel.

Behnam me fait ses adieux et part travailler. J'endosse mon sac et remercie son père pour son accueil. Je serre sa main forte et calleuse puis, étourdiment, je tends la main à Malaka. Elle panique, jette un regard éperdu à son mari, mais Tehmour, avec un bon sourire, dit : « Tu peux. » Je suis prêt à parier que c'est la première poignée de main de sa vie.

Alors que je passe la dernière maison du village, le soleil se montre derrière les montagnes et sa lumière inonde le paysage.

Je marche d'un bon pas depuis une demi-heure lorsque
j'entends un tracteur derrière moi. C'est Housheng qui veut
me dire au revoir, navré d'avoir raté mon départ. Il me souhaite bon voyage. Je le suis des yeux pendant qu'il s'en
retourne, et mon regard s'attarde longuement sur le village qui
semble tapi aux pieds du caravansérail. J'avais posé mon sac à
l'arrivée du tracteur. Je l'endosse de nouveau et tourne le dos
à Jamal Abad. Une chanson me vient aux lèvres.

Fini les angoisses et les regrets des premiers jours, j'ai
retrouvé ma route. Douce comme la soie.

IV

LA SOIF

3 juin. Jamal Abad. Kilomètre 510.

J'ai retrouvé l'ardeur de marcher, toutefois avec les premiers jours de juin, la température s'affole. Affaire de calendrier, mais aussi d'altitude. Parti du plateau anatolien, je ne cesse de descendre vers la plaine. Je m'attends au pire en juillet, lorsque, à la saison la plus chaude, je longerai le désert du Dasht e Kavir, entre Téhéran et Mash'had. Je sais, « on se fait à tout ». Mais il y a des limites à l'adaptation… Ma vraie peur, hormis les petites bêtes qui peuplent les déserts, c'est la déshydratation. Elle ne pardonne pas.

A 10 heures, le thermomètre est déjà près d'exploser. Pour restreindre la transpiration, je suce une pastille de sel. J'ai deux gourdes en plastique souple, munies d'un tuyau et d'une pipette fixée sur le col de ma chemise et je peux boire tout en marchant. J'ai mis au point une technique de désinfection efficace : pendant que je bois le contenu d'un bidon, je désinfecte l'autre avec des pastilles qui rendent l'eau buvable en une heure. Depuis Tabriz, je suis passé à deux litres d'eau par gourde, ce qui porte mon sac à dix-sept kilos le matin. C'est un cercle vicieux. En augmentant ma réserve, je porte un poids trop lourd, transpire davantage et bois plus. L'une des gourdes contient cinq litres, mais je me garde bien de la remplir. Ici et là, je peux refaire le plein, soit aux tuyaux des pompes actionnées par de puissants diesels qui crachent l'eau des puits pour l'irrigation, soit aux petites fontaines devant les restaurants. Les Iraniens, je l'ai dit, adorent le bruit de l'eau qui coule, leur télévision passe sans relâche des images de cascades et de jets d'eau, et je me récite ces vers sublimes et désaltérants :

> *Ayant bu des mers entières nous restons tout étonnés*
> *Que nos lèvres soient encore aussi sèches que des plages*
> *Et partout cherchons la mer pour les y tremper sans voir*
> *Que nos lèvres sont des plages et que nous sommes la mer* [1].

A midi, mon ombre s'est tant raccourcie que je marche dessus. A Sarcham, je sais que se trouvait autrefois un caravansérail, mais il est détruit depuis si longtemps que personne ne s'en souvient. Sarcham est à vingt-cinq kilomètres de Jamal Abad, une étape normale de caravane, qui couvrait de six à sept *farsakhs* par jour, les courriers royaux en faisant cinquante. Une journée moyenne, c'était de marcher de huit à douze heures. Un vieux me dit qu'à Nikpei, à vingt-cinq kilomètres plus loin, j'en trouverai un en excellent état. Une idée germe dans ma tête puis s'impose : je dormirai ce soir dans le caravansérail de Nikpei. Cinquante kilomètres aujourd'hui, ce sera une longue étape. Malgré la canicule, je vais d'un bon pas. Le sac pèse des tonnes et je tire continûment sur ma pipette sans pour autant étancher ma soif. J'ai beau sucer un noyau d'abricot pour stimuler ma salivation, j'ai le palais à sec. A Qahab, j'avale coup sur coup dans un *bufé* deux jus de fruits glacés pendant que le patron qui a conduit un camion sur cette route durant trente ans me récite, content de lui, toutes les villes et tous les villages qui se trouvent entre ici et Istanbul. Lorsque je lui demande de me débiter sa comptine à l'envers, il le fait avec la même agilité et égrène les noms de tous les lieux où je suis passé depuis l'année dernière.

Ma soif se complique d'une violente tourista qui arrive sans

1. Attar, traduction de Gilbert Lazard.

crier gare. Je dois faire de nombreuses haltes d'urgence. Au bord d'un verger d'abricotiers et de cognassiers, je pose culotte à l'abri des regards de la route, derrière une haie d'épineux. Dans un champ au-delà quelqu'un crie et agite les bras. J'entends quelque chose comme « Aïe ». Cela me rappelle mon enfance lorsque dans ma Normandie natale, nous allions rôder avec mon copain Guy autour des fermes le long des fossés pour chaparder des châtaignes ou des pommes. Nous étions alors poursuivis par des paysans qui hurlaient qu'ils allaient nous botter le cul si nous ne déguerpissions pas au plus tôt de leur domaine ou qui lâchaient les chiens. Tous les paysans se ressemblent. Celui-là n'aime pas que je fasse un arrêt dans son champ. Mais cause toujours bonhomme, tu es loin et mon envie est si pressante que je suis incapable de m'éloigner d'un pas. Sans cesser de crier, il avance, puis court vers moi. Si je ne me reculotte pas rapidement, je vais me retrouver obligé, dans cette position inconfortable, de parlementer, en fârsi de surcroît… Je suis piégé. Mes tripes n'arrêtent pas de se vider et le bonhomme se rapproche ; « Aïe, aïe ». Je suis furieux de l'irruption de ce gueulard dans un moment qui s'accommode mieux de la solitude, mais je saisis aussi pleinement le ridicule de la situation dont je fais les frais. Et puis la scène bascule : l'homme continue de crier le même mot et cette fois, je l'entends : « Tchâï ! » Il veut m'offrir le thé. A dix mètres, alors que je suis toujours accroupi et dans l'impossibilité momentanée de me relever, il bifurque vers une sorte de tente – des bouts de toile tendus entre trois cognassiers. Il revient avec une théière – ou plutôt un vague récipient de métal brûlé à mille foyers de braise – et des verres ainsi qu'un petit chiffon qui se révélera être le sucrier.

Djalan, une petite quarantaine, grosse moustache noire et début de calvitie qu'il essaie de cacher sous un petit bonnet de laine, me sourit avec bonté en plissant ses yeux clairs et en dévoilant sa bouche édentée – trois incisives disparues. Tout en sirotant force verres du liquide qui me désaltère mieux que les litres d'eau tiède avalés depuis le matin, nous nous moquons l'un l'autre de nos crânes dégarnis. Désireux de repartir, je lève les yeux vers le soleil et le ciel si bleu entre les arbres : je vais encore avoir chaud. Djalan se méprend sur mon geste. Il se lève promptement, abaisse la branche d'un abricotier et cueille quelques poignées de fruits verts dont il bourre mes poches. Cela n'améliorera pas ma tourista, mais c'est très bon et rafraîchissant. On devrait envoyer certains paysans normands faire un stage d'accueil chez mon ami Djalan.

J'observe une fois de plus que les Iraniens qui considèrent comme scandaleux de dévoiler ses mollets ne sont nullement offusqués par le spectacle de leurs semblables déféquant. J'ai pu vérifier que la plupart des W.-C. en Iran n'ont pas de verrou. Habitués que nous sommes à y jouir d'une intimité sacrée, c'est un peu déstabilisant, mais je m'y ferai ; montrer ses jambes, non ; montrer son cul, oui.

A 13 heures, vaincu par la chaleur je m'endors sous un arbre. Il me faut hélas reprendre sans trop tarder la route car Nikpei est fort loin. Pour lutter contre la brûlure du soleil, dès que j'aperçois un filet d'eau, j'en remplis mon chapeau que je me renverse sur la tête. Mais le bien-être ne dure pas. Un quart d'heure après je suis sec, ou plutôt ma chemise est mouillée, mais de sueur... Mon pas se raccourcit, les kilomètres me semblent interminables. J'ai l'impression de marcher sur un tapis de haute laine, mais c'est le goudron qui fond et les crampons de mes chaussures qui s'y enfoncent. Les heures passent, mon ombre s'allonge. J'ai dû boire plus de dix litres depuis ce matin. Je n'en peux plus. Il est 20 h 30 et la nuit est tombée depuis longtemps lorsque j'arrive enfin au carrefour de la route qui conduit à Nikpei. Dans un bufé je commande un sandwich. Ce sera mon dîner. Je suis si fatigué que je n'ai guère faim, une seule pensée m'habite : poser mon sac et dormir. Un trentenaire à tête de hibou, volubile et souriant, vient vers moi et m'interroge :

– Tu cherches le caravansérail ? C'est à côté de chez moi, je t'accompagne.

Seyat s'arrête à chaque quidam rencontré pour lui expliquer qui je suis, etc. Incapable de participer, je souris aux gens qui me regardent comme si j'étais un Martien. A l'autre bout du village, enfin, apparaît le caravansérail. Ou plus exactement ce qu'il en reste. On a abattu son mur d'enceinte et la rue traverse ce qui fut sa cour de part en part. Seules quelques salles demeurent debout. Elles ont une coupole pour plafond et certaines n'ont pas résisté aux tremblements de terre. Les paysans les ont utilisées comme hangars ou écuries, et les cellules de voyageurs sont cadenassées. Ma déception doit se lire sur ma figure. Seyat me demande ce que j'en pense. Je ne veux pas être négatif.

– C'est un bien joli *reste* de caravansérail. Mais je ne peux pas y dormir.

– Mais tu vas dormir chez moi, c'est ici.

Il ouvre le portail situé juste au bout d'un mur effondré qui doit être le seul témoin des anciennes murailles, et nous pénétrons dans une cour où trône, royal comme un carrosse, un camion. Seyat gagne sa vie en transportant du bois. Il m'a vu une fois sur la route, vers le nord. Il me présente fièrement sa petite fille de deux ans, Maryam, et sa très jeune et très jolie épouse, Fercounda, qui a quinze ans. Elle n'avait pas treize ans lorsqu'il l'a épousée. Le ménage est prospère. Dans la salle de réception, il y a un téléviseur, une chaîne hi-fi et un meuble rempli de vaisselle. Nous dînons puis Seyat me conduit chez son père. C'est une longue, longue et étroite pièce d'une bonne douzaine de mètres. Deux portes et deux fenêtres donnent sur la cour. Elle est aussi dépouillée qu'une salle peut l'être : un samovar avec quelques verres et une théière à proximité. Trois nattes sont posées sur les tapis. L'une à un bout, c'est mon lit, deux à l'autre bout, ce sont les couches des parents de Seyat. Ses deux frères ont choisi la terrasse. Et tout ce monde dort tout habillé. J'en fais autant, moi qui adore dormir nu. Sous l'auvent du toit, au matin, les nombreuses hirondelles dans leur nid pépient dès le lever du jour. Le patriarche, à qui les oiseaux servent de réveil, fait ses ablutions dans la cour puis revient pour sa première prière. J'ai pu voir que le vieil homme

dort avec son turban sur la tête, bonnet de nuit bien encombrant.

Le paysage a changé : vergers et cultures céréalières en
plaine, la région est riche. A midi, le bistrotier, un géant
bonasse, fait le clown en arborant mon chapeau et en me
mimant, croulant sous mon sac. Puis, après le déjeuner, il
me conduit dans une petite salle annexe au sol recouvert d'un
tapis et de quelques coussins. J'y serai bien pour la sieste.
Lorsque je veux le payer, il refuse prétextant qu'on ne
demande pas d'argent aux amis. Comportement impensable en
Occident : sa moquerie à mon endroit n'était donc en rien mal
intentionnée. Il voulait plutôt *être* moi.

A 20 heures, lorsque j'arrive dans la grande ville de Zanjan,
incrédule, le réceptionniste de l'hôtel me fait répéter cinq fois
que je ne paie pas en dollars mais en rials. A l'en croire, il n'a
jamais vu un touriste qui n'a pas de dollars. Cela doit se fêter :
il me fait donc payer moitié prix, ce qui suppose tout de même
le double du tarif iranien.

La ville de Zanjan possède la particularité de ne vendre que
des couteaux. Du canif de poche au sabre, des milliers, des millions de lames encombrent les vitrines. Le mien, un Laguiole,
suscite l'intérêt car il a une chose rare dans ce pays : un tire-
bouchon. Je me promène dans le bazar et me perds avec délices
dans ce labyrinthe tout en ombres et en lumières. Là encore se
déploie le génie des maçons et des architectes persans qui à
partir de simples briques, ont su imaginer cent constructions,
mille arabesques, d'originales sculptures. S'y montre aussi un
autre génie pur : celui des Orientaux pour le négoce. De père en
fils, ils cultivent avec une frénésie aimable les subtilités infinies
du commerce. Il y a deux mille cinq cents ans qu'ici on fait des
affaires. Au temps des caravanes, la loi qui régissait le commerce était inspirée du Coran. Elle excluait toute déloyauté ou

canaillerie. La parole du vendeur était une parole d'honneur. Ce qu'elle persiste à être, si l'on admet le marchandage comme étant une forme d'approche et de façon de faire connaissance. Celui qui sait marchander est d'ailleurs reconnu par le boutiquier comme un frère... Examinant un tapis, en deux secondes je suis entouré, séduit, invité à prendre le thé dans le fond de la boutique. On me fait raconter mon histoire. La nouvelle court les petites cellules, les commerçants voisins affluent, attirés par la curiosité et, qui sait, la bonne affaire. Lorsque leurs questions semblent épuisées, ils en posent une dernière : qu'est-ce que je préfère, l'Iran ou la Turquie ? Prudent, matois, je généralise : « Turquie, France, Iran, Chine, il y a de braves gens partout... De même pour les paysages... » Bref, je noie le poisson. Bien m'en a pris : en disant « Je préfère l'Iran », j'aurais fait la gaffe de la journée, car ils sont Kurdes ou Turcs et conspuent tous le régime des mollahs.

Smaïl Azadi, un jeune informaticien, m'invite à rejoindre ses amis. Ils se promènent en groupe de garçons sur les trottoirs de la ville en lorgnant les filles. Celles-ci, fines mouches, ne sortent jamais sans un petit papier qui donne leur prénom et leur numéro de téléphone. Sait-on jamais, si l'homme de leur vie les croisait sur le trottoir... Puis on se rend dans un tchâï-khâné. Ceux qui le souhaitent fument un narghilé. La grande question est : comment rencontrer l'âme sœur puisque parler aux filles est interdit sauf si on est... fiancé avec la dame. A l'évidence, le parfait cercle vicieux mis au point par les mollahs n'a qu'un but : privilégier le rôle des parents qui, dès lors, prennent l'initiative. A leurs enfants affamés de rencontres, ils présentent un jour l'âme sœur.

Fait-il moins chaud ou mon organisme s'acclimate-t-il ? Je marche vers Soltanieh, le jarret raffermi par ma journée de repos à Zanjan. A midi, malgré mon départ tardif, j'ai parcouru quinze kilomètres sur les trente-cinq que compte, théoriquement, mon étape d'aujourd'hui. Après une sieste rapide

sous les arbres, je reprends la route. Mais la circulation infernale sur la nationale m'insupporte. J'ai acheté hier une carte
au cinq cent millième dans le bazar. Rédigée en fârsi, elle me
demeure impénétrable et je ne regarde que les tracés. Une
petite route prend au sud et conduit à Soltanieh. C'est elle que
j'emprunte, mais je n'ai pas parcouru cent mètres que des
paysans m'interpellent. A Soltanieh ? Cette route n'y mène
pas. Je leur fais déchiffrer ma carte qu'ils examinent religieu-
sement mais ils n'y comprennent rien. J'insiste, je veux aller
par-là. Ils essaient de me décourager, puis à bout d'arguments
l'un d'entre eux a une phrase et un geste du bras éloquents :
« Vas-y, tête de mule, quand tu seras paumé au milieu des
champs, tu comprendras. »

   Sur ce plateau qui est encore à 1 800 m d'altitude, la route
de terre est magnifique et déserte. En trois heures de marche,
je ne croiserai qu'une voiture dont le conducteur cale de surprise en me voyant là. L'espace m'appartient. Corps chaud et
libéré de la pesanteur, je plane au-dessus des immenses
champs de blé ou de labour. Mon esprit s'élève comme les
alouettes dont j'observe l'ascension en écoutant leurs trilles et
j'essaie de suivre leur chute des yeux lorsque, à bout d'efforts,
elles se laissent tomber comme des pierres, ouvrant les ailes
juste avant de heurter le sol. J'ai l'esprit léger comme elles, et
vif comme ces lézards qui giclent devant moi sur le sol surchauffé. Je pense parfois, lorsque je marche, que le bonheur
qui m'envahit à certains moments est dû certes aux endor-
phines qui me font planer. Mais j'ai aussi la sensation d'exister
plus fort, de sentir la vie qui court dans mes veines. Il y a une
dizaine d'années, avant une opération j'ai passé un examen
chez un spécialiste de la circulation sanguine. Le médecin m'a
posé une microsonde sur les veines de la cuisse, puis il a légèrement appuyé sous le dessous de mon pied. Cette simple pression a provoqué un chuitement, un sifflement qui m'a fait
penser au bruit du vent dans une tempête. C'est quoi, ce
bruit ? ai-je demandé. Celui du sang dans vos veines. Depuis,
lorsque je marche, je pense parfois que le simple fait de poser

le pied par terre envoie mon sang plus fort vers mon cœur, il circule plus vite dans mes artères. Un pas c'est un zéphir, une étape, c'est un ouragan.

À l'orée du village de Soldjalo, je découvre au fond d'une étroite vallée la tribu de Saïd Mohammedi. Sa maison de pisé et de pierres se compose d'une pièce qu'éclairent chichement une porte et une lucarne. De grandes gaules qui soutiennent le toit plat débordent au-dessus de l'entrée. Saïd Mohammedi vit là avec sa femme et ses sept enfants. Comment passent-ils l'hiver, lorsque la neige les contraint de rester à l'intérieur ? Pour l'instant, il fait beau et les gamins jouent dehors avec un tuyau qui amène l'eau on ne sait d'où. Un enfant me tend une rose odorante en signe de bienvenue. Je sors mes pin's. Dans un coin de la pièce, des pétales de rose sèchent, qui serviront plus tard à parfumer un plat. Il y a une antenne TV dehors. Saïd Mohammedi n'est pas fâché de laisser croire à tout le monde qu'il possède la télévision.

Le petit village est désert. Je ne trouve qu'un vieil homme totalement sourd et, après m'être exténué à lui demander mon chemin, je décide de me fier à ma bonne étoile. Car mon GPS ne me permet pas de départager deux routes, presque parallèles, qui vont toutes les deux dans la direction de Soltanieh. Je tire donc à pile ou face celle de droite. Arrivé au haut d'une légère montée, je m'arrête, subjugué. Soltanieh est là, à quinze kilomètres environ, posé sur la plaine. L'histoire de ce monument, l'un des plus beaux du XIVe siècle, est liée à un sultan mongol, Oljeitu. Il a jeté son dévolu sur ce village qu'il adopte comme capitale pour une raison simple : les milliers de chevaux de sa cavalerie trouveront leur nourriture dans cette immense plaine naturellement irriguée. Converti à l'islam, il décide de construire un mausolée pour accueillir les restes d'Ali, le gendre de Mahomet. Rien n'est trop beau pour cette figure emblématique, véritable saint et presque déifié, à l'origine du chi'isme. Oljeitu construit un monument qui, par sa taille et la qualité de sa décoration, est unique en son temps. Les plus belles mosaïques et chaque brique chantent le nom d'Ali sur tous les modes. La construction est gigantesque – la coupole est à cinquante mètres au-dessus du sol, et avec un diamètre de vingt-cinq mètres elle concurrence par ses dimensions et sa hardiesse architecturale la mosquée bleue d'Istanbul et la cathédrale Saint-Paul de Londres. La profondeur des fondations et l'épaisseur des murs vont lui permettre de résister aussi bien aux siècles qu'aux trente et un tremblements de terre qui ont ravagé la région depuis sa construction. Hélas pour Oljeitu, les cendres d'Ali ne viendront jamais à Soltanieh et partent en Irak. La bâtisse sublime servira finalement de sépulture à son initiateur et à sa famille.

Lorsque je l'aperçois, elle est encore à quinze kilomètres à vol d'oiseau. Mais, dans ce lieu d'une extrême platitude, on ne voit que ce dôme, comme un pouce dressé vers le ciel. La chaleur qui se dégage du sol le fait trembler, comme s'il renonçait à se tenir encore debout, au bord de l'effondrement. La route que j'ai empruntée n'est pas la bonne. A moins que les paysans de tout à l'heure n'aient eu raison contre les cartographes. La chaussée que je suis devient un chemin, puis un sentier, et s'arrête soudain à l'entrée d'un champ de blé. Je le contourne. D'origine paysanne, je suis incapable de fouler au pied le travail des hommes de la terre. Mais ce respect me coûte car désormais, l'œil fixé sur la construction qui tremble dans l'air chaud, là-bas, je vais allonger mon chemin d'au moins cinq kilomètres. Au bout de deux heures d'une marche épuisante en zigzag au long des champs semés ou dans les labours, le blé me cerne. En implorant le pardon de mes ancêtres, je m'aventure à petits pas dans le champ de froment, essayant d'épargner les épis – opération relativement facile tant ils sont peu denses. Un groupe de paysans arrive vers moi. Allons bon, je vais devoir m'excuser. Mais avant que j'aie dit un mot, ils me bombardent de questions, ne veulent pas croire que j'arrive à pied de si loin. Un jeune, aussi boueux que les autres, coiffé d'un chapeau de paille qui s'effiloche serré autour de sa tête

par une ficelle, parle parfaitement anglais et traduit mes
réponses. C'est un professeur de l'université de Téhéran qui
est venu donner un coup de main pour les récoltes. En Iran,
aussi haut qu'on s'élève dans l'échelle sociale, on reste un
homme de son village.

Le dôme, vu d'ici, a l'air d'avoir une chevelure. On l'a couvert d'échafaudages tubulaires pour réhabiliter la toiture de
tuiles bleues. Les travaux d'entretien et de réfection durent
depuis des années et ne sont pas près d'être terminés. J'arrive
au pied de l'immense construction à la nuit tombée et
m'assieds, épuisé, sur un petit muret où une demi-douzaine
d'hommes bavardent. D'abord l'un d'entre eux, puis tous,
enhardis, font cercle. Quand ils apprennent d'où je viens, ils
applaudissent. Ils envoient chercher le vendeur de sandwichs
pour qu'il rouvre sa boutique et, en attendant, un homme
court ventre à terre chez lui et revient porteur d'une théière
brûlante et d'un verre. Peu après, lorsque j'ai mangé, Reza, un
professeur d'arabe au collège de Soltanieh, petit homme à la
chemise bariolée et vêtu d'un pantalon bleu trop grand qui
tire-bouchonne, m'invite à passer la nuit chez lui. Avant de
dormir, pendant que je rédige quelques notes, il corrige les
devoirs de ses élèves.

Au matin, il me sert de guide. A Soltanieh, on a utilisé pour
la décoration deux techniques de mosaïques. La première,
assez proche de l'art du vitrail, consiste à découper des pièces
de différentes couleurs qu'on assemble au ciment pour dessi-
ner de fastueuses arabesques. Avec la seconde, plus rapide,
on dessine directement les motifs sur des carrés de terre qu'on
expédie ensuite à la cuisson. Une troisième technique, très
décevante, heureusement peu utilisée pour rénover Soltanieh
au plus vite, est de peindre directement sur le plâtre. L'effet est
nul, les couleurs ternes. A la petite exposition qui se trouve
dans l'entrée, je trouve les dessins de deux Français, Louis
Devaux et Jean Chardin, venus au XIXe siècle admirer l'édifice
alors qu'il n'avait pas encore perdu tout son éclat. Six siècles
plus tard, Soltanieh est redevenu un petit village de quelques

milliers d'âmes et de quelques centaines de maisons de terre, écrasées par l'immense construction. Les contemplant du haut du mausolée, j'imagine que si les cendres d'Ali avaient été transportées ici au lieu de partir à Nasdaf, la bâtisse serait au centre d'une agglomération de plusieurs millions d'âmes. A quoi tient le destin d'un bourg !

La route que je prends ensuite est brûlante. Je me perds, ce qui me vaut un détour de deux heures. Rissolant sous le soleil, noyé de transpiration, buvant pratiquement sans arrêt, je me prends à douter de mes chances de rallier Samarcande sous de semblables températures. Au soir, j'aurai bu dix litres d'eau sans aller pisser une seule fois. Il est 15 heures quand je trouve enfin une gargote. J'avale un âbgousht puis, éreinté, je m'endors la tête à côté de l'assiette. Un joyeux groupe de chauffeurs routiers me réveille. Ali me demande d'accepter son hospitalité lorsque je serai à Abhar. Espérant trouver un hôtel, je me garde bien de m'engager.

J'ai parcouru quarante kilomètres lorsque j'arrive à Sa'in Qal'eh. Je suis épuisé, moins par la route que par la chaleur. A l'entrée de la ville, un jardin public m'offre un banc à l'ombre. Je m'y laisse tomber. Sur mon carnet, je dessine l'esquisse d'un petit chariot qui me permettrait de tirer mon sac au lieu de le porter, car le contact avec mon dos provoque immédiatement une sudation insupportable. Seul un tel véhicule me permettrait de résister aux chaleurs qui m'attendent après Téhéran. J'en suis là de mes pensées lorsqu'un petit homme, noir de peau et de poil, cheveux ras et sourcils si épais qu'ils semblent lui manger le visage, m'apporte une rose qu'il m'offre avec un sourire. Un sourire bizarre. Son visage, à la peau très lisse lorsqu'il est grave, se recroqueville en une multitude de fines rides lorsqu'il se « déride ». Il a de petits yeux très bleus. Ce cinquantenaire timide travaille pour la municipalité à l'entretien du jardin public. Il repart, sans un mot, arroser ses massifs puis revient au bout de dix minutes. Mimiques et quelques mots ; je comprends qu'il serait heureux de m'offrir l'hospitalité. J'accepte et un sourire tout plissé révèle sa joie. Il se nomme Askar, me pose les sempiternelles questions auxquelles je vais finir par répondre avant qu'on me les pose. Peu après, un jeune garçon au crâne rasé, Behnam, vient bavarder et, très vite, m'invite lui aussi à passer la nuit dans sa demeure. « Impossible, dis-je, j'ai promis à Askar. » Behnam essaie de me faire plier puis me quitte et va parlementer avec le petit jardinier. Quelques jeunes nous rejoignent, dont Mahmad. Moins de vingt ans, une tignasse mal maîtrisée qui lui donne une tête de loup et un sourire ravageur. Lui aussi m'invite. Même réponse. Il insiste, me montre sa maison, toute proche.

– Non, dis-je, Askar m'a invité et j'ai accepté.

Mahmad rejoint les deux autres et la négociation commence. Tout en parlant avec d'autres qui rivalisent pour m'apporter des fruits ou du thé qu'ils sortent de dieu sait où, je surveille le trio de mes hôtes potentiels. Le ton monte. Mahmad s'est rangé au côté d'Askar et tous les deux font face à Behnam qui s'énerve, crie parfois en me désignant à plusieurs reprises. Finalement il quitte les deux autres, revient vers moi et me somme littéralement de venir chez lui. Je le calme. J'ai promis à Askar, je ne peux pas changer d'avis. Seul Askar…

– Askar est une tête de mule et Mahmad aussi, me lance Behnam avant de s'en aller en essayant d'adopter une contenance vis-à-vis des jeunes qui ricanent.

Pendant ce temps, les tractations ont repris entre Mahmad et Askar. Plusieurs fois, Mahmad éclate d'un grand rire et lance des bourrades au petit homme noir, lequel plisse sa face en manière de sourire. Enfin ils viennent à moi.

– Pas vrai que tu as promis de venir chez moi ? demande Askar.

Gentil, son compétiteur ébouriffé traduit. Je confirme. Et j'ajoute que je ne veux surtout pas que les gens se battent pour moi, sinon je campe dans le jardin.

– Mais Askar ne parle pas anglais et tu ne parles pas fârsi…

– Mettez-vous d'accord !

Les deux hommes s'écartent et la discussion reprend, mais plusieurs jeunes ont rejoint Mahmad et plaident visiblement pour lui. Finalement les deux protagonistes reviennent avec un grand sourire.

– Tu vas venir dîner et coucher à la maison, me dit Mahmad. Mais j'ai aussi invité Askar au dîner et au petit déjeuner. Comme ça il pourra te poser toutes les questions qu'il veut et je traduirai. En quelque sorte, on t'invite tous les deux.

Cela dit il attrape mon sac qu'il charge sur son épaule et, suivi de toute la horde, nous nous dirigeons vers le grand portail de fer de son jardin ceint de hauts murs. C'est un grand et bel endroit, un verger de fleurs et de fruits dans lequel une véritable foule s'active. Mahmad me présente son père, Zekhollah, un retraité de soixante-sept ans, qui lui-même me présente sa famille. Cela prend du temps. Il a six filles et cinq garçons ainsi qu'une ribambelle de petits-enfants. L'aîné, Assad (qui veut dire « le premier »), professeur à l'université voisine et Mahdi, l'ami de Mahmad ainsi que mon découvreur échevelé, traduisent les réponses aux innombrables questions qu'on me pose. J'aligne la joyeuse tribu en rang d'oignon de manière qu'ils tiennent tous sur la photo, ce qui n'est pas une mince affaire d'autant que les petits, vivants comme des diables, s'échappent sans arrêt dans le jardin. Zekhollah est aux anges. « Tu vas passer une semaine ici, dit-il, il faut au moins cela pour lier connaissance. »

Askar ne me lâche pas d'un mètre. Je suis aussi son invité. Mais il est si timide qu'il ne pose pratiquement pas de questions. C'est moi qui l'interroge. Il est vieux garçon et travaille depuis trente ans dans les jardins du village. Le dîner rassemble les hommes. Dans la pièce voisine, on entend rire les filles et la voix de la maman cherche à rétablir un peu d'ordre dans la volière. A l'heure du coucher, les filles dorment dans leur dortoir, Zekhollah et moi dans la salle à manger-chambre où nous avons dîné et les trois garçons qui ne sont pas mariés sur la terrasse. Les autres rentrent avec leur famille chez eux.

Nous nous levons à l'aube, mais Askar attend déjà à la porte du jardin. Zekhollah insiste pour que je reste quelques jours, mais je décline l'invitation. Askar m'escorte jusqu'au bout du parc où il passe ses journées. Il a les larmes aux yeux : il vient de rater la chance unique d'avoir un étranger rien que pour lui, dans sa petite maison. Est-il possible d'être plus accueillant qu'un Iranien ?

Freitoun, lorsqu'il apprend que je me rends à Mash'had, me traîne chez lui, me débarrasse de mon sac, constate que j'ai le dos en sueur, me pousse sous la douche pendant que sa femme et sa sœur préparent le repas. La sœur, qui parle un peu anglais, est conviée exceptionnellement à assister au déjeuner des hommes mais pas à le partager. Lorsque nous avons terminé l'âbgousht, mon hôte m'offre un petit carré de soie verte, la couleur de l'islam. Je comprends qu'il se méprend et me croit un pèlerin musulman allant sur le tombeau de l'imam Reza à Mash'had. Sa déception est grande, celle de son père aussi qui, soudain distant, me demande si je suis catholique – auquel cas je dois lui faire voir la bible que je ne peux manquer de porter dans mon sac. Deuxième déception. Alors Freitoun va chercher une image de l'imam Khomeini qu'il m'offre cérémonieusement. J'accepte avec chaleur, car je sens bien que nous sommes là sur un terrain mouvant. Un jeune voisin, fabricant de matelas, vient heureusement nous rendre visite et fait ainsi diversion. Il m'explique qu'il est très amoureux de la fille de la maison, celle qui traduit et qui est infirmière. Il voudrait l'épouser, mais le père réclame cinq millions de rials (cinq mille francs) pour ses vieux jours, craignant que les jeunes ne l'abandonnent lorsqu'il aura donné sa fille. Le marchand de matelas n'a pas cinq millions. Il en avait mis deux de côté, mais il a craqué pour une moto d'occasion et toute sa politique d'économies est à recommencer.

En repartant, je suis arrêté à la station d'autobus par une jeune femme qui parle un anglais irréprochable. Elle est d'une beauté troublante et sa tenue, conforme à la stricte règle religieuse, exacerbe le désir en dissimulant ce qui ne saurait être aboli : une subtile sensualité. Son foulard, noué très lâche, laisse entrevoir une lourde chevelure d'un noir de nuit. Le manteau, artistiquement trop vaste, laisse apercevoir la peau nacrée et satinée de sa gorge. Elle me parle avec un sourire gourmand. Elle me quitte avec un émouvant petit signe d'adieu et me rappelle une autre apparition, sur un trottoir de Zanjan. Celle-là était en tchador. Tenant le voile d'une seule main à hauteur de la poitrine, elle l'avait ajusté sur sa tête de telle manière qu'il laisse voir la moitié de sa chevelure teinte au henné. A chaque pas, de longues jambes gainées dans un pantalon ajusté sortaient du triste voile noir. De toute sa personne et de son visage émanait un message éloquent : « Regardez comme je suis belle et désirable. Et faisons fi du komité. » Un livre de cape et d'épée m'avait ainsi retenu, enfant : il y était question d'un chevalier émerveillé par la cheville d'une dame qui montait dans un carrosse. Comme quoi la soif d'amour et de volupté ne s'enterre pas sous les voiles. Elle se lit dans un regard.

L'après-midi dans un ciel inexplicablement bleu, le vent gagne peu à peu de la force et souffle bientôt avec une grande violence. Arc-bouté pour lui résister, je tangue dans les rafales. Les motards roulent au pas, jambes écartées pour prévenir une chute. Un groupe d'hommes hisse, du ravin où sa voiture a été déportée, un jeune garçon en sang. Pour éviter d'être précipité sous les roues des camions qui ne ralentissent guère, je marche dans la berme, sur un sol mou et sablonneux qui me rompt les jambes. Au passage d'un pont au-dessus d'une voie ferrée, la bourrasque est si violente que je ne peux avancer qu'en m'agrippant au rail de sécurité. Takestan n'est plus qu'à deux kilomètres, mais je doute de pouvoir les parcourir tant je suis vanné par cette lutte permanente. Il est vrai aussi que j'ai couvert, malgré ce mauvais temps, cinquante-deux kilomètres depuis le matin. Je suis sale comme un pou, couvert de sueur et de poussière, j'ai mal à une jambe, un début de tendinite dû à l'insuffisance d'eau et à cette lutte contre le vent dont les hurlements m'assourdissent.

Qazvin marque la limite des langues entre les Kurdes ou les Azéri au Nord, et les Iraniens au Sud qui s'expriment en fârsi. La ville, capitale de la Perse sous les shahs safavides au XVe siècle, fut préférée à Tabriz car elle était plus facile à défendre. Puis elle fut elle-même abandonnée par la dynastie au profit d'Ispahan. Je loge dans l'excellent hôtel Alborz pour le prix exorbitant de cent cinquante francs la nuit. J'y suis si bien que je décide d'y rester. Au matin, je cherche en vain un café internet afin de prendre des nouvelles de France. Au bureau des Télécoms, on ne peut pas me louer un ordinateur, car ils ne sont pas connectés au réseau mondial. Ahmet, qui parle un bon anglais – grâce, lui aussi, à la Croix-Rouge car il a été cinq ans prisonnier en Irak –, suggère l'autre bout de la ville où il y a, dit-il, un service équipé. Son chef lui accorde sa journée de liberté pour prendre soin de moi.

Les nouvelles de France sont bonnes. Sofy, l'ange qui veille sur moi depuis Paris, me donne l'adresse d'une agence de voyages à Téhéran, *Caravan Sahra*. Ce sont les correspondants de l'agence parisienne *Orients*, où elle travaille. On y prendra soin de moi. Elle cherche, toujours selon mon souhait, à louer des chameaux, mais le problème semble difficile à résoudre. Je veux en effet traverser hors des circuits routiers le redoutable désert du Dasht e Kavir. Pour cela il me faut au moins trois chameaux, leur caravanier, et un guide.

Plus tard, Ahmet me pilote à travers un dédale de ruelles dans le bazar qui, de tout temps, a été hanté par les marchands de la Route de la Soie. Il s'agit d'une succession de caravansérails reliés entre eux par un lacis compliqué de venelles. Qazvin était une étape importante et mercantis, pèlerins ou derviches y trouvaient le gîte et le couvert. Nous visitons Sa'd ol soltânié (la Chance du sultan), un palais safavide qui eut son heure de gloire. De lourdes portes de bronze protègent une entrée en rotonde, décorée de somptueuses briques vernissées. L'endroit a été annexé par une fabrique de meubles et on y entend miauler des scies circulaires. Je peux examiner en détail et photographier ces « suites » qui étaient réservées aux commerçants. Une première pièce servait de boutique d'exposition. Afin d'y installer de gros ballots et d'offrir une grande surface d'exposition sans empiéter sur la rue, les portes, constituées de deux panneaux de bois qui se ferment comme une guillotine, s'escamotent dans le plafond lorsqu'elles sont ouvertes. La deuxième chambre était dévolue au repos. Les coupoles sont percées d'un trou qui apporte la lumière et évacue l'air chaud en été. On pourvoit au chauffage par une minuscule cheminée en hiver.

De la pluie ? A cette saison ? Alors que nous quittons le bazar, quelques gouttes nous surprennent. Des boutiques, commerçants et clients sortent pour vérifier le phénomène. Personne, bien au contraire, ne se met à l'abri. Mais « l'averse » ne mouillera pas même nos chemises.

Le musée, une ancienne demeure princière au milieu d'un parc, contient pour l'essentiel des poteries, des armes anciennes et quelques grimoires religieux. Selon Ahmet, Qazvin serait la déformation du mot « Caspienne ». La ville aurait été autrefois sur le rivage de la mer qui se trouve maintenant à plus d'une centaine de kilomètres au nord-est. Les mouvements sismiques qui ébranlent régulièrement la région auraient relevé le niveau des terres. L'ensemble respire la décrépitude. Dans l'une des salles, de grandes fresques murales ont été ravagées par des mains de vandales. Une seule, partiellement épargnée, montre des scènes pastorales où des marquises occidentales exhibent niaisement leurs décolletés généreux. Quelques puritains ont sans doute jugé insupportable la vue de ces gorges offertes. L'accès à la salle suivante est fermé par une lourde porte à deux battants. Sur chacun d'entre eux, un marteau différent. Mon guide m'apprend que les femmes devaient frapper avec le plus léger et les hommes avec le plus lourd. Ainsi, le visiteur annonçait son sexe avant même que les portes s'ouvrent.

Puis nous allons voir la Masdjed e al Nobi (la mosquée du Prophète) dont la cour peut accueillir plus de cinq mille fidèles, et la Masdjed-e Djomé (mosquée du vendredi). Elle fut reconstruite entre 637 et 1050, mais certaines parties des murs auraient été érigées voici près de deux mille cinq cents ans. Les mosaïques qui les recouvrent et le minaret sont d'une subtilité et d'un éclat qu'aucun artisan d'aujourd'hui ne saurait retrouver. Une plaque gravée au XVe siècle dans un coin de la cour donne le prix des œufs, du lait, des fruits, prix qui sont restés inchangés pendant trois siècles, en ces temps bénis où l'on ignorait l'inflation.

Enfin mon guide me convie à rendre visite à un ami qu'il vénère. Modarassi, un vieil homme à demi paralysé, habite une maisonnette dans les vieux quartiers et nous reçoit dans sa cour où poussent un noyer, deux figuiers et un grenadier. Il était tisserand en tapis. Il a commencé à travailler à l'âge de douze ans, s'est marié à dix-huit avec une femme de seize, a connu le temps des derniers sultans Qadjars, le règne des Pahlavi et la révolution islamique. Veuf depuis quatre ans, il habite ici avec l'un de ses fils, professeur. Tout en nous régalant de cerises, il me questionne, moins sur mon trajet que sur ma situation de famille. En apprenant que je suis veuf, il évoque longuement son épouse, puis pose une question à Ahmet qui éclate de rire et m'avoue qu'il n'ose pas la traduire. Je l'y encourage.

– Tes dents sont-elles à toi ? a demandé mon hôte.

On m'a déjà posé la question et elle m'amuse. Je m'approche de Modarassi, bouche ouverte, et je choque mes dents de l'index pour montrer qu'elles sont bien toutes à moi.

– Tu as de la chance, me dit-il. Car lorsque comme moi on n'a plus ni sa femme ni ses dents, la vie ne vaut plus d'être vécue.

Je dîne avec toutes mes dents dans le meilleur restaurant de la ville d'un somptueux *khorecht*. Ce ragoût de viande – ici d'agneau servi avec riz, yaourt, carottes et baies séchées – est semé de pétales de roses et je me surprends à rêver d'un verre de bon bordeaux. Le garçon a servi pendant quinze ans dans la *Navy* comme spécialiste des sonars, ces détecteurs de sous-marins, et il est venu stupidement se mettre au service de la révolution quand elle a éclaté. Il voudrait bien retourner aux

États-Unis revoir sa femme et son fils, mais il n'a jamais pu économiser pour se payer le voyage.

Qazvin se situe près des châteaux du « Vieux de la montagne ». Au XIᵉ siècle, à la tête d'une secte d'ismaéliens, Hasan Sabah entretenait une armée de tueurs à gages dans des forteresses, véritables nids d'aigles au fond des vallées d'Alamut et du Chah Rud. On y vivait avec art, dégustant les mets les plus fins, servis par des jeunes filles en fleur. Un vrai paradis d'Allah. Et justement, Hasan Sabah prétendait qu'il avait le pouvoir d'intercéder auprès de Dieu pour faire ouvrir les portes du paradis. L'homme savait faire exécuter proprement qui lui déplaisait : il lui suffisait d'envoyer chez l'ennemi un de ses jeunes soumis, qu'il savait conforter par des prises répétées de haschisch afin de les aider à porter le coup mortel. Redouté dans tout l'empire, Hasan Sabah, puis ses descendants, toujours appelés Vieux de la montagne, virent leur secte surnommée, à cause de la drogue, du nom de « hashishins ». Racontée par Marco Polo puis par les Croisés qui se rendaient à Jérusalem, l'histoire du Vieux de la montagne frappa l'opinion occidentale et donna naissance au mot « assassin ». Hasan Sabah et ses successeurs terrorisèrent la Perse durant deux bons siècles. Lorsque les Mongols conquirent la région, leur chef Houlagou, petit-fils de Gengis Khan, mit le siège aux châteaux et passa au fil de l'épée tout ce qui, à l'intérieur, était vivant. Le Vieux de la montagne avait trouvé homme plus impitoyable que lui.

V

GENDARME-VOLEUR

11 juin. Qazvin. Kilomètre 793.

Au petit déjeuner, je bavarde avec un ingénieur belge qui construit près de là un *float*, c'est-à-dire une usine pour produire du verre plat. Il me raconte qu'un jeune collègue venu travailler ici a été amusé de se retrouver, grâce au change favorable, millionnaire en rials. Il a donc étalé les billets sur son lit, les a filmés. Ensuite, fier et con comme un nouveau riche, il est descendu brancher son caméscope sur le téléviseur du hall de l'hôtel. Cinq minutes plus tard la police était là, les passeports des étrangers confisqués et le jeune homme penaud. Comportement classique d'expatriés un peu nigauds que les réalités, coutumes ou us locaux font ricaner. Oubliant d'exercer le même œil critique sur la société dont ils sont issus, quand le voyage offre pourtant le meilleur moyen de prendre du recul pour juger là d'où on vient.

J'erre longtemps dans la ville avant de trouver ma route et de grimper sur le sol ocre et dénudé au pied des monts Alborz. Je flâne, j'observe longuement les cérémonies d'un enterrement musulman. Dans le cimetière où femmes et hommes sont séparés, un homme va de tombe en tombe, déversant quelques gouttes d'eau sur les plaques de pierre de chaque sépulture : le soleil et les années ont effacé les lettres gravées, et l'eau, en s'insinuant dans les parties évidées, rend, pour quelques

minutes ou quelques heures, avant de s'évaporer la vie aux
noms des disparus. L'enterrement musulman s'accompagne
de rites bien précis. D'abord on lave le mort et on l'enterre
presque immédiatement. Dans les pays d'Islam qui sont des
pays de soleil et de chaleur, c'est une nécessité. Ensuite, plusieurs cérémonies vont se répéter avec la famille et le cercle des
amis le septième jour, le quarantième jour et à la date du premier anniversaire du décès. En Russie, chez les orthodoxes, on
pratique aussi de semblables rendez-vous post mortem, étapes
de deuil visant à mieux faire accepter l'absence.

Dans une petite échoppe, j'observe un boulanger affairé
autour de son four, une sorte de grand pot en terre pyramidal
d'un mètre à la base et au col étroit. Avec une célérité stupé-
fiante il prend une boulette de pâte, la tape et l'aplatit jusqu'à
ce qu'elle ait la forme d'une galette. Puis il la tend sur une
sorte de tissu épais et, à l'aide de ce tampon qu'il introduit
prestement dans la gueule du pot, il colle la pâte sur la paroi
brûlante. En une minute, elle est cuite. Il décolle alors la
galette et la passe à son mitron qui l'empile sur une colonne
déjà appétissante. Tous ces gestes, ces fours sont immémoriaux. Dans les caravansérails, j'ai trouvé de semblables équi-
pements. Les voyageurs d'autrefois transportaient leur farine
et cuisaient leur pain chaque jour. Les Iraniens en mangent
des quantités incroyables et en gaspillent plus encore. Dans la
moindre gargote, on vous apporte une ou deux galettes, et si
l'une d'elles reste entamée, elle est jetée. Dans l'arrière-cour
des restaurants, j'en ai vu des sacs pleins. C'est aussi que, très
fin, ce pain sèche dans la journée.

On me dit qu'à la télévision on a vu des images de neige en
Allemagne et que, dans toute l'Europe, on grelotte. Le froid ?
j'en suis à me demander à quoi ça ressemble. Ici, le soleil a
grimpé dans le ciel et darde. Si je flâne ainsi, c'est que j'ai
prévu une étape légère de vingt-cinq kilomètres. Mais arrivé
sur place, comme je n'aperçois pas la moindre gargote, je
repars pour dix kilomètres où, me dit-on, je pourrai me res-
taurer. Va pour dix kilomètres. Là, ayant déjeuné, on m'assure

qu'à Abyek je trouverai un gîte. Va pour quinze kilomètres. En réalité, ayant parcouru cinquante-trois kilomètres dans la journée, j'arrive à Abyek après que mon ombre, à force de s'allonger sur le sol, a disparu. Pas le moindre hôtel. Je dors dans l'arrière-salle du restaurant. Cette nuit-là, je rêve que je marche dans la neige.

Le lendemain, je me traîne. L'étape de la veille m'a épuisé. Mal au dos, un orteil amoché, les pieds gonflés. Je m'en veux de m'être laissé aller à foncer comme un butor. Où se terre la sagesse que je suis venu chercher ? J'essaie pourtant de me fixer des objectifs limités, modestes. Mais ensuite je fonctionne par cliquets. Encore un petit effort, encore un petit effort… Je n'aurai, c'est sûr, de repos que dans la mort. L'éternité devant moi pour me guérir de toutes les fatigues accumulées. Je suis comme le lièvre harassé que le chasseur traque. Mais j'ignore encore qui est le chasseur. Et pourtant je sais aussi rêver de grandes plages immobiles, de paix et de lenteur, d'arrêts salvateurs. Mais un moteur en moi s'emballe dès que je remets le pied à terre. Aujourd'hui, c'est décidé, je m'arrêterai à Hashtgerd, dans dix-sept kilomètres. D'abord pour me reposer des fatigues d'hier, mais aussi parce que j'ai un événement à fêter : il y a aujourd'hui un mois que je marche.

Depuis que je suis descendu de l'autocar d'Erzouroum juste avant Dohoubayezit, j'ai avancé de huit cent cinquante-neuf kilomètres très exactement. C'est beaucoup plus que les sept cent huit que j'avais prévu de parcourir en trente jours… Ma morosité semble étrangement avoir disparu lors de cette journée magique où j'ai chanté de concert avec mes centenaires, juste avant de découvrir mon premier beau caravansérail. Et puis, sur le sol iranien, je me sens bien. Ce pays, dont l'image que nous renvoient les médias et singulièrement les télévisions est détestable, est en réalité peuplé de gens dont la gentillesse, le sens de l'hospitalité et la xénophilie sont sans équivalent dans tous les pays que j'ai visités. J'ai pu constater aussi à de nombreuses reprises que l'obscurantisme que se sont efforcés d'établir les mollahs n'a pas effacé l'extraordinaire soif d'apprendre des gens. La culture de la Perse éternelle couve sous les cendres de la révolution islamique, un souffle et elle réapparaîtra au grand jour. L'extraordinaire brutalité du régime et la terreur qu'il a inspirée depuis vingt ans sont rejetés par l'immense majorité de la population. Et si les élections législatives qui se sont déroulées voici deux mois ont permis à soixante-dix pour cent des électeurs d'exprimer ce ras-le-bol, ce rejet ne s'accompagne pas de violence en retour. Les Iraniens, patients, sont décidés à faire l'économie d'une contre-révolution pour revenir à la démocratie. J'ai aussi pris une grande leçon de réalisme : en découvrant que la Constitution iranienne a été calquée sur celle de 1958 en France, je mesure combien une même loi peut générer d'effets divers.

Je suis plongé dans la lecture du menu d'un petit restaurant de Hashtgerd lorsqu'un homme sort de la bijouterie voisine. Khalil est un homme soigné. Grand et fort, il corrige la puissance qu'il dégage par un sourire presque enfantin. En anglais, il me suggère que si je veux bien manger, je dois le suivre. Il me conduit non loin de là et glisse un mot au patron. J'apprends, au dessert, qu'il a payé mon repas. Je passe le remercier. Il m'offre de me reposer dans son arrière-boutique et me prévient : ce soir et cette nuit, je suis son invité. Ce n'est qu'une fois ma sieste terminée – dans ce pays, tout s'arrête durant les heures chaudes, boutiques et bureaux – qu'il m'avoue que, m'ayant donné sa natte et son oreiller, il est allé faire la sieste au restaurant où il a déjeuné. Khalil est fasciné par mon aventure. Dans la soirée, il rêve tout haut de grandes échappées, de tout abandonner pendant trois ou quatre mois pour aller nomadiser quelque part. Et il ajoute qu'il va voir si, l'an prochain, il ne pourrait pas m'accompagner quelques centaines de kilomètres sur la Route de la Soie. Je le quitte car de nombreuses clientes arrivent. Durant la période des lamentations, soit au total deux mois, il n'y a pas de mariages en Iran. Alors après, on se rattrape. Et les élégantes iraniennes qui ne peuvent exhiber les beaux vêtements qu'elles portent sous les tchadors, arborent sur leurs mains la preuve dorée ou scintillante de l'amour qu'on leur témoigne : de riches bagues offertes par les maris ou les familles.

Cet après-midi, j'ai de quoi faire. Depuis plusieurs jours, je suis très préoccupé par le trajet que je vais suivre après Téhéran. L'équation incontournable de la traversée des déserts doit être résolue dès maintenant. Lorsque j'arriverai dans la capitale, après-demain soir, il me faudra avoir décidé. Trois hypothèses : la première serait d'écouter les conseils qu'on me donne et de... rentrer chez moi. Je pourrais y passer les fortes chaleurs et revenir ici vers la mi-septembre quand la température devient plus clémente. La deuxième solution qu'on m'a suggérée serait de prendre un véhicule d'accompagnement. Cela, paraît-il, se fait, et la facture est réglée par les sponsors... Je marche et un gentil esclave, dans une voiture, transporte mon barda, les réserves de nourriture, le matériel de camping. Lorsque j'arrive à l'étape, tout est prêt, le dîner comme le lit. Une vraie promenade. Une variante à ce projet est de louer, comme je m'y essaie, des chameaux pour traverser les zones désertiques. Mais il semble que cela soit problématique. On a dit à Sofy que les mois de juillet et d'août sont trop caniculaires pour que des chameaux traversent le Dasht e Kavir. Et je m'obstine à vouloir le traverser, moi, alors que ces bêtes ne sauraient le faire sans y laisser leurs os ! La dernière solution consisterait, et elle me trotte dans la tête depuis quelques jours, à me fabriquer... une sorte de mulet.

Ayant pris mes quartiers dans une gargote, j'y sirote du thé en répondant aux questions qu'on ne cesse de venir me poser car le tam-tam fonctionne bien à Hashtgerd. J'écarte les deux premières hypothèses, me réservant la variante « chameaux » si elle se présente : je répugne à rentrer à la maison, cela n'arrangerait rien. Revenant à la mi-septembre, je trouverais sans doute de meilleures conditions atmosphériques... pendant un mois ou deux. Mais cela me ferait arriver à Samarcande en décembre, c'est-à-dire en hiver, et ce serait

tomber de Charybde en Scylla. La deuxième m'amènerait à
renoncer à ma volonté première : voyager seul et libre.

Reste le mulet. Mes qualités de bricoleur et la brève carrière
de dessinateur industriel que j'ai menée lorsque j'avais vingt
ans vont m'être utiles. Je dessine trois perspectives du véhicule
qui me permettrait de transporter, outre mon sac, une grande
quantité d'eau et un matériel de camping minimum, pour
m'abriter dans les zones inhabitées. Au total, ce sont vingt à
vingt-cinq kilos qu'il est exclu que je porte dans les déserts.
J'achève l'épure du dessin lorsque deux garçons viennent, avec
des regards d'intelligence, s'asseoir à ma table. Ils m'ont déjà
posé tout à l'heure des questions sur mon voyage. Ils prennent
des airs de conspirateurs et l'un d'eux, avec un clin d'œil com-
plice, écarte le pan de sa chemise et me montre une canette
que je crois identifier comme étant de la bière. Est-ce que je
veux partager avec eux ? Comment décliner une offre aussi
généreuse et risquée ? Ils vont alors chercher trois verres à eau,
des boîtes de jus de fruits, des yaourts. Les verres passent un à
un sous la table et reviennent pleins. Je constate alors qu'il ne
s'agit pas de bière mais de vodka. Je ne suis pas en manque
d'alcool et le régime à l'eau que je suis depuis le début de mon
voyage me va très bien. Ce que j'aime dans le vin ou même dans
l'alcool, c'est leur côté convivial. Là il n'en est rien. L'estomac
noué par le risque encouru, mes deux lascars s'enfilent quasiment sans respirer leur verre. La première gorgée d'alcool me
déchire la gorge, d'autant que j'aime la vodka glacée. Celle-ci,
bien au chaud dans le giron d'un des garçons, est chaude.
Après une nouvelle tentative tout aussi douloureuse, il reste
dans mon verre dix bons centilitres. L'un de mes deux compères ayant terminé son verre, je le lui échange contre le mien,
aubaine qui le réjouit. Bon prince, il s'apprête à partager avec
son voisin lorsque la porte s'ouvre sur un vieil homme vêtu
d'une chemise à carreaux, la tête coiffée du bonnet de laine
des hommes pieux. Mes deux complices blêmissent, et celui à
qui j'ai confié mon verre l'avale d'un coup. Asphyxié, il perd
souffle, rougit, étouffe une quinte, devient cramoisi. Le vieux

se dirige vers nous et adresse la parole à mes vis-à-vis. Celui qui vient de boire étant hors d'état de dire un mot, l'autre répond en détournant le regard et le visage, afin de ne pas souffler son haleine vodkadée à la face du bon musulman. Le nouvel arrivant, dont on me dira plus tard qu'il est le patron du restaurant, s'assied à côté de moi et réclame du thé. Je réponds à ses questions par des signes de dénégation signifiant que je ne comprends rien, sans bien sûr ouvrir la bouche. Je n'ai aucune envie de tâter du fouet des mollahs. D'autant que si nous étions pris, on s'empresserait d'accuser ce roumi d'avoir perverti les autres. Le vieux semble un peu ailleurs. Les Iraniens ne parlent pas ou peu et moi pas du tout. Un ange passe, chassé heureusement par le garçon qui apporte les consommations. Les deux lascars qui s'étaient brûlé la langue avec la vodka se l'ébouillantent avec le thé, se rinçant discrètement la bouche au passage. Ils peuvent alors entamer la conversation avec le pieux vieillard, mais toujours, par prudence, en regardant le plafond ou sur le côté. Quand l'homme enfin se lève, nous nous précipitons sur les jus de fruits et le yaourt pour effacer les traces de notre crime. Par précaution supplémentaire, l'un des deux va se procurer des chewing-gums et nous mastiquons bientôt avec l'application de ruminants. Je me sens ramené des siècles en arrière, à l'âge où l'on fume en cachette... Infantilisation de tout un peuple. La prohibition instaurée par les mollahs est en train de montrer son côté pervers. Pas un jour sans qu'on ne me parle d'alcool. Lorsqu'ils aperçoivent le tuyau qui est relié à ma gourde et me permet de boire en marchant, les Iraniens me demandent si le réservoir contient du whisky. Certains y goûtent, doutant de ma réponse. Ceux qui, avant la révolution, ont eu l'occasion de goûter à l'alcool en cultivent la nostalgie. Les jeunes comme mes deux comparses y trouvent le délicieux goût du péché. Une bouteille de whisky, ici, coûte vingt dollars, m'a-t-on dit. C'est ce que gagne un ouvrier en un mois et demi. Cette somme astronomique, c'est le prix du risque, et des complicités multiples qu'il faut faire taire. On fabrique un mauvais alcool moins cher (les vignes dans la région sont nombreuses) que l'on distille dans des alambics clandestins. L'alcool, pensent les mollahs, pourrit la société. La privation absolue d'alcool pourrit les âmes.

Khalil n'habite pas Hashtgerd mais Karaj, à trente-cinq kilomètres de là, mon étape de demain. Il est convenu entre nous qu'il m'amène chez lui ce soir mais qu'il me ramènera demain matin, car – on le sait… – il n'est pas question que je fasse l'économie du moindre mètre sur ma route mythique. Dans la voiture, il me fusille de questions. Les Iraniens adorent le voyage, le pique-nique, le camping, les week-ends dans la montagne. Depuis un mois, j'ai pu constater comme mon aventure a réveillé en eux une âme de nomade. Il doit y avoir, chez tout Persan, un derviche qui sommeille.

Khalil est un homme aisé. Dans sa maison, il y a profusion de meubles en bois doré et plusieurs canapés confortables. Mais même dans une maison « installée » comme la sienne, le lit est ignoré, survivance du nomadisme. Je dors très bien par terre sur une natte, dans une vaste pièce. Au petit déjeuner, Jamileh, son épouse me sert un reste de *koukou*, cette omelette de légumes que chaque maîtresse de maison accommode à sa manière.

Khalil me ramène à Hashtgerd et manifeste quelque regret de me voir partir. Du seuil de sa boutique il m'adresse de grands signes d'adieu jusqu'à ce que j'aie disparu au coin de la rue.

Le caravansérail que je découvre est encore une fois inséré dans un camp militaire désaffecté et cerné de barbelés. Il a dû servir de caserne. Il y a même une pièce à laquelle on a adjoint une solide porte et dont on a muni la fenêtre de barreaux ; ce devait être la prison. Les militaires ont eu le bon goût de recouvrir les augustes briques abbassides de ciment gris. Le caravansérail, lui aussi, est en prison.

La circulation est dense à l'approche de Téhéran, surtout constituée de camions. Khalil m'a dit le prix d'une voiture de qualité moyenne : cent cinquante millions de rials, soit près de cent ans du salaire d'un ouvrier. Pas surprenant que ceux qui en aient une la bichonnent. Et à l'approche de Karaj, je comprends mieux les centaines de petits ateliers qui, sur des kilomètres, bricolent des véhicules en panne.

La marche ici est difficile. Entre les bâtisses, les centaines de véhicules sur deux files dans chaque sens tonitruent, sifflent, ronflent, cognent. Sur les trottoirs s'amoncellent des voitures démontées, des boîtes de vitesses qui vomissent leur huile, des ferrailles, des tas de bois mort et des réfrigérateurs neufs. Entre rue et trottoir stagne l'eau d'un égout à ciel ouvert dans lequel on déverse tout ce qui encombre. Tout cela fermente, prend des teintes verdâtres de putréfaction avancée, et répand dans l'air des odeurs de vomissures.

J'ai promis à mon ami Ahmet de Qazvin de rendre visite à son frère, professeur d'anglais à Karaj. Impossible de le prévenir car il n'a pas le téléphone. Il m'expliquera qu'il en avait un car son père, aujourd'hui retraité, travaillait aux Télécoms et y avait droit. Mais il a eu besoin d'argent et a vendu sa ligne. Depuis il a rempli une nouvelle demande, seulement, comme elle suit le déroulement normal… Mahmoud semble très surpris que son frère m'ait envoyé à lui.

– Que suis-je supposé faire ? me demande-t-il.

– Rien, dis-je. Votre frère m'a demandé de vous saluer. Donc je vous salue… Et vous dis au revoir.

– Attendez, entrez.

Mahmoud est un homme rabougri qui tout de suite entend me signifier qui il est : un homme très, très croyant. Si j'en doutais, il me suffit de constater que sa femme reste emmitouflée dans son tchador à l'intérieur de la maison. Il ne manifeste visiblement aucune joie à l'idée de recevoir un étranger, de surcroît – il me pose la question d'emblée – katolik. Il m'offre toutefois un rafraîchissement puis la conversation s'engage.

Mon projet le surprend. Il le comprend mal. Soudain à brûle-
pourpoint :

– Que pensez-vous de Roger Garaudy ?

Ce n'est pas la première fois qu'on me parle de lui. Des amis
à Tabriz, puis à Zanjan et encore hier Khalil ont évoqué
l'homme dont on me demande plus volontiers qui il est plutôt
que ce que j'en pense. Un philosophe, membre influent du
Parti communiste, puis négationniste, converti sur le tard à
l'islam après avoir fricoté avec les parpaillots dans sa jeunesse
et avoir été actif partisan d'un dialogue entre chrétiens et communistes… Tout de même un peu difficile à exposer à ce sup-
pôt des enturbannés… Et puis je n'ai jamais eu d'affection
pour les parjures… Aussi, je préfère renvoyer la question et
m'informer sur ses venues en Iran. J'apprends ainsi qu'invité
par les mollahs et les plus hauts responsables politiques iraniens, il a été reçu avec beaucoup d'égards par Khamenei, et
que ses propos ont été largement repris par la presse officielle.
« C'est un Français que l'homme de la rue en France ne
connaît pas, dis-je à mon interlocuteur, seuls les intellectuels
avec lesquels il a eu maille à partir savent qui il est. » A l'évidence, son antisémitisme enchante les mollahs.

Mahmoud m'écoute. Et lui, qu'en pense-t-il ?

Il élude ma question et m'invite à dîner. Le repas terminé, il
me propose de dormir dans la pièce où nous nous trouvons. Je
ne me sens pas très bienvenu, mais il habite loin du centre et
des hôtels, et la nuit est tombée.

Je suis réveillé à 5 heures par mon hôte en pleines dévotions.
Pendant que nous prenons le petit déjeuner, il me balance sans
aménité :

– Pourquoi tourmentez-vous Roger Garaudy ?

– Autant que je sache on a porté plainte contre lui à cause
de ses thèses négationnistes.

– Persécution.

J'ai beau être invité, je sens que je vais perdre mes bonnes
manières et je réplique :

– Chez nous, lorsqu'un homme écrit des inexactitudes, on le

juge. Il a le droit de se défendre. Ce ne fut pas le cas de Salman Rushdie qui a été condamné à mort pour un roman, c'est-à-dire une fiction, alors que Roger Garaudy, lui, prétend faire œuvre d'historien. Il a un devoir de vérité. Un tribunal l'a jugé coupable de provocation à la haine raciale. En France, ce n'est pas permis.

Mais concernant les Juifs, la provocation à la haine raciale serait, pour l'homme qui est devant moi, plus une vertu qu'une tare. Je parle dans le désert.

– Salman Rushdie mérite ce qui lui arrive. Il attaque notre religion. C'est un ennemi. Lorsqu'on a un ennemi devant soi, on ne discute pas avec lui, on le tue.

S'il avait parlé ainsi hier soir, j'aurais quitté sa maison. Mais puisqu'il a jugé de son devoir d'hôte de m'accueillir malgré l'antipathie qu'à l'évidence il me porte, comme sans doute à tous ceux qui ne partagent pas ses idées, j'assume mon rôle d'invité évitant d'aller plus avant dans la polémique. Néanmoins je prends congé sans regret. Diable, pourquoi Ahmet a-t-il voulu que je rencontre son frère ?

Malgré tout, en marchant ce matin-là, après cette conversation avec Mahmoud, je me pose de nouveau la question : où est l'Orient des *Mille et Une Nuits* ? Celui de l'amour et du vin des poètes persans ? La politique est contention. La religion est persuasion, conviction. Mais le mariage des deux porté à l'autel par les mollahs phallocrates et misogynes a donné un enfant difforme et monstrueux.

Le soleil est déjà haut lorsque je quitte Karaj, et la journée promet d'être une étuve. Par un hasard malencontreux, je vais arriver dans la capitale un vendredi, jour férié. Tout sera fermé et j'aurai les plus grandes peines à contacter le peu de gens que je veux joindre. Mais le vendredi présente un avantage : la circulation si violente hier est très clairsemée aujourd'hui. Vers 10 heures, je prends une collation dans un petit bistrot tout en examinant mes cartes. J'ai le choix entre deux routes pour entrer dans Téhéran. L'une part à l'est, l'autre s'incurve vers le sud, mais elles aboutissent toutes les deux à la place Âzâdi (Liberté). Je ne vois aucune raison de privilégier l'une plutôt que l'autre et c'est un brave buveur de thé avec qui je bavarde qui m'en recommande une. « Celle du sud. »

Elle est sinistre. Évidemment, c'est un avis d'automobiliste et non de piéton que m'a donné l'homme. Je suis quasiment sur une autoroute et le paysage est celui des banlieues de toutes les mégalopoles ; pas étonnant puisque Téhéran compte quelque treize millions d'habitants. Seuls de rares véhicules circulent. Je longe des murs gris, des fabriques de voitures, d'autobus, des usines, des entrepôts. Puis à droite comme à gauche les murs s'élèvent et se hérissent de barbelés et de miradors ; ce sont des casernes sur des kilomètres.

Alors que je vais passer sous un pont, une voiture quittant la capitale s'arrête au bord de la route et le passager me fait signe d'approcher. Je suis accoutumé à ces curiosités que je satisfais toujours. Mais l'homme n'est pas souriant, bien au contraire.

– *I am the police*, dit-il en me mettant une carte plastifiée sous le nez, *your passport*.

L'homme est en civil, pas rasé depuis trois jours. Un peu gras et dégarni, une petite cinquantaine négligée. Il est couché plus qu'il n'est assis sur son siège, et il respire la hargne brutale. Mais puisqu'il veut mon passeport, je le lui tends. Je n'ai pas pu lire sa carte puisque je ne sais pas lire le fârsi et, quand bien même, mes lunettes sont dans ma poche et je ne prends pas la peine de les sortir. En me rendant le passeport, du même ton agressif il demande :

– Avez-vous un pistolet, de l'opium, de l'héroïne ?

Je ris :

– Non, bien sûr que non, ni arme ni drogue.

– Je veux voir, je veux voir. Approchez, videz vos poches.

Je trouve bizarre qu'il demande cela sans même descendre de voiture. Mais après tout, cela fait peut-être partie des

mœurs policières iraniennes. Sans même attendre que je vide
mes poches il les palpe.

– Et ça, c'est quoi? et ça c'est quoi? Je veux voir, je veux
voir…

Ça, c'est ma carte routière, ça ce sont les petits papiers sur
lesquels j'apprends le fârsi, ça c'est mon GPS, ça ce sont mes
lunettes de vue et ça mes lunettes de soleil. Son agressivité
provoque la mienne. Je vide mes poches mais de mauvaise
grâce. Je n'ai rien à cacher. Et puis je ne tiens pas à ce qu'il ait
un prétexte pour m'emmener au poste, j'ai entendu parler de
trop d'incidents qui s'y passent.

Il veut maintenant voir le sac.

– Il est là, vous pouvez venir le fouiller, je n'ai rien à cacher.

– Amenez-le ici.

Cette fois, c'en est trop. Je comprends que la route des
champs de pavot passant par la Perse, ce pays a été souvent
traversé par des trafiquants ou des utilisateurs de drogues. Et
je m'explique que la police y soit peut-être plus sensible
qu'ailleurs. Et puis je connais la volonté des mollahs de pour-
chasser tout ce qui peut ressembler à un paradis artificiel
pouvant concurrencer celui d'Allah. Mais la brutalité du bonhomme, son ton comminatoire m'insupportent. J'ai l'âme
sereine, mon visa est en règle et je ne transporte rien d'interdit. Le sac est posé sur le sol à deux mètres de la voiture, s'il
veut le voir, il n'a qu'à bouger son cul. Il me regarde sans mot
dire. Je retourne donc près de mon bagage et je commence à
l'ouvrir pour montrer ma bonne foi.

– Voilà, je l'ouvre, il est à votre disposition, vous pouvez
fouiller.

– Apportez-le ici.

– Non, ce n'est pas commode. Venez ici, je suis d'accord
pour que vous regardiez…

L'homme alors se penche en avant, sort un pistolet de la
boîte à gants et l'agite lentement par de petites rotations du
poignet. Il répète en détachant chaque syllabe :

– Apportez-le ici !

Et du canon de l'arme, il désigne le sol près de la portière. Cette fois, j'ai la trouille. Ce type est cinglé. Devant mes yeux défilent soudain des images de violence, les « fous de Dieu » produisent des fous tout court, on le sait. Que vaudrait ma parole contre la sienne ? Il n'y a pas un témoin, les quelques voitures qui passent foncent à 100 km/h, je suis à sa merci. Je jette un coup d'œil au chauffeur, il est froid comme la porte d'une morgue. Je ne vais pas risquer de me faire tirer dessus par cette brute simplement parce que je refuse d'apporter mon sac. Furieux néanmoins, je le jette plutôt que je ne le pose près de la portière. Il a remisé le pistolet dans la boîte à gants et, sans attendre, fait jouer la fermeture à glissière d'une des poches latérales d'où il extrait mon appareil photo. Il ouvre la housse et le fait glisser, puis referme. Je crois toujours qu'il est à la recherche de drogue et je m'étonne qu'il ne fouille pas mieux. Mais non, il prend l'appareil dans la main gauche puis de la droite se met à tirer violemment pour ouvrir le sac. Il va casser les fermetures, ce vandale. Je m'emploie donc à en extraire les effets mais il m'arrache les affaires des mains, les examine d'un coup d'œil puis les jette sur le bas-côté. J'enrage. J'ai envie de frapper sa face de gros salopard. Mais il y a le pistolet…

– Votre conduite est scandaleuse, dis-je.

Il n'en a cure. Tour à tour mes gourdes, mes vêtements, ma boîte à pharmacie, mes sandales sont jetés au sol. Il redemande :

– Vous n'avez pas de pistolet, d'opium, d'héroïne ?

– Je n'ai rien de tout cela, vous voyez bien.

– Vous n'avez pas de dollars non plus ?

Je ne réponds pas, mais le doute, cette fois, s'installe. Ai-je affaire à un gendarme, à un voleur, ou à un gendarme-voleur ? Qu'il s'intéresse à la drogue, d'accord. Mais à mes dollars…

Et puis sans que je comprenne, la voiture démarre, me laissant planté là, désemparé. J'inventorie mes affaires répandues, me précipite et regarde dans la poche où était l'appareil photo. Le salaud… La voiture est déjà loin. Volé ! Il m'a volé. Je jette un œil alentour : seuls les grands murs aveugles des casernes et, là-bas, de l'autre côté, un camion qui fonce dans la direction de Téhéran, opposée à celle du « policier-voleur ». Salaud, voleur, enfoiré… Je suis hors de moi, et d'autant plus furieux que je l'imagine dans sa voiture examinant avec satisfaction le produit de son vol. Bel appareil, ma foi. Voilà une journée bien remplie. Je suis aussi furieux contre moi-même. Comment ai-je pu me laisser manipuler pareillement, perdre mon sang-froid ? Je revois la scène et comprends sa manœuvre. Pendant que de sa main droite il malmenait mes affaires, monopolisant ainsi mon attention sur le sac et les objets répandus, de la gauche il cachait l'appareil sous son siège. Comme un enfant, il m'a manœuvré comme un enfant ! Et puis soudain le plus dur s'impose à moi. Pour l'appareil, passe encore, mais il y avait à l'intérieur une pellicule de quarante vues dont une seule restait à prendre. Ce fumier est parti avec les clichés-cadeaux que j'ai pris de tous mes amis de rencontre depuis deux semaines. Pour autant que je puisse me souvenir, la première photo était la famille de Zekhollah dans son jardin, avec ses onze enfants et ses petits-enfants. Et les photos promises à Ahmet, à Khalil, et celle de Modarassi, le petit vieux qui a perdu sa femme et ses dents. Envolées comme se sont envolées les photos des merveilleux caravansérails de Qazvin. Ce n'est pas un vol, c'est un viol de mes liens noués en chemin. Comment désormais tenir ma promesse d'envoyer ces photos à mes amis ? Je reste assis dans la poussière, incapable de ramasser mes affaires. Je me dis que si j'avais refusé d'apporter le sac près de lui, il n'aurait pas pu subtiliser l'appareil. Je m'en serais aperçu, je me serais battu. En portant des coups, j'aurais pu au moins n'avoir pas de regret, évacuer la hargne qui en ce moment m'étouffe.

Mâchonnant ma rancœur, je ne sens ni la chaleur ni la soif. J'essaie simplement de sérier les questions. Que faire ? Dois-je porter plainte ? Où ? Désormais, je mesure la réalité de ce que j'ai lu sur les polices d'Asie centrale, avides de dollars parce que mal payées et certaines de l'impunité lorsqu'elles dépouillent des voyageurs isolés. Pas question d'aller me fourrer dans la gueule d'un commissariat où je risque de rencontrer d'autres cocos du même acabit. Mais comment poursuivre ma route sans appareil photo ? C'est pour moi aussi important que mon carnet de notes. Le modèle APS que vient de me voler ce salopard enregistre, pour chaque cliché, la date et l'heure. Avantage important car il me permet, moi qui n'en ai pas, de remettre de l'ordre dans mon voyage. De retrouver, pas à pas, les visages que j'ai croisés et qui, sinon, s'effacent avec les jours. En outre, dans ces pays où l'invité est censé apporter un présent, c'est pour moi le moyen de remercier ceux qui m'hébergent. Il faut voir d'ailleurs avec quel plaisir ils posent et veillent à ce que je note bien leur adresse. L'an dernier, de retour à Paris après ma traversée de l'Anatolie, j'ai envoyé cent vingt lettres et deux cents clichés à tous ces amis turcs ou kurdes qui m'avaient si bien reçu.

Ma décision est prise : je vais demander à mes enfants de m'envoyer d'urgence un nouvel appareil. Puisque j'ai prévu de m'arrêter cinq jours à Téhéran, je dois pouvoir le recevoir avant de quitter la ville. Je ne peux hélas en acheter un ici, ce modèle n'étant pas en vente en Iran.

Pas en vente en Iran ? L'idée ne m'était pas venue. Et pour la première fois depuis le vol, j'ai un méchant sourire intérieur. Car alors ce salaud ne pourra rien faire du produit de son vol. Sa joie va être de courte durée. Lorsqu'il constatera qu'il ne peut ni se procurer de pellicules ni même faire développer celle qu'il a, il ne lui restera plus qu'à poser l'appareil sur un meuble pour « faire joli ». En me mettant à la recherche d'un hôtel, je me sens vengé, si je ne suis pas consolé.

Je me souviens soudain que, voici un an en Turquie, le 16 juin, trois paysans avaient tenté de voler ce même appareil photo. C'était le jour où j'avais franchi le millième kilomètre de mon parcours 1999. La chance m'avait aidé, mes voleurs n'étaient pas parvenus à arracher mon sac. Aujourd'hui, j'ai marché neuf cent trente-quatre kilomètres depuis mon départ. Et nous sommes le 16 juin.

J'aurais dû me méfier.

VI

TÉHÉRAN

Elle est immense, une ville-champignon. En vingt-cinq ans, Téhéran a quasiment triplé. Partout, on bâtit. C'est une ville pour voitures, pas pour piétons, dont les quartiers sont séparés par de larges zones non construites, no man's land sans charme. Téhéran ne soigne pas sa présentation. Au nord, les quartiers chics, les bourgeois, les hauts fonctionnaires, les politiques. Au centre, les affaires. Au sud, les pauvres. Naguère, les quartiers nord étaient séparés de la ville, et les familles fortunées et les ambassades y avaient fait construire leurs résidences d'été. La mégalopole les a absorbées. Adossé à la montagne, on jouit là de températures plus clémentes : en ce mois de juin, s'y profilent en arrière-fond les sommets de l'Alborz dont certains sont encore couverts de neige.

Dans le centre et le sud, c'est la fournaise. Au nord, les femmes portent le foulard qui laisse entrevoir les longues chevelures, elles se maquillent. Au sud, le tchador est de règle. Par ici on vit à l'occidentale, là-bas c'est le règne des mollahs et des bigots.

Je trouve à me loger dans un petit hôtel près de la place Âzâdi où les familles viennent visiter le monument élancé qui trône en son centre et fut construit du temps du shah pour célébrer le deux mille cinq centième anniversaire de la Perse.

Dès le lendemain, je rends visite à l'agence de voyages

Caravan Sahra. Cyrus Etemâdi, le directeur, m'accueille avec
bonhomie. Il m'invite à m'installer dans l'hôtel en face. La
proposition est tentante car l'agence possède le matériel informatique qui me permet d'être en relation avec Paris, et puis
deux délicieuses jeunes femmes, Parnian et Parinaz, qui
s'occupent du département français de l'agence, sont prêtes à
m'aider pour la suite de mon périple.

J'ai trois urgences : obtenir un visa pour le Turkménistan,
acheter un « mulet » pour traverser le désert, et récupérer un
nouvel appareil de photos.

L'obtention du visa turkmène ne devrait pas poser de problèmes. J'ai effectué des démarches à Paris près de deux mois
avant mon départ. Les premiers contacts ont été décevants. Le
consul m'a expliqué que, venant d'Iran et me rendant en
Ouzbékistan, je ne pouvais prétendre qu'à un visa dit « de
transit » qui m'autorise à séjourner trois jours dans l'ancienne
république soviétique. J'ai répondu, avec patience et courtoisie que la traversée du territoire turkmène étant d'environ
cinq cents kilomètres, même un champion de course à pied ne
saurait franchir le pays dans la légalité. Après force
démarches, on a fini par m'accorder un visa d'un mois. Il a
donc été convenu que mon dossier suivrait et qu'on me remet-
trait le visa à Téhéran.

Le taxi me dépose devant les locaux de l'ambassade turkmène. Le consulat n'est pas là. Plus loin ? Plus loin, il n'y a
qu'une porte visiblement condamnée et sans sonnette. Je
tourne en rond. Un Turc qui vient là pour la troisième fois me
désigne le « consulat » : une fenêtre munie de forts barreaux
d'acier, fermée par un lourd rideau. Les « bureaux » ouvrent
théoriquement à 9 heures, mais à 9 h 30, le rideau est toujours
tiré. Une file s'est formée, et nous sommes là, désœuvrés, nous
jetant des coups d'œil en coin, guère assurés d'attendre pour le
bon motif. Enfin la fenêtre s'ouvre. L'homme – le consul, sem-
blerait-il – parle anglais. Je lui explique qu'il a dû recevoir de
Paris mon dossier… Non, il n'a rien eu. Quelle durée le visa ?
Un mois, et je dis mon projet de traverser le pays à pied…

– Vous allez en Ouzbékistan ? Visa de transit. Trois jours.

Il me tend un imprimé.

– Non, un visa de trois jours ne suffit pas pour traverser à pied votre pays et…

Il a repris son imprimé et refermé la fenêtre. Je reste planté là, mon passeport et mes photos à la main. Je dois avoir l'air désorienté, désespéré, car un garçon qui fait la queue et semble rompu à l'arrogance du consul me conseille : « Prends le visa de trois jours, tu essaieras de le faire proroger ensuite. Tu verras bien, arrivé à la frontière. Mais c'est inutile de discuter avec lui, tu n'obtiendras rien. »

Le conseil me semble de bon sens mais je doute du succès d'une telle démarche : si je me fais claquer la fenêtre au nez par le consul, il ne faut pas que j'espère trouver de la compréhension chez les douaniers. J'attends cependant une demi-heure que la lucarne se rouvre pour réclamer l'imprimé. Il est rédigé en anglais et en caractères cyrilliques. Encore une demi-heure, et je le tends rempli quand le « guichet » veut bien s'ouvrir de nouveau. Le charmant diplomate examine brièvement mon passeport avant de le rejeter avec dédain. C'est une photocopie des quatre premières pages qu'il veut. Mais il serait trop simple qu'il y ait une photocopieuse sur place… Celle que je déniche, après des pérégrinations qui commencent à me saper le moral, est prise d'assaut et, agglutinés là, poireautent une bonne vingtaine de personnes… Alors, en patientant, je lie connaissance avec le marchand de meubles dont la boutique est contiguë et qui s'ennuie en attendant le client. Il me raconte, devant un thé, qu'il était colonel dans la police du shah. Évidemment, la révolution islamique l'a mis au chômage. Il s'est reconverti dans les lits et les sofas.

– J'imagine que la période a été très violente.

– Pas assez. Que voulez-vous, le shah était malade. Il a manqué de pugnacité. Il aurait fallu un homme à poigne pour rétablir l'ordre…

Je frémis en pensant aux exactions auxquelles la sinistre police politique du shah, la Savak, s'est livrée. Qu'en aurait-il été si un « homme à poigne » avait gouverné ? Il est vrai que la police islamique, si j'en crois les récits qu'on m'a faits, est pire car, protégée par Allah, elle est assurée de toute impunité… Et j'ai une pensée pour les boîtes grises de dénonciation de Tabriz que j'ai revues à Zanjan et à Qazvin. L'homme que j'ai devant moi et qui m'offre le thé a belle prestance, un regard droit et franc, et bien malin qui pourrait déceler en lui le tortionnaire. Mais à quoi reconnaît-on les tortionnaires ?

De retour à l'accueillant consulat, je constate que la file s'est considérablement allongée. Je découvre par hasard, très haut, au-dessus du guichet, une plaque sale et grise sur laquelle on peut déceler, à condition d'y mettre du sien, la gravure « visa section ». Elle n'a pas dû être nettoyée depuis l'accession du Turkménistan à l'indépendance. J'observe un moment l'ours mal léché, qui éructe plus qu'il ne parle, derrière ses barreaux. On peut difficilement montrer plus d'arrogance et de mépris que le malotru n'en dispense à l'adresse des demandeurs qui piétinent dans la rue. Est-il représentatif des détenteurs de l'autorité dans son pays ? J'ai lu des horreurs sur les polices turkmène et ouzbèke, dignes héritières du système soviétique. Quant aux fonctionnaires de leurs ministères du tourisme – ministères de l'antitourisme serait plus juste – ils ont la sinistre réputation de maltraiter méchamment les voyageurs, en particulier ceux qui vont en solitaires. Si je parviens à franchir la frontière, vais-je être confronté chaque jour à de tels plantigrades ? Je remarque que le consul attrape sans barguigner dollars et rials, mais s'il doit rendre de la monnaie, il la jette littéralement sur le rebord du guichet, n'osant tout de même pas l'envoyer à la figure des gens. L'humilité de ceux qu'il maltraite ainsi doit le conforter dans le mépris qu'il leur manifeste. Et comment pourraient-ils se rebiffer, risquant alors de ne jamais obtenir leur tampon ? Après une attente infinie, c'est mon tour. Cette fois, il juge avoir les documents nécessaires. J'essaie encore de plaider ma cause, mais la lucarne se referme d'un coup sec sans que l'ours m'ait dit un mot.

Le soir même, je dîne à l'ambassade de France. Elle est située dans une rue dont tout l'Iran connaît le nom : *Nofel Loshato*, qui est la traduction iranienne de Neauphle-le-Château. C'est dans cette commune de l'ouest de Paris que l'imam Khomeini a vécu en exil. Beaucoup d'Iraniens sont reconnaissants à la France d'avoir reçu sur son territoire le leader charismatique, et les accueils chaleureux qu'il m'a été donné de recevoir parfois étaient aussi le fruit de cette gratitude. L'ambassadeur Philippe de Suremain et son épouse me racontent qu'un Français me précède sur cette Route de la Soie. Ce n'est pas la première fois que j'en entends parler – hormis ce vieux bonhomme qui faisait référence à... Marco Polo. Il s'appelle Philippe Valéry et a dû faire une étape de plusieurs semaines à Téhéran : ayant voulu photographier un mur peint – il y en a de nombreux dans la ville –, il n'a pas remarqué qu'un commissariat se trouvait dans son champ de vision. Ses appareils et son passeport confisqués, il a été hébergé dans les locaux de l'ambassade en attendant de récupérer son bien. Les pellicules, en revanche, sont restées entre les mains de la police. Il a bien marché et, me dit-on, terminé son voyage à Kashgar, en Chine.

Le dîner est agréable, par petites tables dans les jardins. Résidents français et Iraniens francophones devisent aimablement. Ici, on tourne résolument le dos aux enturbannés qui continuent pourtant de faire régner dans le pays – et dans ce milieu – un rigorisme qui par exemple se manifeste par des « interdictions de soirées ». Ainsi j'entends un des hôtes iraniens de cette soirée informer un Français ami que « la soirée chez les Untel est annulée, la police n'a pas donné son accord ». « Le régime dispose d'un tel arsenal juridique de répression qu'il peut faire ce qu'il veut le plus légalement du monde », me dit-on. L'épée de Damoclès est sur chaque tête... Mais comme l'organisation politique est une structure que parcourt à tout niveau un système de prévarication, on peut assez souvent s'entendre avec la loi... en oubliant là où il faut une enveloppe bien dodue... Quiconque détient une parcelle d'autorité peut l'exercer ou la monnayer. Depuis l'élection de Khatami, mollah plus libéral, la première pratique semble délaissée au profit de la seconde. Rançonner son prochain est une activité à laquelle le système excelle. (On a vu comment le mollah « marieur » garnit son escarcelle en se comportant, n'ayons pas peur des mots, comme un véritable patron de bordel...)

Mais toute violence n'est pas abandonnée pour autant. Si un mollah décide d'occire son ennemi, il lui suffit de convoquer un tueur très croyant et de lui dire qu'il n'aura pas à supporter son crime, puisque Dieu le veut. C'est lui-même, mollah, qui en assumera la responsabilité devant Allah. L'exécuteur, l'âme en paix, peut alors passer à l'acte. Quant aux lois répressives, s'il n'en existe pas, on les crée. Avant les législatives cette année, les conservateurs ont voté une loi sur la presse. Le lendemain, ils ont interdit, au nom de cette loi, dix-huit journaux jugés trop libéraux, et directeurs et journalistes ont été emprisonnés – ou, mieux encore, assassinés. La répression se poursuit donc, la seule différence étant que désormais ces exactions provoquent des réactions dans l'opinion. La peur ne ferme plus les bouches.

Des jeunes m'ont raconté que, voici cinq ans, ils s'étaient réunis à une soixantaine pour une surprise-partie. L'âge moyen était de seize ans. Alors que la soirée commence, la police fait irruption et emmène tout ce petit monde au poste où il passe la nuit. Au matin, les parents viennent récupérer leurs filles et payer une amende. Les garçons sont condamnés à trente coups de fouet. La flagellation peut se faire au *tabaziri*, qualifiée de légère. L'autre, très brutale, se fait au *had*. Raffinement incroyable ; le fouet est le même mais lorsqu'il inflige le tabaziri, le bourreau se coince le Coran sous le coude. « Avec le tabaziri, m'a-t-on raconté, le bourreau a commencé de me fouetter le dos, puis il a placé les coups de plus en plus bas, lentement. Sur les jambes, c'était plus supportable et j'espérais qu'il terminerait sur les mollets. Mais il n'en était qu'à vingt-trois, alors il a recommencé sur le dos. J'ai gardé les marques une semaine. Les drogués arrêtés subissaient cent quatre-vingts coups de had. Je me demande comment ils survivaient. Quand ils revenaient, ils crânaient et on les applaudissait. Après ce qu'on avait subi, on les regardait comme des héros. Cinq ans ont passé, ajoute-t-il, mais je ressens encore la morsure du fouet sur mes omoplates. »

En prenant congé de l'ambassadeur, je lui raconte ma mésaventure au consulat. Il me promet de téléphoner à l'ours turkmène. Deux précautions valent mieux qu'une, je demande à ma base arrière parisienne qu'on rappelle ses engagements au consul turkmène de Paris. Et maintenant, *inch Allah!*

La société DHL chargée de m'acheminer un appareil photo s'est engagée à le faire en trois jours. Trois jours passent pendant lesquels je visite plusieurs magasins de bagagistes en espérant trouver un petit chariot qui me permettrait de transporter mon barda et mon eau. Mais il n'y a que de petits engins pour dames, munis de roues minuscules qui font sans doute merveille sur les quais de gare ou le tarmac des aéroports, mais qui ne sont pas vraiment adaptés aux pistes du désert. Quand ce que l'on cherche n'existe pas, et que l'on ne peut concevoir l'idée de s'en passer, il ne reste plus qu'à le faire soi-même. Dont acte. Dans le bazar, j'achète un vélo d'enfant dont le cadre a souffert mais dont les deux roues semblent en bon état. Je fais aussi l'emplette de cornières perforées qui servent habituellement à fabriquer des étagères. J'y adjoins, bon poids, une scie à métaux, une lime, un tournevis, une clé anglaise (ici « clé française »), et des écrous. En trois heures, je me fabrique une sorte de cage qui contiendra mon sac et que je boulonne sur les roues du vélo dont j'ai scié les fourches. Un timon sur lequel je fixe une ceinture me permettra de marcher en ayant les mains libres. Il ne me reste plus qu'à trouver un nom pour cet « Étrange Véhicule Non Identifié » … Eh bien, ce sera EVNI.

Caravan Sahra à Téhéran, Sophie à Paris, Sibylle Debidour de l'agence Explorator qui alerte ses correspondants, m'aident de leur mieux. Mais rien à faire, je ne parviens à dénicher ni chameaux ni caravanier. Tous ceux que je contacte se récusent, la main sur le cœur : « Aucune créature de Dieu ne se hasarde au désert à cette saison, sauf à vouloir trouver la mort – ce qui est un désir impie… » Et quand je m'obstine : « Même les chameaux ? – Même les chameaux, me répond-on, et aucun chamelier n'est assez fou pour se risquer dans cet enfer ! » Je reporte mon espoir sur le désert du Karakoum au Turkménistan si, par bonheur, j'obtiens mon visa, et en attendant je me laisse guider par mon ami Ayat dans l'ombre du bazar où j'entends, avant la fournaise, rafraîchir mon corps et mon âme.

Cyrus Etemâdi me propose de faire l'ascension du Darband, petite montagne qui domine la ville de Téhéran au nord. Nous partons vers midi. La chaleur est écrasante. Mais très vite, au fur et à mesure que nous grimpons, l'air devient respirable. Le chemin est ardu, un torrent dégringole au fond de la vallée, et les noyers qui le bordent mettent une heureuse touche verte dans ce paysage ocre, brûlé par le froid en hiver et par le soleil en été. Du Shirpala, le refuge à 2 600 m d'altitude, la vue sur la capitale est grandiose. Mais il est déjà 18 heures et il nous faut redescendre, ce que Cyrus, malgré ses soixante ans et ses tempes grises, fait à vive allure, primesautier, léger et gracieux comme un danseur. Tout au long du torrent, des myriades de petites gargotes illuminées de néons colorés font griller des viandes. Un boulanger me donne un pain que je dévore tout chaud en me faufilant dans la foule aussi dense que dans une allée du bazar. Des praticables en bois posés sur les pierres du torrent servent de salle à manger et les familles s'y installent, charmées par les bruits de cascades et la fraîcheur.

L'ours turkmène a cédé aux amicales pressions que j'ai déclenchées, il a craqué et un visa m'attend. Il me réclame encore des dollars que je lui offre presque avec plaisir. Mais ça l'exaspère de me voir content, alors il me précise que si je dispose d'un délai d'un mois, « c'est un mois jour pour jour, pas un de moins, pas un de plus ». Sur ce, il me claque sa lucarne au nez et je ne peux m'empêcher de lancer à la croisée close : « Tête de mule, va ! »

Le chauffeur de taxi qui me ramène à mon hôtel me dit qu'il cherche à s'expatrier au Canada.

– Pourquoi ?

– J'ai une petite fille d'un an. Dans dix ans, elle devra porter le tchador. Je suis musulman, croyant, mais cette obligation me révulse. Je veux que ma fille soit libre. Je ferai tout pour qu'elle le soit.

Brave homme, brave père, comme je le comprends ! Comment supporter cet intégrisme qui tourne sa rage puritaine contre le soufisme, qui a toujours, lui, incarné la part la plus sincère de l'idéal religieux dans ce coin du monde ? L'homme qui se confie à moi est musulman, croyant, mais respecte la liberté. Il ne saurait s'accommoder du fanatisme des mollahs, qui n'a d'égal que leur ignorance, leur hypocrisie et leur goût du pouvoir. Et si l'on ne peut se débarrasser de leur sournoise tutelle, mieux vaut s'exiler.

Six jours ont passé et je n'ai toujours pas reçu mon paquet de Paris. J'appelle DHL, mais la personne-qui-est-au-courant n'est pas là. Plus tard, elle n'est toujours pas là. Et plus tard encore, elle est repartie. Va-t-elle revenir ? Rappelez dans une heure. Une heure plus tard, les bureaux sont fermés. Le lendemain, vendredi, est jour férié. Je ronge mon frein. Je m'encourage à faire preuve de patience, je bride ma nervosité en me répétant que je suis venu en Orient chercher la sérénité. Le samedi, le téléphone ne marche plus… C'est Ayat, mon ami du bazar, qui me sort d'affaire.

– Allons-y, décrète-t-il.

Ce que nous faisons… Pour y apprendre que depuis quatre jours l'appareil est bloqué en douane. Mais personne n'a songé à m'en avertir.

– Pour quelle raison est-il bloqué ?

– La douane réclame trois cents dollars.

– Je ne comprends pas, il ne s'agit pas d'une importation mais d'un transit.

DHL non plus ne comprend pas, mais là est le cadet de leurs soucis. Que je me débrouille. Ayat est de bon conseil : en Iran, rien dit-il ne se règle jamais par téléphone. Il faut *parler*. Soit.

Morteza, le chauffeur de taxi auquel je fais désormais appel pour chaque course un peu longue, est un jeune homme flegmatique à la barbiche rigolote. Dans ce pays où tout conducteur est un assassin en puissance, il s'arrête pour laisser passer les piétons, utilise son clignotant – qui plus est à bon escient –, et cède volontiers la priorité à ceux qui semblent pressés. Un cas. Nous avons sympathisé et il m'a invité à dîner chez lui où Faribâ, sa très belle jeune femme qui est aussi sa cousine germaine, m'a reçu dans un élégant ensemble de soie bleue et m'a tendu la main pour me saluer. Morteza s'exprime d'une voix égale et douce. Je lui demande de m'accompagner à l'aéroport où sont les locaux de la douane. Auparavant je définis la règle du jeu : je paierai la course. Car Morteza a décidé qu'étant un ami, il ne saurait dorénavant y avoir de questions d'argent entre nous. J'ai dû lui faire un odieux chantage qui m'a éreinté, l'extrême générosité étant souvent fatigante…

Le premier douanier auquel je m'adresse ne lève pas le nez de son bureau et confirme le chiffre : trois cents dollars.

– Et pourquoi donc ?

– Taxe d'importation.

– Et pourquoi trois cents dollars ? c'est le prix de l'appareil.

– Parce que c'est le prix de l'appareil. La taxe est de cent pour cent.

– Mais je n'importe rien. Dans un mois je quitterai l'Iran avec mon appareil photo et il n'y reviendra qu'avec moi si je reviens.

– Pas de preuve, payez ou laissez-le ici.

Je suggère que, gage de ma bonne foi, on inscrive le numéro de l'appareil sur mon visa iranien. Proposition hautement stupide que l'homme ne semble pas même avoir entendue. Le commissionnaire de DHL consulté avoue son impuissance et, à l'évidence, se lave les mains de l'affaire. Tous les sous-gradés auxquels on s'adresse nous opposent la même réponse. A croire qu'ils se sont donné le mot, je ne suis pas loin d'imaginer un coup monté.

– Je veux parler à votre chef, finis-je par dire au dernier gabelou.

Le chef est occupé. Installé dans un petit bureau vitré au milieu de l'immense hangar qui abrite la douane, il est entouré d'une foule de commis et d'amis venus prendre le thé. L'attente est interminable, supportable parce que Morteza est un ange. Après l'exposition du litige, le chef rend son verdict :

– Soixante-dix dollars.

– Et pourquoi cette somme ?

– De quoi vous plaignez-vous, je vous fais cadeau de deux cent trente dollars.

– … Mais vous me réclamez soixante-dix dollars non justifiés. Je répète que je suis en transit. Il ne s'agit pas d'une importation. Vous n'avez donc aucune raison de me réclamer cette taxe.

Dix fois, l'homme m'interrompt. Morteza, d'un calme olympien, courtois, impassible, traduit approximativement. Je pense être sur le point d'avoir gain de cause quand le premier douanier qui me réclamait trois cents dollars vient faire le siège de son chef pour le convaincre de ne pas céder sur le prix.

Alors je m'énerve et répète, l'œil dans l'œil du chef :

– Pas un dollar, vous n'aurez pas un dollar. Si vous n'êtes pas d'accord, renvoyez l'appareil à Paris.

Puis, à Morteza :

– Il nous faut encore monter d'un cran dans la hiérarchie. Demande à voir le chef du chef.

Mon ami parle comme il conduit : avec calme, retenue et gravité, presque avec componction. Sa manière est efficace puisqu'il ne faut qu'un quart d'heure avant qu'on nous pilote dans un autre bâtiment.

Le bureau est équipé d'un système à air conditionné,

j'apprécie. Le chef du chef est un gros bonhomme placide aux petits yeux mutins. Morteza, imperturbable, résume la situation. L'homme lui demande en me désignant :

– C'est ton ami ?

– Oui, dit-il sans hésitation.

Le chef du chef me propose une tasse de thé. Son regard est amusé, il n'attend pas que je réponde pour pousser deux verres devant nous et les remplir. Puis il lâche comme si l'essentiel était ailleurs :

– Trois mille rials. Nous avons quelques frais. Accepteriez-vous ?

Trois mille rials, trois francs. Nous buvons notre thé en devisant et nous devons apparaître à qui nous voit comme de bons amis heureux de se revoir.

Il nous faudra encore plus d'une heure de démarches. On nous envoie payer les trois mille rials au diable vauvert, mais il manque un papier. Il faut revenir. Ensuite, mettre la main sur un nombre incalculable de documents, bouts de papier épars dans la grande halle où s'entassent des milliers de colis. Puis remplir des imprimés qui, tamponnés, signés, vont rejoindre d'autres piles d'imprimés. Une vieille femme en tchador aux longues mains racées me présente enfin le dernier formulaire en double sur un carnet à souche que je dois parapher. Mais on s'aperçoit, horreur, que ce document n'est pas le bon, il concerne un autre colis. Il faut un siècle pour retrouver le mien. Signature. C'est fini.

Mais tous ces jours « perdus » pèsent désormais sur mon calendrier. Il est temps que je reparte si je veux arriver à la frontière turkmène dans les temps imposés : « Pas un jour de moins, pas un de plus. » La phrase du gentil consul résonne comme une menace. Je m'en ouvre aux jeunes femmes de *Caravan Sahra* qui me suggèrent :

– Pourquoi ne prenez-vous pas un guide pour aller visiter le Dasht e Kavir en voiture ? La température est telle actuellement qu'il est mortel de s'y aventurer à pied. Mais la région est superbe. Il vous ramènera à Téhéran…

– Impossible, car si j'ai le moindre problème sur le trajet je ne pourrai plus tenir mes délais.

– Alors il vous laissera en cours de route, vers Semnan ou Damgan…

Le choix est cornélien. Dois-je me faire plaisir en allant voir ce désert dont je rêve, mais en prenant un raccourci de deux cents kilomètres par rapport à mon trajet ? Moi, l'ayatollah de la marche, monter dans une voiture ? Impossible ! Mais à bien y réfléchir, la portion de route en question est une sorte d'autoroute sans intérêt géographique ni historique. Il me faudra, compte tenu du gigantisme de la ville, marcher une, voire deux journées dans la pestilence des tuyaux d'échappement avant de sortir de l'agglomération. D'autre part, on m'a parlé de magnifiques caravansérails sur la route d'Ispahan et du lac Namak, un lac asséché de deux mille cinq cents kilomètres carrés, l'une des plus grandes mines de sel à ciel ouvert du monde.

J'ai mon visa, mon appareil photo, mon EVNI. Le problème qu'il me reste maintenant à résoudre est un problème de nanti : il me faut choisir…

L'après-midi même je rencontre Akbar. Mon guide est un homme d'une cinquantaine d'années, discret et même taciturne, sec et solide comme un chêne en hiver, aux yeux qui respirent la bienveillance et la franchise. Le lendemain matin, alors que le jour se lève, nous roulons déjà vers Qom, la ville sainte au sud de Téhéran. Sur le toit de sa *Paykan*, une robuste voiture de technologie anglaise assemblée en Iran, EVNI donne au véhicule l'aspect d'une bagnole de ferrailleurs revenant de campagne. Hier après-midi, il faisait 46° à Téhéran. Là où nous allons, il fera beaucoup plus chaud. Akbar connaît bien la région, mais ce qu'il connaît le mieux, c'est la montagne. Personne sans doute en Iran n'a escaladé autant de sommets que lui. Il y a une vingtaine d'années, il a monté une expédition pour gravir l'Annapurna. Il l'évoque douloureusement, car faute de finances ses compagnons et lui-même n'ont pu louer le service de porteurs. Ils s'en sont donc passé avant de se résoudre, épuisés par les efforts et l'altitude, à renoncer. Akbar qui se passionne aussi pour la spéléologie vient d'écrire une monographie sur une théorie de grottes qu'il a découvertes dans le massif de l'Alborz. Nous avons défini notre circuit. Nous longerons le Dasht e Kavir par le sud, avant de le traverser jusqu'au nord.

Notre première étape est la ville de Kashan, célèbre pour ses

poteries et ses tapis. (En fârsi, faïence se dit du reste *kâshi*).
Tépé Sialk est une sorte de forteresse de terre où les hommes
se sont installés il y a six mille ans. La région, prospère, four-
nissait du blé à l'Égypte des pharaons. Sur la construction
réduite à une butte de terre informe, là où fouillaient savam-
ment des chercheurs français mis à la porte par la révolution
islamique, je ramasse un petit morceau de poterie. A-t-il deux,
dix ou vingt siècles ? Aurait-il sa place, comme beaucoup
d'autres, au Louvre ou au musée de Téhéran ? A quelques
kilomètres, nous prenons le thé sous l'ombrage des grands
arbres du « jardin du roi », créé grâce à la source de Fin qui
alimente toute l'oasis. Ce jardin dessiné sous Abbas Ier, est un
enchantement. L'eau murmure dans des poteries avant de
courir sur des mosaïques d'un bleu azur au milieu des frondaisons. C'est dans ce jardin de délices qu'au XIXe siècle fut
décapité Mirza Taqi Khan, célèbre vizir réformiste qui voulut
moderniser la société persane. Il semble que dans ce pays où
l'on ne saurait se passer des arts et des poètes – ce qui a fasciné les écrivains d'Occident, je pense à Gobineau, Jane
Dieulafoy, Graham Greene, Peter Fleming et je pourrais en aligner tant d'autres –, les choses ne puissent bouger qu'à la
faveur de bains de sang.

Regardez par exemple Nasr ed-Din Chah, ce souverain au
cœur magnanime qui condamna son fils de douze ans à avoir
les yeux arrachés pour s'être montré jaloux de son aîné… C'est
vrai aussi qu'il se laissa fléchir et lui fit grâce… Et toute
l'ambiguïté et la duplicité de ce peuple est là. Ils passent le
plus clair de leur temps dans des jardins à humer et comparer
l'odeur des roses, et assassinent au lever du soleil la moitié de
leur famille.

La petite ville où nous arrivons semble morte. C'est mon
baptême du feu solaire. La température dépasse largement
50°. A 18 heures, les rues recommencent à s'animer. A la première boutique qui ouvre j'achète un keffieh, ce carré de coton

lâchement tissé et très absorbant, pour éponger la sueur qui coule sans même que je quitte l'ombre. Nous bavardons avec deux *moghanis*, des creuseurs de ghanats. Cette profession dangereuse est l'apanage des hommes originaires de la région de Yazd. Chaque jour, à plat ventre dans un tunnel, ils percent en moyenne deux mètres de galerie. Tous les trois cents mètres, ils forent un puits qui sert à la fois à l'aération du ghanat et à l'évacuation de la terre. En moyenne, ces ghanats qui vont chercher l'eau au pied des montagnes font quatre à cinq kilomètres. Certains atteignent quarante kilomètres et ont nécessité le labeur de plusieurs générations.

Nous nous installons dans le parc public pour dîner et camper. On y a coulé de larges ronds de béton sur lesquels les familles viennent pique-niquer le soir. Dans la nuit étoilée, sous les lampions, les chemises blanches des hommes tranchent avec les tchadors noirs des femmes et les vêtements bariolés des enfants. Comme d'habitude, les gens ont effectué un vrai déménagement. Les viandes grillent sur des feux qui tremblotent, l'eau des samovars bout. Nous dînons sobrement de pain et de fromage, mais une fillette vient nous apporter un grand bol d'âbgousht. Je dois me régaler trop ouvertement, car le père nous apporte la soupière. Le bruit a couru qu'il y a là un étranger et j'entends murmurer « Zinedine Zeïdane ». Un garçon dominant sa timidité vient m'annoncer que la France est toujours dans la course de la coupe de l'Euro de football. Peu à peu les autres approchent, et ceux qui parlent anglais m'interrogent sur Paris, la France, mon voyage. Nous sommes très vite encerclés par une foule de curieux. Un homme nous prie d'accepter l'hospitalité chez lui. Nous serons bien mieux qu'ici, dit-il, en désignant mon sac de bivouac qui par sa dimension et sa forme ressemble à un cercueil mou. Il nous faut nous battre pendant dix minutes pour le convaincre que ce n'est pas possible ; nous partirons à 4 heures cette nuit pour nous rendre au lac Namak et notre souhait est de nous coucher au plus tôt. Alors on nous quitte à regret, sans avoir omis auparavant de me serrer chaleureusement la main.

Mais quatre malabars à l'air rébarbatif flanqués d'une fille en tchador s'approchent, l'air déterminés à me chercher noise. D'emblée, je suis sur mes gardes. Elle parle anglais et traduit deux questions : quelle est votre religion ? Que pensez-vous de la société iranienne ? Sans conteste, des intégristes qui me tendent un piège grossier. Je m'en tire en les remerciant de leur visite, mais Akbar et moi sommes fatigués, nous devons nous lever tôt et leurs questions ô combien intéressantes nous entraîneraient trop loin. Ils partent mais ne perdent pas de temps : dix minutes plus tard, la police est là : un flic en uniforme, un autre en civil, et un militaire trop content d'exhiber un fusil. Papiers ! Ils ne peuvent que se retirer en s'excusant mollement.

Akbar dort dans une grande tente de quatre places, moi dans mon sac de bivouac que j'étrenne. Six cents grammes, imperméable, il est équipé d'un petit arceau pour éviter que la toile ne me tombe sur le nez et d'une étroite moustiquaire. La chaleur, là-dessous, est infernale. Je m'en extrais et je finis la nuit dans l'herbe. J'apprendrai par la suite qu'Aran est la région d'Iran où les scorpions littéralement pullulent…

Moktar, notre pilote, se repère à l'améthyste énorme montée sur une bague d'argent qu'il est ravi d'afficher, et à son ventre proéminent qui le pose comme personnage d'importance. Entrepreneur prospère, il est aussi le *mokhtar* (le maire) de la petite ville. Avec son gros 4 x 4, dans la nuit qui s'achève, il fait le tour de la bourgade, cueillant ici et là des ouvriers qui, leur casse-croûte à la main, grimpent dans la camionnette. Nous avons pris place à quatre dans la cabine, avec son fils. Le chemin de sable qui serpente entre les dunes vers le lac Namak est défoncé et briserait une voiture ordinaire. De rares herbes piquantes poussent ici et là, qui nourrissent un troupeau de chameaux abandonnés à leur sort dans cette immensité. Ceux-là sont les célèbres chameaux de Bactriane. C'étaient eux qui portaient les ballots des caravanes. Aujourd'hui, on ne les élève plus que pour leur laine et leur viande – que d'ailleurs les Iraniens n'apprécient guère. On me dit que chaque chameau peut avaler jusqu'à soixante-cinq litres d'eau et rester un mois sans boire. En réalité, ils s'abreuvent tous les quatre ou cinq jours. Moktar, à qui je pose la question, m'explique que leurs gardiens ne sont pas des caravaniers et qu'ils seraient sans doute bien embarrassés pour se diriger dans le désert. Adieu pour l'instant à mon rêve de marche et de silence rythmé par le pas lent des chameaux à travers le Dasht e Kavir.

Le véhicule dérape, part en crabe, se rattrape en projetant de gros paquets de sable. Nous sommes secoués, sonnés, avant d'arriver à Marendjab. L'endroit est irréel. Devant nous s'étend à l'infini le lac Namak. Asséché au cours des siècles, il ne présente plus qu'une plate étendue de sel craquelé. Au bord de ce miroir opaque, un caravansérail abbasside dresse fièrement ses murailles de briques rouges. Moktar me raconte qu'on avait commencé de le réhabiliter du temps du shah pour en faire un hôtel. Mais les mollahs y ont mis bon ordre et le chantier respire la désolation, l'abandon, cette impression de temps suspendu que distille toute chose laissée en plan : briques qui s'effritent, four de boulanger qui dort sous la poussière, murs à demi reconstruits qui attendent le retour de la truelle… le tout réveillé par une compagnie de perdrix qui avait pris possession des lieux et s'affole à notre arrivée. Des bambous, les pieds dans l'eau, produisent un bruit de papier froissé à chaque souffle de vent. L'endroit respire le calme et la sérénité et devait être une halte idéale pour les caravanes qui remontaient d'Ispahan vers la mer Caspienne. Près d'un bassin d'eau alimenté par un ghanat, sous l'ombre fraîche des vieux arbres, nous mangeons en silence. Je repense à ce que m'a dit Akbar : à une vingtaine de kilomètres au nord vivent trois ou quatre couples de jaguars qui sont parvenus, dans ce désert salé, à survivre et – surtout – à échapper aux hommes.

Remontés dans le camion, nous nous engageons sur le lac et avons l'étrange impression d'aller nulle part. C'est qu'aussi loin que porte le regard, on n'aperçoit que du sel. Le lac en s'asséchant a laissé une croûte qui, par endroits, est épaisse de quarante mètres. Moktar exploite ce sel avec quelques bulldozers et une quinzaine de camions qui font la navette jusqu'à Aran. Au printemps, cinq rivières à sec la majeure partie de l'année reviennent en eau et une couche liquide de dix centimètres environ envahit cet espace de près de trois mille kilomètres carrés. Avec les premières chaleurs, l'eau s'évapore. Oxydée par le soleil, la couche supérieure a pris une teinte marron. Sur cette horizontalité parfaite, Moktar a lancé son camion à 100 km/h. La réverbération est telle que l'horizon se dissout dans une sorte de ouate blanche. Enfin un objet apparaît. C'est un moteur d'avion irakien abattu pendant la guerre. Le sel a mangé la ferraille et les hommes ont emporté la cellule et tout ce qui pouvait servir. Je crois me souvenir que l'armée irakienne était équipée de Mirages français… mais je m'abstiens d'aborder le sujet. Peu après, sur un minuscule monticule qui doit s'élever à peine à un mètre au-dessus de la couche de sel, nous trouvons un bâtiment qui sert de cantine, de dortoir, d'atelier de réparation et de bureau à l'entreprise de Moktar.

Nous déjeunons de poulet et de riz arrosé de *dough*, cette espèce de babeurre que les Turcs appelle *ayran*. On est très curieux de savoir si je consomme de l'alcool. Et eux, en ont-ils bu? Sur les huit personnes présentes, une seule n'y a jamais touché. Avant de nous endormir harassés par la chaleur, au hasard des couvertures qui se trouvent là, un homme me dit que la température à 14 heures doit approcher sur le lac les 55° à l'ombre.

Le soir, nous campons à Natanz. Je demande à Akbar à partager sa tente, préférant ne pas provoquer les scorpions.

Dans la ville de Na'in, un vieux fort de terre, le Narenj Khaleh achève de se désagréger. Imaginez un château de glace qu'on viendrait de passer au four. Le caravansérail voisin où se tient le bazar est fermé à cette heure. Mais près de là, Akbar me fait découvrir les *âb anbâr* qu'on ne trouve que dans cette région. Ici, les eaux de surface sont presque toujours salées, la vie est liée à l'abondance des pluies de printemps, tout de suite absorbées par le désert. Afin de les conserver, on a construit ces réservoirs enterrés vers lesquels on dirige l'eau dès qu'il pleut. Nous en visitons un construit par un certain Massoum Khavi qui a signé son œuvre, une construction ronde en briques qui descend à dix-huit mètres dans le sol et a une circonférence de quinze mètres. Un long escalier (soixante-cinq marches) descend jusqu'au pied du puits. L'eau, exclusivement réservée à la consommation, arrive par un gros robinet de cuivre qui luit dans la pénombre. Elle est très fraîche, presque froide. La partie émergée de l'âb anbâr est une petite tour recouverte d'un toit épais de carreaux de terre cuite. Un peu plus au nord, je découvrirai des puits cimentés comme celui-ci, mais aux parois infiniment plus épaisses. Dans ces réservoirs, congélateurs avant l'heure qu'on appelle *yakh anbâr*, on stocke l'hiver des glaçons qui se conservent intacts jusqu'au cœur de l'été.

La chaleur est diabolique, c'est comme la *Jehanam* (la Géhenne), me dit Akbar. A cette latitude, le thermomètre ne descend jamais au-dessous de zéro, mais à vingt kilomètres au nord, il gèle parfois même si, après une nuit glaciale, le thermomètre atteint 40 ou 45° à midi en plein hiver. L'oasis d'Anarak où nous décidons de ne pas nous arrêter est, avec ses palmiers-dattiers, aussi verte, charmante, rassurante, que celles que reproduisent les livres d'images. Akbar me précise qu'elle est une mine de mines. Son sol recèle du plomb, de l'or, du cuivre, du zinc, de l'antimoine et du cobalt…

Nous décidons de dormir chez l'habitant dans l'oasis suivante, Chupanan, qui elle aussi est noyée sous les palmiers. Massoud s'offre à nous héberger. Dessinateur en tapis, il a orné le sol et un mur de sa demeure, une jolie maison au toit rond en tuile, de ses créations, merveilleusement simples et lumineuses. « Très dangereux, ces toits, en cas de tremblement de terre, me dit Akbar, pour la sécurité, rien ne vaut les toits de rondins et de torchis. Ils s'effritent, voilà tout. Ceux-là tombent et te cassent la tête. » Akbar a l'esprit pratique et n'est pas sensible à l'harmonie sobre et de bon goût de la demeure de Massoud...

La nouvelle de notre arrivée, malgré l'heure tardive, a fait le tour du lieu. Alors que nous achevons de dîner, quatre visiteurs se présentent. Il y a là deux notables, un jeune mollah à la barbe clairsemée, et un échalas aux yeux de choucas qui se dit professeur de littérature persane. On boit le thé et je suis prié de raconter mon histoire.

Puis le mollah s'enquiert :

– Quelle est votre religion ?

Je m'y attendais.

– Katolik.

– Que pensez-vous de Roger Garaudy ?

Je l'attendais aussi. Je répète donc ce que j'avais expliqué à Mahmoud, je ne convaincs personne et je le sais.

L'éminent professeur à son tour prend la parole et j'attends qu'Akbar me traduise. En vain.

– Qu'y a-t-il ?

– Il a parlé en anglais.

C'est à voix si basse et avec un tel accent que j'ai pensé qu'il parlait en fârsi. A ma prière, il reprend, cette fois à voix plus forte sinon plus intelligible.

– Tu veux aller au Paradis ? Oui, bien sûr, tout le monde veut y aller. Il te faut dire plusieurs fois par jour « *Allah ho ma sallé Allah Mohammad va âllé Allah Mohammad* ». Si tu répètes cela, tu n'auras plus de problèmes, tu te porteras bien, tu ne seras jamais malade et tes souhaits se réaliseront.

– Mais je n'ai pas de problèmes. Et ceci est une prière musulmane, je suis catholique et nous avons aussi nos prières...

– Tu auras des problèmes, sauf si tu dis souvent... et il répète la phrase que les autres marmonnent avec lui.

Je prends conscience alors que les quatre zigotos sont venus ici avec le but précis de me convertir vite fait bien fait à l'islam. La preuve : les autres qui ignorent l'anglais savaient parfaitement ce que me disait l'homme aux yeux de choucas. La charge est un peu rude. Il parle dans un état voisin de la transe, cherchant à me subjuguer du regard.

– Répète après moi, *Allah ho ma sallé...*

Je trouve soudain un furieux charme à la religion catholique. Le mollah me regarde fixement en silence. Ma parole, il s'attend à ce que je tombe le nez dans la poussière en bénissant le nom d'Allah ! Ridicule, mais je suis mal à l'aise. Je n'ose pas, compte tenu de ma qualité d'hôte, les envoyer paître, mais je ne peux accepter sans réagir qu'il me prenne pour un parfait gogo. Pas question que je répète quoi que ce soit. Si j'avais la moindre inclination religieuse, cet homme au regard d'halluciné, arc-bouté à sa volonté absurde de me convertir avec de pareilles sornettes, m'en éloignerait. Un vrai discours de bateleur : « Je te donne le paradis, pas pour cent francs, pas pour cinquante, pas pour vingt ni pour dix, mais pour neuf quatre-vingt-quinze. »

Akbar est consterné. Le prof répète encore la phrase magique. Il s'en délecte les papilles et le cerveau. L'attaque en règle dure une éternité. C'est mon guide qui nous en sort en élevant la voix. « Il y réfléchira, en attendant on va peut-être se coucher car nous sommes fatigués. » Et il rappelle que je suis là en tant qu'invité, une personne sacrée en Iran. Le mollah se lève le premier, suivi des autres. L'illuminé semble sortir de sa transe. Puis il a un geste saugrenu : il sort un billet de cinq mille rials de sa poche et me le tend. Veut-il racheter sa conduite – au sens propre du mot ? Cinq mille rials, c'est donné. Je me montre aussi mufle que lui. A mon tour je sors une liasse de billets de dix mille rials et les lui tends. Il efface le sourire arrogant qu'il affichait et rempoche son fric.

Alors qu'ils prennent congé, je demande au mollah, d'une voix que je veux aussi doucereuse que la sienne : « Le policier qui m'a volé mon appareil photo à Téhéran était-il un bon musulman ? » Il ne comprend pas la question, sans doute parce qu'Akbar, considérant que les escarmouches doivent finir, a traduit à sa façon...

Finalement, la joute m'a amusé. Je n'avais jamais rencontré de ces mystiques que je m'attendais à voir grouiller après avoir passé la frontière. Je les imaginais sournois, retors, dangereux. Certes ils le sont, avec leurs pairs, mais je n'ai vu là que de pauvres types épais, stupides au total, à la stratégie grossière, bien insignifiants. Il y a un siècle, on m'aurait tout bonnement proposé de vivre musulman ou de mourir chrétien. Comme les catholiques français l'ont fait avec les Albigeois. Évidemment, les juifs et les zoroastriens – ou mazdéens – qui luttent depuis près de treize siècles ne doivent pas trouver les mollahs insignifiants. Le zoroastrisme, quand il fut religion officielle pendant la dynastie sassanide, ne persécuta pas les minorités religieuses. Trente mille mazdéens subsistent à Yazd où ils entretiennent le feu éternel, me dit-on. De même que dans le temple de Bakou, en Azerbaïdjan, où la flamme brûle depuis trois mille ans. A Natanz, nous avons vu avec Akbar un temple zoroastrien perché sur un piton rocheux, et le feu devait se repérer de loin lorsqu'il était entretenu. Nous connaissons, nous chrétiens, au moins trois de leurs prêtres, les trois mages qui apportèrent à Jésus leurs présents dans la crèche.

Mais allez savoir pourquoi, j'aime envers et contre tout l'Iran, et d'abord les Iraniens. Ils excellent dans l'art de mentir, de répondre à côté de la question, de voler leur prochain sans en avoir trop l'air, mais leur main est toujours tendue au voyageur à l'heure du besoin, et personne ne sait jouir comme eux du simple plaisir de se frotter à l'étranger qui passe.

Au matin, l'épicier me prend en charge sur sa moto russe *Ij* et m'emporte tout en haut du village, où la vue est étonnante. Au premier plan les toits plats des maisons dont les terrasses s'étendent jusqu'au fond de la vallée plantée de verts palmiers frissonnants. Poings dressés vers le ciel, les *bâd ghir*, ces sortes de cheminées à trois pans, espèces de tours à vent, dont la partie creuse est orientée au nord, d'où viennent les vents dominants. Le bâd ghir capte la brise et la dirige jusqu'au cœur de la maison, traversant à la partie inférieure du conduit des feuilles de palmier que l'on maintient humides. Ils sont les remarquables ancêtres des manches à air de bateaux et de l'air conditionné. Ingéniosité des hommes qui ont trouvé le moyen, notamment par les âb anbâr, les yakh anbâr, et les bâd ghir, de rendre vivable et supportable un climat aussi rude.

Nous redescendons en même temps que se fait le départ aux champs. Les motos russes ont remplacé les bourricots mais ont hérité des fontes qu'on mettait à califourchon sur le dos des bêtes, larges poches faites de tapis cousus hautement colorés. Les motos, comme le furent les ânes, sont chargées de trucs ahurissants et transportent souvent toute la famille, femme et enfants agrippés les uns aux autres. J'en ai repéré une qui charriait cinq personnes, et la femme avait fort à faire entre retenir son tchador et ses petits.

Nous reprenons la route vers le nord et le désert. Akbar me fait une démonstration du système installé dans sa voiture – qui marche au gaz lorsqu'il est à Téhéran. Pour lutter contre la pollution dans la ville, l'État a encouragé les voitures mixtes. Les conducteurs qui versent une somme de cinquante francs tous les semestres peuvent faire un ou plusieurs pleins de gaz par jour sans plus jamais débourser un centime. Autant dire que le carburant est gratuit. Politique intelligente d'un pays qui réserve le maximum de pétrole à l'exportation, et nécessaire à Téhéran dont la gigantesque circulation crée une pollution hors norme.

Dans Jandak, le dernier village avant le désert, Mehdi, rencontré au salon de thé, nous invite à admirer son métier à tisser, installé chez lui. Sa femme, ses enfants ou lui-même y travaillent à tour de rôle. Sur le support vertical, le *dâhr*, est installé en rangs serrés le *chelleh*, la trame sur laquelle les mains habiles de la famille nouent la laine tassée après chaque rang par une sorte de marteau en forme de peigne, le *daftin*. Le tapis qui est en cours de tissage mesurera une fois fini 1,40 x 2,20 m. En six mois, à raison de dix heures de travail par jour, l'ouvrage sera achevé. Il aura fallu investir l'équivalent de deux mille francs dans les matériaux de base, et le marchand l'achètera six mille francs. Chaque maison, dans le village, est équipée d'au moins un métier à tisser.

Nous abordons la partie totalement désertique du Dasht e Kavir. L'homme au tapis nous l'a redit : ces dernières années, plusieurs hommes s'y sont perdus. La route, impeccablement rectiligne, s'enfonce comme une traînée de poudre noire dans l'immensité plate, si loin qu'on ne distingue plus ses limites. De chaque côté un sable tantôt rouge, tantôt gris, fin comme une poussière, est soulevé par un vent latéral. C'est une sorte de brouillard qui fouette le goudron mais ne s'y pose pas. Cette brume impalpable obscurcit le sol, le fait paraître immatériel, ouateux. Pas une dune, pas une butte, pas un brin d'herbe, pas un rocher où l'œil pourrait s'arrimer : voilà le cœur du Dasht e Kavir. L'absence de repères fait qu'on a l'impression de rester sur place alors que la vaillante petite auto d'Akbar file à 140 km/h. De temps à autre, le vent tourne en rond, soulève une minitornade de sable qui fuit vers nulle part, tour immatérielle qui titube, ivre d'espace, et s'enfuit dans l'air brûlant. Je suis à la fois captivé et effrayé par cette immensité mouvante, vaporeuse, mortelle. Nous nous taisons. Que vaudraient les mots devant pareil spectacle ?

Voilà deux heures que nous roulons, quand une sorte de mur ocre se dresse soudain à l'horizon, se rapprochant à vive allure. La route l'escalade puis se faufile entre des collines de terre rouge. Akbar conduit comme tous les Iraniens, à tombeau ouvert, s'en remettant à Allah pour dégager la route, coupant les virages comme s'il était seul au monde et occasionnellement doublant en sommet de côte. Je repense aux recommandations qu'on m'a faites : tu vas dans des pays dangereux, prends soin de toi. Afin de ne pas passer pour un timoré, je néglige comme tous les Iraniens d'attacher la ceinture de sécurité. On se demande pourquoi le constructeur perd son temps à équiper les véhicules avec ce gadget inutile ici.

Nul doute que c'est là que je risque le plus ma vie tout au long de ce voyage.

Normalement, à Mo'al Leman, nous devrions obliquer vers l'ouest pour rejoindre Semnan. Mais l'armée a condamné la seule route qui y mène. Nous piquons donc au nord vers Damgan. Akbar, soucieux d'économiser mes chaussures, essaie de me convaincre de repartir de cette ville, plutôt que de Semnan. Cela me ferait, dit-il, près de cent vingt kilomètres de moins à couvrir. Mais non, j'ai déjà assez mauvaise conscience d'avoir « coupé » deux cents kilomètres sur ma route normale. Ah ! s'il n'y avait pas de visas…

A Semnan nous trouvons à nous loger dans un petit hôtel où ma qualité d'étranger incite les propriétaires à mettre exceptionnellement la douche en route.

29 juin. Semnan. Kilomètre 934.

Il est 8 heures et le soleil est déjà haut et chaud lorsque je quitte Akbar. Il m'a aidé à préparer EVNI, sur lequel j'ai chargé le sac et les gourdes, au total une vingtaine de kilos. Il est un peu tordu et branlant, mon bourricot, mais il a fière allure. Et je découvre le bonheur de « porter » mon bagage avec un seul doigt. Me voici désormais comme les marchands de la Route de la Soie qui, même lorsqu'ils marchaient à côté de leurs chameaux, n'avaient aucune charge à porter. Mon repos choisi – puis forcé à cause de l'appareil photo – m'a un peu encroûté. Et la géographie de cette portion de route ne me sert pas pour une « remise en jambes », une côte qui commence au sortir de la ville et grimpe tout droit sans jamais finir.

Je suis parti en nouant autour de ma taille la ceinture dont j'ai équipé le timon, mais je suis obligé très vite de la défaire car chaque enjambée provoque un emballement du chariot et le brancard me rentre dans les reins. Pas au point, mon affaire. En plus, je dois m'arrêter sans cesse pour extraire la gourde du chariot, boire, la remettre en place et repartir. Trop compliqué. Chacune de mes gourdes étant munie de bretelles, j'en charge une sur mes épaules. Cela chauffera l'eau un peu plus et surtout, là où le caoutchouc est en contact avec mon dos, provoquera une sudation forte. Mais tant pis car, en revanche, je peux boire autant que j'ai soif. Et je crève de soif.

13 heures. Un restaurant, miracle ordinaire que j'obtiens sans prononcer la phrase magique de l'illuminé de Chupanan, m'offre l'ombre et la nourriture. Le gérant est afghan et vit dans la terreur d'être expulsé par les Iraniens. Ces derniers ont en effet estimé que le flot des réfugiés fuyant la guerre civile devenait trop important et procèdent, par cars entiers, à des reconduites à la frontière. Mahmad, qui était professeur en Afghanistan, est au bord des larmes lorsqu'il évoque les événements qui s'y déroulent. «*Âzâdi, nist*» (Aucune liberté), dit-il. Dans la pièce voisine, il m'installe un lit de fortune avec huit chaises et une couverture où je dors deux heures comme une souche, assommé par la chaleur, mon ascension de ce matin et l'excellent déjeuner qui m'a été servi.

On m'assure qu'il me reste cinq kilomètres à parcourir après les vingt-six de ce matin, mais mon GPS et moi savons qu'en réalité il y en a quinze. Première panne : EVNI perd un boulon. Clé française, tournevis iranien, pompe, boulons de rechange et de quoi réparer une crevaison. Tout cela pèse, mais que m'importe maintenant, puisque c'est EVNI qui porte. La nuit tombe. Je dois marcher sur la berme et, sur ce sol mou, tirer la charrette réclame un effort supplémentaire. Alors que je franchis le quarantième kilomètre de la journée, je passe un petit col qui domine une immense vallée, et qui me semble encore plus grande dans la nuit qui commence à l'envelopper. Au milieu de cette pente douce et rase, deux masses se dressent côte à côte. De loin, on dirait deux caravansérails. Toute fatigue oubliée, je dévale la pente. Hélas, l'un des deux bâtiments est une citadelle très décrépie, et l'autre un caravansérail en bon état, mais fermé par une porte massive cadenassée d'une grosse chaîne de fer. Ce n'est pas encore cette nuit que je dormirai dans une de ces anciennes auberges. A part les deux constructions, il n'y a, au lieu-dit Ahuan, qu'une mosquée, devant laquelle stationnent cars et camions à cette heure de prière, et une bâtisse enfermée dans une cour au milieu de laquelle se dresse un pylône d'émetteur radio. Un petit bonhomme un peu raide et au poil blanc vient m'interroger. Je lui retourne une seule question : où manger et dormir ici ? Il file dans la mosquée sans répondre, avec un geste vague vers l'est. Je m'assieds sur une pierre et j'attends. Vais-je devoir dormir dans mon sac de bivouac en compagnie des scorpions ? Dans la cour entourée de grilles, deux molosses montent la garde. Aucune lumière dans la bâtisse ou dans les hangars sous lesquels sont rangés des engins de travaux publics.

Durant une demi-heure, immobile comme un héron sur ma pierre, je laisse la fatigue s'effondrer en moi. J'aperçois le petit homme sec ressortir de la mosquée, entrer dans la cour où les chiens lui font fête, puis dans la maison, d'où il émerge plus tard pour venir à moi. Sa curiosité l'emporte tout juste sur sa méfiance. J'apprends qu'il s'appelle Valy, qu'il a cinquante-six ans, est le seul habitant du lieu et le gardien des locaux. Peut-il me loger dans cette immense maison ? Il hésite, veut voir mon passeport. Une fois qu'il l'a « lu » – il ne regarde que les images que je lui commente – il se détend et m'offre à venir boire le thé. Puis à mesure que nous faisons connaissance, il m'invite à partager son repas et enfin à dormir dans une pièce mitoyenne où il y a quatre lits. Je crois comprendre que les engins servent à l'entretien de la route et à la déblayer lorsque la neige bloque les cols. Valy, mis en confiance, se révèle drôle. Ses petits yeux très bleus lui donnent, avec sa barbe ivoire, le charme d'un lutin.

Je dors comme une pierre. A 7 heures, Valy me réveille, il doit rentrer chez lui à Semnan et la relève va bientôt venir. Il faut que je déguerpisse pour lui éviter des ennuis avec sa hiérarchie. Je lui fais mes adieux, lui donne un pin's pour son dernier petit-fils et retourne au caravansérail. En écartant un peu les vantaux de la lourde porte, je peux jeter un coup d'œil à l'intérieur. Comme pour celui de Marendjab, on a amorcé naguère une rénovation, interrompue par la révolution. Valy m'a dit qu'il date du Ve siècle. Mais non, c'est une construction typiquement safavide, sans doute due à Abbas le Grand au début du XVIIe siècle. Mais il est probable qu'il ait été bâti sur les ruines d'un autre. Ici, dans ce paysage désolé et solitaire, les attaques de brigands ont dû imposer des structures aptes à défendre les marchands et les pèlerins. Le fort voisin témoigne, s'il en était besoin, que des hommes d'armes devaient escorter les caravanes sous peine de voir des bandits fondre sur les convois, prélever leur dîme et disparaître. Les redoutables Turcomans venus du nord s'emparaient des hommes et des bêtes, et les gouverneurs avaient intérêt à maintenir de fortes garnisons pour assurer la sécurité des voyageurs. Le responsable de province devait indemniser sur sa cassette personnelle ceux qui étaient dévalisés et, pour ne pas susciter de nouvelles vocations, les voleurs capturés étaient torturés puis exécutés.

Lorsque je reprends la route, je sais que je ne trouverai plus rien pendant trente-cinq kilomètres. La soif me tenaille et, même la bouche pleine d'eau, j'ai l'impression d'avoir le gosier et le palais secs. Je suis en permanence à la limite de la déshydratation. La steppe s'étage vers le nord en une fuite ocre jusqu'aux sommets des monts Alborz, et une autre chaîne de montagnes s'élève au sud, me séparant du Dasht e Kavir. On a aménagé, pour les charrettes à bourricots et les tracteurs, un trottoir asphalté de chaque côté de la route, et EVNI me suit docilement, roule sans effort. Libéré du poids du sac, j'ai augmenté mon allure et, si j'en crois mon GPS, je marche sans forcer à une vitesse de 6,2 à 6,3 km/h – le matin du moins. A l'approche du déjeuner, je cherche un pont pour m'abriter du soleil, un de ces ponts qu'enjambe la route et sous lesquels je peux dormir pour laisser passer l'heure chaude. Mais aujourd'hui est un jour particulier. En consultant mes notes ce matin, j'ai calculé que je vais, vers midi, passer le millième kilomètre depuis ma descente du car d'Erzouroum. Je trouve le pont et je déjeune d'un bout de pain. Il me reste quelques dattes dont je fais deux tas. Le second est rangé en prévision de l'étape sans gîte ni couvert de ce soir. Voilà une petite fête que je termine par une sieste réparatrice. Le nez tourné vers le ciel maçonné de mon abri, je me convaincs que le millième kilomètre est juste là, marqué sur la clé de voûte. Et je m'endors paisiblement me disant qu'il ne me reste plus que le double à parcourir…

Il est un peu plus de 18 heures lorsque j'aperçois, bonheur, une tache verte et, à l'abri sous les arbres, quelque chose qui doit être un restaurant. Hélas il est fermé. Un jeune garçon vient entrebâiller la porte et accepte, après négociation, de me vendre un jus de fruits à dix fois son prix. Je m'installe sur une chaise pour mieux apprécier la sensation de frais du liquide dont je garde chaque gorgée longtemps dans la bouche. Mais je sais qu'il me faudra au moins deux heures avant que cette sensation de soif disparaisse. Je n'ai bu que six litres d'eau aujourd'hui. Mon corps se contenterait-il de moins et s'acclimaterait-il à la chaleur ? Possible.

Enfin le restaurant ouvre lorsque deux chauffeurs routiers stoppent leurs trente tonnes sur le parking. L'un d'entre eux m'a déjà vu entre Qazvin et Téhéran et s'émerveille du long parcours que j'ai accompli. Nous bavardons pendant le dîner et tous les deux sont d'accord pour m'affirmer, petit geste mimant la barbe et le turban, que les « *mollahs, big problem* ». Lorsqu'ils repartent et que je demande l'addition, le patron me dit qu'ils ont payé mon repas et il m'installe pour la nuit dans la réserve. Je dors entre les caisses de coca et les sacs de riz, sur une couverture. Le patron a rentré EVNI et me prie d'être plus attentif, on risque, dit-il, de me le voler. Même au fin fond du désert ? Mais où aller pour trouver la sécurité ?… Il est vrai que mon chariot suscite l'intérêt et la curiosité chez les adultes, la concupiscence chez les enfants. C'est d'ailleurs par son truchement qu'on entre en contact avec moi. Les gens s'approchent, en font le tour et, presque toujours, d'un pouce inquisiteur, vérifient la pression des pneus. Après quoi, ils me demandent de quel pays je viens, où je vais… ajoutant à celles auxquelles je suis rompu la question, visiblement capitale à leurs yeux : EVNI est-il de construction iranienne ou française ?

A 5 heures du matin, le cuisinier, un petit père barbu sous un bonnet de laine huileux qu'il n'a jamais dû quitter, même pour dormir, me réveille en découpant à grands coups de hachoir des poulets sur un billot empesé par des couches de graisse et de sang séché. A cette heure, les cafards vont se coucher en crapahutant à travers la cuisine vers les canalisations derrière lesquelles ils passeront la journée à l'abri de la lumière en attendant, la nuit prochaine, d'aller goûter aux poulets. Compte tenu de ce que je viens de voir, je lui commande deux œufs au plat, bien cuits s'il vous plaît.

A 6 heures, je regarde le soleil bondir de derrière les collines. Je dois m'efforcer de marcher le plus tôt possible et le plus tard possible et m'arrêter plus longtemps à l'heure chaude, entre 13 et 16 heures. Sinon, c'est la déshydratation qui me guette, malgré les pastilles de sel. A ma grande surprise, des nuages obscurcissent le ciel. D'abord je m'en félicite, ils vont diminuer la violence du soleil. Mais je déchante vite car ils témoignent d'une augmentation de l'humidité ambiante, et la chaleur est plus difficile à supporter qu'hier. Je transpire plus que jamais. Mes vêtements trempés de sueur, avec le rythme de la marche, liment ma peau. Mes hanches, mes cuisses, mes fesses sont douloureuses, la chair est à vif.

Quinze kilomètres avant Damgan, un impressionnant fort construit en pisé commande la plaine. Ses doubles remparts, malgré les ébranlements du sol et les pluies d'hiver, ont encore fière allure. Ce qu'elle a dû en voir de traîneurs de sabre, cette plate étendue ! Huns, Afghans, Ottomans, Mongols, Turcomans l'ont ravagée mille fois, laissant aux tremblements de terre la charge d'achever le travail durant les périodes moins troublées. Mais elle a vu aussi des caravanes par milliers et des groupes de pèlerins pendant plus de vingt siècles. La ville de Damgan, qui serait l'ancienne Hecatompylos ou Sad dar Vo Sé (la Ville aux

Cent Portes) fut la capitale des Parthes de même qu'une étape essentielle de la Route de la Soie. Mais cent fois agressée, rasée par Gengis Khan, elle ne s'est jamais totalement relevée de ses ruines et a gardé une taille toute provinciale. Ici subsistent deux tours funéraires. S'agit-il des tours qu'utilisaient les zoroastriens pour exposer les cadavres ? Deux coutumes, aujourd'hui disparues, distinguaient la pratique religieuse des mazdéens. Ils s'interdisaient d'enterrer les morts ou de les brûler, de manière à ne pas souiller la terre, l'air ou le feu. Ils les disposaient donc sur de hautes tours où les vautours venaient les dévorer. L'autre coutume était ce que les savants nomment « l'endogamie incestueuse », autrement dit l'obligation qui était faite à certains de prendre une épouse dans leur propre famille. L'une des tours de Damgan s'appelle « des Quarante filles ». Personne ne peut m'expliquer l'origine du nom. Je songe à l'histoire des « Cent vierges » que les roitelets très chrétiens du nord de l'Espagne vaincus par les Maures s'étaient engagés à livrer chaque année au vainqueur arabe jusqu'à la victoire de Clavijo.

Au dîner, deux groupes se constituent dans la grande salle de l'hôtel : les supporters de l'équipe italienne d'un côté, c'est-à-dire le patron et deux clients dont l'un a un frère qui s'est expatrié à Milan, de l'autre le soutien de l'équipe de France, c'est-à-dire moi tout seul. Pour la finale de la coupe de football de l'Euro, il n'y a pas un chat dans les rues de la ville. Depuis plusieurs jours, on me rappelle sans cesse que, grâce au musulman Zinedine Zeïdane la France va vers la finale. Il y a deux matches. L'un à la télé, l'autre dans la salle. A mesure que le temps passe, l'équipe de France étant dominée par un but à zéro, on ricane dans l'autre camp. Qu'est-ce qui m'a fichu ces Français champions du monde qui ne sont même pas capables de s'imposer ! Non, non, il faut se rendre à l'évidence, les Italiens sont les plus forts. Lorsque l'arbitre siffle la fin du match et la victoire française, je m'efforce d'avoir le triomphe modeste.

Le jour de repos que je m'offre n'est pas pour fêter cette victoire mais pour m'économiser. Car, une fois de plus, la marche me saoule. L'ivresse des grandes distances me porterait, si je n'y mettais bon ordre, à marcher, marcher encore. Une sorte d'excitation, de désir d'aller plus loin, plus vite, m'a saisi. Mon corps veut filer vers l'avant avec une sorte de jouissance, de bonheur physique qui sourd de chacune de mes cellules. Je connais cela et je sais que c'est dangereux. J'ai, depuis hier, gagné un nouveau cran à ma ceinture. Chaque gramme de graisse que je conservais encore a été transformé en carburant par mon organisme entièrement tendu vers un seul but, marcher. C'est devenu un besoin, une drogue. Si je n'y porte pas remède, cette euphorie physique me conduira jusqu'à l'épuisement. Il me faut à tout prix maintenir cet équilibre fragile, me faire violence et m'arrêter, maîtriser mon esprit enivré par l'aventure.

Tarik Khâneh, qu'on appelle aussi la Mosquée des Quarante colonnes, est fermée au public et au culte mais je veux au moins de loin contempler le plus vieux temple iranien, construit dès l'arrivée des Arabes au début du VIIIe siècle. Par chance, deux bonshommes occupés à l'entretien d'un mur m'autorisent, moyennant un billet, à visiter la mosquée et, pour deux gros billets supplémentaires, je peux escalader les quatre-vingts hautes marches du minaret qui la jouxte et jouir d'une vue époustouflante sur le Dasht e Kavir.

Des jeunes qui travaillent le zinc au fond d'une cour se font fort d'adjoindre quelques barrettes à EVNI qui leur paraît branlant. La transformation est radicale. Mon compagnon de route, une fois renforcé, est fin prêt pour couvrir les deux mille kilomètres qui nous séparent encore de Samarcande. Les jeunes refusent le moindre argent, ils auront l'impression de m'accompagner sur ma longue route, me disent-ils gentiment. Mais ils veulent bien poser pour la photo-souvenir, aussi fiers que des ingénieurs qui viendraient d'achever un prototype appelé à faire parler de lui. De fait, EVNI est plus que rare, il est unique.

VIII

LES ARTISTES

A 5 h 30, rien n'est encore ouvert à Damgan lorsque je quitte l'hôtel. Le patron-qui-n'aime-pas-les-étrangers m'a dit : « Vous trouverez à manger plus loin. » Il aurait dû préciser « à quarante-deux kilomètres ». Je pars pourtant avec la sage intention de faire une étape plus que raisonnable de vingt-six kilomètres et de manger et dormir à Qareh Abad. J'ai des crampes aux cuisses, souvenir cuisant de mon ascension du minaret hier. Un vent de face rend la marche pénible et je dois tirer plus fort sur EVNI. J'oublie ces inconvénients en passant la plaine de Mehmandust où Nader Shah infligea une défaite aux Afghans avant de profiter de sa popularité pour confisquer le pouvoir aux Safavides. Je vois tourbillonner les cavaliers, briller les lances et les cimeterres et j'entends les cris de hargne des soldats et le râle des blessés, frôlés par les sabots des chevaux lancés au galop. Nader Shah, la veille de la bataille, a peut-être dormi dans ce vieux caravansérail de pisé en ruine. Ce monarque plein de délicatesse fit torturer le fils de son prédécesseur jusqu'à ce que mort s'ensuive mais, juste retour de sa férocité, il périt sous des lames assassines. Injuste retour des choses, son petit-fils Sharhrokh Mirza mourra des supplices que lui infligera Aghâ Muhammad Qadjar, autre souverain à l'imagination raffinée.

A Qareh Abad – où comme j'aurais dû m'y attendre il n'y a

ni restaurant ni hôtel –, je suis en train d'immortaliser avec
mon nouvel appareil un fort de pisé en ruine quand un petit
vieillard rondouillard, excité comme une puce, vient hurler à
mes côtés. Ses lunettes ont des verres comme des culs de bouteille, son œil droit est fermé par une paupière affaissée, et son
dentier jamais lavé menace de l'abandonner. J'ignore pourquoi je le mets ainsi en rage. Déboule alors un autre vieux,
haut et maigre comme un minaret. Il braille aussi, mais contre
le premier. Don Quichotte contre Sancho Pança. Je comprends
enfin que ce qui les oppose, c'est moi. Pança me prend pour un
espion, veut me confisquer mon passeport et prévenir illico la
police. Quichotte essaie de raisonner l'agité : c'est un touriste
qui prend des photos du fort.

– De quel pays es-tu ?
– De France.
– Ah, tu vois, ce n'est pas un Américain !

Le minaret est vêtu d'un pantalon de toile grise et d'un gilet
de velours châtaigne. Sa montre de gousset – un bien qui doit
lui être cher – est reliée à une chaîne qui pourrait tenir ses brebis au piquet. Son dentier ne vaut pas mieux que celui de
l'autre. Après une violente bataille de postillons, Pança
déclare forfait et, de mauvaise grâce, me laisse partir sans me
faire passer par les culs-de-basse-fosse du château, où il avait
sans doute imaginé avec délice de me jeter. Je remercie avec
moult sourires le vieux Quichotte qui semble heureux comme
tout de m'avoir sauvé la vie. Il faut que je fête cela, d'autant
que mon ventre réclame sa pitance…

Un paysan qui, en compagnie de trois marmots morveux et
sales, s'affaire à construire une cabane de branchages pour
mettre son commerce à l'abri du soleil, me propose une pastèque. Il décrète et explique aux enfants que je suis un pèlerin
qui va s'incliner devant le mausolée de l'imam Reza à
Mash'had et refuse le moindre sou du saint homme qu'il croit
voir en moi.

A Deh Mollah, un superbe caravansérail en contrebas de la
route me semble habité. Y trouverai-je refuge ? Sous le porche

monumental de l'unique entrée, une fille me regarde venir, claustrée dans son tchador.

– Puis-je regarder à l'intérieur ?

– *Balé* (oui), lâche-t-elle avant de s'enfuir, son voile flottant autour d'elle.

Il est en effet habité. Deux femmes cuisinent dans la cour. L'aînée houspille la petite. En m'apercevant, et bien qu'elles soient coiffées d'un foulard, elles se précipitent sur des tchadors. Je jette un coup d'œil après leur avoir demandé à elles aussi si je peux… Elles ne réagissent pas, mais quand arrive une moto dont descendent deux types qui, allez savoir pourquoi, semblent avoir envie dès qu'ils m'aperçoivent d'avoir ma peau, la vieille se met à hurler en me montrant du doigt.

– Passeport ! me hurle-t-on sans s'approcher comme si j'étais un dangereux repris de justice.

Montrer mon passeport, c'est contre mes principes. Trop précieux dans ce pays. Je leur tends une photocopie qu'ils examinent pendant que la harpie continue de vociférer. Alors, comme dans les cauchemars avec happy end, une jeunesse aux yeux de braise sort d'une des cellules qui ouvrent sur la cour. Les cris de la vieille apparemment l'amusent. Comme elle a l'air humaine, elle, et pour profiter de cette apparition tout à mon aise, c'est à elle que j'explique qui je suis, d'où je viens, où je vais. Il règne dans ce caravansérail une atmosphère parfaitement détestable. On doit y entretenir la félonie, l'esprit de vengeance, s'y entre-déchirer sans vergogne et s'acharner sur le gogo qui passe. Aussi, lorsqu'un des hommes me propose de passer la nuit ici, je décline l'offre et bats en retraite sans demander mon reste.

Au restaurant, le patron me dit que j'ai eu du nez. « Ce sont des voleurs. Tu serais reparti en chemise. » En attendant, je m'empiffre. Il est plus de 20 heures, et depuis ce matin 5 heures je n'ai avalé que la moitié d'un melon. Je dors dans l'appentis destiné à la sieste des camionneurs.

La route de Shahroud, tracée à mi-pente entre la montagne au nord et le désert au sud, est très fréquentée. Vers l'est, je distingue les taches sombres d'une chaîne d'oasis. Ma carte n'indique pas la petite chaussée qui y descend, mais je décide de quitter la grand-route et de m'y aventurer. Une demi-heure plus tard, je suis dans un cul-de-sac. Je fais demi-tour en pestant. Mais têtu comme un Normand, un peu plus loin j'emprunte à nouveau une petite route parallèle à la première. Heureusement pour moi je n'ai avancé que d'un kilomètre quand un motard me prévient : « Même avec ma moto, je ne peux passer d'une oasis à l'autre. » Va donc pour la grand-route.

L'entrée dans Shahroud n'en finit pas. Après la pancarte annonçant la ville, je marche près de cinq kilomètres entre des étals de jus de fruits et des ateliers de mécanique…

– Voulez-vous visiter notre *factory* ? me demande sans que j'aie pris garde à sa présence une belle jeune femme aux yeux cernés, c'est tout à côté.

Que veut-elle me vendre ? J'hésite. Je suis exténué, j'ai envie de me doucher, de manger et de dormir. Elle insiste gentiment en me désignant un endroit caché derrière les éventaires de toile installés par des vendeurs de melons en bordure de la rue. Je préviens que je ne peux rien acheter ni transporter. « Mais nous ne voulons rien vous vendre, seulement vous montrer », me dit-elle avec un sourire si franc qu'il efface toute méfiance.

J'aurai eu sacrément raison de la suivre. Je passe une journée à parler anglais avec Mehdi – le patron de la factory de céramique d'art ; Monir son épouse ; Nahir une grande et forte femme au sourire épanoui qui dirige l'entreprise ; Mary, celle qui m'a repéré dans la rue. Sympathie, chaleur, accueil franc et généreux : mais Mehdi ne se contente pas de me recevoir à sa table, de me faire visiter ses ateliers (j'apprends que cette couleur turquoise qui me plaît tant est obtenue à partir du *shôné*, une plante qui pousse aux limites du désert), de me conduire jusqu'à une tour funéraire construite sur le Borg e

Kashane, un ancien temple du feu zoroastrien, lequel devint ensuite tour d'observation astronomique. Il parlemente avec le gardien de la mosquée pour obtenir l'autorisation de me faire visiter le saint des saints, un minuscule lieu au sol épaissi de nombreux tapis et dont les murs sont couverts de motifs en stuc qui traduisent les phrases de Beyazid Bastami, un sage soufi qui passa ses jours et ses nuits à méditer ici. Peu de kato-liks ont dû franchir le seuil de ce sanctuaire, et je m'apprête à chaudement le remercier quand il m'annonce triomphalement que la tournée royale improvisée à mon endroit n'est pas ter-minée : me reste encore à assister à la manifestation que l'école d'art de la ville a prévue en son honneur, et à partager le sou-per de fête qui nous attend chez Nahir : coulis de la Caspienne, *âlbâlou polo* (un riz servi avec des baies et des koufté, puis un *bâghâli polo* (riz cuit aux haricots)… Je suis tant repu que je m'effondre plus que je ne m'allonge dans la chambre d'Hasti, la fillette de la maison.

J'ai toutes les peines du monde à quitter ces êtres ouverts sur le monde, si oblatifs et bienveillants. Mais mon visa pour le Turkménistan ne saurait attendre… Pour me consoler de devoir partir si vite, Mehdi et Monir me donnent rendez-vous à Mash'had, où ils habitent.

A midi, j'ai bien marché mais j'ai beau écarquiller les yeux, je ne trouve rien qui ressemble à Ferrash Abad, où j'avais prévu de faire halte. Mon GPS me permet de faire un point très précis et je constate que j'ai passé le lieu où est censé se trou-ver le village sans même apercevoir une maison. Je dois me rendre à l'évidence, ce village annoncé sur la carte n'existe plus. La source d'eau qui l'alimentait a-t-elle tari ? Mon GPS, ma carte et mes pieds sont formels : pour manger et dormir, il me faudra aller vingt-huit ou vingt-neuf kilomètres plus loin. Arrivé là, je me promets de prendre une journée de repos.

Avant de repartir, je stoppe un camion car je n'ai plus d'eau. Le chauffeur vide dans ma gourde la quasi-totalité de sa glacière. Il est bavard, mais doit repartir rapidement pour livrer son chargement à temps.

Peu après 13 heures, dans un tchâï-khâné, mon arrivée provoque une sorte de stupeur. Sous les regards muets, je me dis que mon chapeau bleu trempé de sueur et marqué de stries de sel, que mes vêtements qui commencent à fatiguer sérieusement et s'effilochent, que mon EVNI enfin ont de quoi surprendre ces gens.

Le garçon me vend un soda pour le prix de douze et accepte de mettre une paillasse à ma disposition au prix de vingt mille rials. Grandeur et décadence, bonté et roublardise, ce sont les surprises que réservent les voyages.

La plaine est recuite, sans limite, sans arbres et la route sans ponts. J'ai bu plus de dix litres d'eau depuis ce matin sans pisser une seule fois. Lorsque j'expire, une légère buée se dépose sur le keffieh dont je me suis empaqueté la tête ne laissant visibles que mes yeux, eux-mêmes à l'abri sous le rebord du chapeau et les lunettes solaires. Lorsque j'inspire, l'air sec et brûlant du « dehors » passe à travers cette buée et me dessèche moins la bouche. J'ai en quelque sorte recréé à mon usage la technique des bâd ghir du Dasht e Kavir.

La nuit tombe lorsque j'arrive à Mayameh. C'est un gros bourg assoupi où j'ai bon espoir de trouver un khorecht et un lit. Un jeune vendeur de jus de fruits me donne d'emblée le ton : « Ici, ce n'est pas un pays libre. On ne peut même pas boire de bière. » Pis, il n'y a ni auberge ni hôtel, pas la moindre gargote. Un petit vieux rigolard assis à califourchon sur ce qui fut une chaise me dit que je pourrai manger plus loin, à trois kilomètres.

Il fait nuit noire lorsque je franchis le seuil de chez Majid. L'endroit tient de la zone industrielle et de la gare routière. Il y a dans le coin des entrepôts, une pléthore de poids lourds et, devant le restaurant, une demi-douzaine d'autobus dont les chauffeurs ont la détestable manie de laisser tourner le moteur. Sans doute ne sont-ils pas sûrs de voir leurs camions redémarrer au quart de tour... Et puis le gazole, ici, ne coûte rien. Tout ce monde mange dans un gentil vacarme, la TV hurle. Majid est venu à ma rencontre dès qu'il m'a vu et m'a fait servir le plat du jour, avant de me suggérer de dormir dehors, sous une sorte de kiosque à musique où une foule bavarde, assise sur le muret circulaire. Je dois avoir une grimace éloquente car il me propose le carrelage de la mezzanine et envoie son gamin me chercher un oreiller. Il me dit que, voici une semaine, trois musulmans français sont passés, allant en pèlerinage à Mash'had. Je suis à deux mètres de la TV mais, assommé par les cinquante-sept kilomètres que j'ai parcourus aujourd'hui, je m'effondre et réussis le tour de force de dormir sans rien entendre.

Au matin, je ne vois pas Majid, qui est parti se coucher. Il m'a prévenu qu'après chez lui j'entrerais en enfer. Sur plus de deux cents kilomètres, jusqu'à Sabzevar, je vais affronter la fournaise.

La tête enveloppée comme une momie, mon chapeau rabattu pour me protéger du soleil qui me fait face à cette heure, les manches de ma chemise trop grande me couvrant les mains, j'avance à contre-voie. L'étape d'hier était longue, celle-ci le sera aussi, ma carte annonce quarante-quatre kilomètres. On m'a assuré qu'à Miyandasht un grand caravansérail rénové est transformé en hôtel. Je caresse le projet de m'y reposer, deux jours s'il le faut.

Porté par cette perspective – dans un caravansérail, de surcroît – j'ai des ailes et méprise l'arrêt salutaire de midi. Je dormirai après la douche, dans le caravansérail. Il est un peu plus de 15 heures lorsque j'aperçois ses hautes murailles de briques rouges. Il est immense et trône à une centaine de mètres de la route. Au bord de celle-ci, un ghanat se déverse dans un petit bassin et quelques arbres diffusent une ombre épaisse. Un car est stationné là et des pèlerins achèvent de déjeuner. Je suis si

épuisé que je ne trouve pas la force d'aller jusqu'au caravansérail et que je me laisse tomber près du petit bassin. J'y
trempe mon chapeau, le remplis d'eau et me le renverse sur la
tête. Bonheur. Béatitude. Les pèlerins rouvrent leurs marmites
pour moi mais je les remercie, je vais aller manger au caravansérail.

Stupeur chez les fervents d'Allah.

– Mais il est fermé !

– Et où y a-t-il un hôtel ?

– Vous ne trouverez rien avant une bonne vingtaine de kilomètres.

– Impossible. Je ne peux pas faire cent mètres de plus. Puis-
je acheter quelque chose à grignoter ?

– Vous voyez bien, il n'y a que le chantier abandonné de
l'autre côté de la route et le caravansérail.

Je suis effondré. Le chauffeur a consulté le thermomètre :
52° à l'ombre. Comment vais-je survivre ici ? Un homme
chaussé de tongs et coiffé d'un grand chapeau de paille se présente à moi comme le gardien du caravansérail. M'autorise-t-il
à y dormir ? « Bien sûr », dit-il avec un sourire amène.
L'homme est petit, râblé, il doit être d'une force prodigieuse. Il
m'informe que je devrai dormir par terre. Comme nous
sommes assis sur la couverture des pèlerins, je leur propose de
l'acheter. Cinquante mille rials, c'est manifestement beaucoup
plus qu'elle ne vaut, mais je n'en ai cure. Une discussion âpre
s'engage entre un homme et un vieux (qui semble être son
père), tous deux partisans de vendre, et deux femmes, leurs
épouses apparemment, qui s'y opposent. Le voyage est encore
long, elles en auront besoin. Mais le vieux tend la main vers
moi : donne les cinquante mille. Affaire faite. Je pose la couverture sur mon sac dans EVNI et suis Ali, le gardien. Je me
dirige vers l'entrée monumentale du caravansérail, mais il me
dit de le contourner. Aurait-on ouvert une porte sur un côté ?
Ce serait la première fois, car tous les caravansérails n'ont
qu'une entrée en façade. Je me pose des questions aussi à propos d'EVNI. Durant le déjeuner, j'ai constaté que le pneu

droit, celui qui roule en permanence sur le goudron chaud, a littéralement fondu. Par les fissures du pneu qui se sont ouvertes, la chambre à air montre le bout du nez et elle est prête à éclater.

Le grand caravansérail en cache un autre, en ruine. Ali s'est arrêté au pied d'un mur et me fait signe qu'il faut grimper. N'a-t-il pas la clé? Il l'a perdue. Ce type me prend pour un ballot. Il n'est pas plus gardien que moi. Et que se passera-t-il si je le suis?

Au sommet du mur, on a roulé des fils de fer barbelé. Mais Ali, agile comme un chimpanzé, escalade, écarte les barbelés et me fait signe de venir. Je meurs d'envie de visiter cet édifice. Je gare EVNI dans l'angle d'un mur et je le suis. Mais je reste sur mes gardes. Que cherche-t-il, le coquin, à me prendre quelques billets ou à me tendre une embuscade? Discrètement, je mets mon couteau en position d'attaque… Nous marchons sur les toits refaits à neuf. De là-haut, je découvre que deux caravansérails sont accolés l'un à l'autre, communiquant par une porte. Vu du ciel, l'ensemble paraît gigantesque. Je m'assieds et contemple la grande et la petite cour qui possèdent en leur centre un âb anbâr, ainsi que les nombreuses cellules qui donnent sur les deux terre-pleins.

Assis sur un dôme qui doit être celui d'une grande salle, je me laisse aller à rêver. Et la magie de la Route de la Soie opère. Je vois une foule de marchands bigarrés, des centaines de chameaux qu'on débarrasse de leurs ballots et d'autres, plus nombreux encore, qui broutent dans la steppe alentour. Sur les petites terrasses aménagées devant chaque cellule, on étale les rouleaux de soie chinoise, les pots d'encens d'Arabie, les objets en verre de Venise et, sous le manteau, on évalue les pierres précieuses.

Ali le faux gardien est revenu sur ses pas et fait preuve d'une infinie patience. Il se montre très attentif et veut visiblement m'être agréable. Mais je rechigne pourtant à dormir ici. D'abord, il est hors de question que je laisse mon barda, EVNI et sac, à l'extérieur. Je pourrais certes les passer par-dessus le mur avec l'aide d'Ali, mais je me retrouverais dépendant de lui pour repartir. Et je me méfie d'un homme dont les premiers mots à mon endroit furent des mensonges. Resté seul, je fais le point. Ma situation n'est guère brillante. Je dispose de l'eau du bassin au bord de la route. Mais je n'ai dans mon sac qu'un morceau de pain et quelques abricots secs. C'est maigre pour un dîner et un déjeuner. Je ne sais où je vais dormir puisque j'exclus l'intérieur du caravansérail et la maison d'Ali. Enfin et surtout, EVNI est hors d'état de rouler, cela m'apprendra à me mécaniser. Les deux roues de mon chariot me facilitent la vie, mais je dépends d'elles et non plus de mes seules forces. Je suis décidé à ne pas succomber à la tentation de faire du stop. Il faut que je trouve une solution. Abandonner EVNI ? Impensable. Avec la chaleur qui règne ici et le poids d'eau que je dois emporter, ce serait renoncer à la suite du voyage car je ne pourrais marcher, au mieux, que vingt kilomètres par jour, or les villages où je peux trouver asile sont éloignés de trente à trente-cinq kilomètres les uns des autres.

Une petite cabane me donne quelque espoir. La porte n'est bloquée qu'avec un fil de fer. L'endroit a dû servir de logement car une sorte de couche d'herbes occupe un côté. Une grosse araignée velue s'enfuit lorsque le soleil inonde la pièce… qui a aussi servi de latrines. Je referme la porte. Il n'y a rien d'autre aux alentours. Dormir dehors ? Pourquoi pas. Mais avec la chaleur il est exclu que je ferme mon sac de bivouac. Et le souvenir des scorpions d'Aran me hante. Je n'ai plus d'issue, je suis bloqué là, cloué à Miyandasht, le caravansérail dont j'avais rêvé comme d'un havre se révèle une prison. Que fait-on quand le monde autour de soi s'écroule ? Je m'assieds sur une pierre, le menton calé sur un poing, et je m'abîme dans une torpeur mélancolique dont rien ne saurait plus me distraire.

– Bernard !

IX

LA TARYAK

Stupéfait, ahuri, je découvre la voiture de Mehdi et Monir stationnée non loin. Eskandar, leur fils, s'extirpe du siège arrière et court vers moi. Que font-ils là ? Par quel miracle ? Ils s'amusent de mon ébahissement et m'expliquent qu'ils sont restés un jour de plus que prévu à Shahroud. Ce midi, ils ont déjeuné chez Majid à Mayameh qui leur a parlé de l'étrange roumi qu'il a sauvé de l'inanition et fait dormir sur le carreau. Pas difficile de conclure que je ne pouvais être qu'à Miyandasht. Ils veulent simplement me saluer. Monir sort des fruits d'une glacière et je leur raconte mes ennuis. Auraient-ils, par le plus grand des hasards, un bout de chambre à air dans leur coffre ? Non, bien sûr. Mais ils ont une voiture, qui roule, de la bonne volonté et une vraie générosité. Leur décision est prise : ils vont me conduire jusqu'au prochain village pour y acheter chambre à air et pneu. Eskandar m'aide à démonter la roue, Mehdi va négocier avec Ali la garde de mon EVNI unijambiste, et Monir fait de la place dans le coffre pour y caser mon sac et la roue estropiée. Et nous voici roulant vers Abbas Abad, à trente-trois kilomètres de là. J'ai une pensée émue pour mon ange gardien qui a fait le maximum pour me sortir du pétrin où je pataugeais. Mais il a décidé de se désintéresser de moi après ce coup de génie : Abbas Abad ne recèle pas le moindre garage, pas le moindre « marchand de cycles », encore moins de pneus de vélo. Il faut aller, nous dit-on, jusqu'à Davarzan, trente-six kilomètres plus loin. Là encore, rien. Un gamin a bien un vélo dont la taille des roues est semblable à celles d'EVNI, mais ses pneus sont encore plus pourris que les miens. Il ne reste qu'à poursuivre jusqu'à Sabzevar, la grande ville à près de cent kilomètres. Nous y arrivons alors que la nuit tombe. Nous trouvons enfin mon bonheur et en un tour-nemain la roue est remontée. Il faut maintenant retourner. Je demande à mes amis de me laisser à la gare routière, je trou-verai bien un car qui me déposera à Miyandasht. « D'abord, dînons », répondent-ils. Puis lorsque nous sommes repus – Eskandar a un appétit fascinant et engloutit plat sur plat –, malgré mes protestations mes amis décident de me ramener à mon point de départ.

– Mais il n'y a pas d'hôtel. Où allez-vous dormir ?

– Nous avons ce qu'il faut dans le coffre.

La nuit est fort avancée lorsque nous plantons leur tente à Abbas Abad devant un tchâï-khâné. Ils ont une vaste toile dans laquelle nous dormons confortablement tous les quatre. Au réveil, le spectacle du Dasht e Kavir qui étend son immensité poudreuse et morte est fabuleux. Une sorte de brouillard flotte sur le désert dans la nuit qui s'achève. Le regard se perd entre terre et ciel. Dans la pénombre, un gros rocher dresse sa silhouette inquiétante sur cet horizon ouaté.

Mon sac sur le dos, une roue et un pneu neufs à la main, je monte dans le petit car qui fait la liaison quotidienne entre Sabzevar et Damgan. Je « m'introduis » serait plus exact. Pour dix places assises, trente personnes sont entassées là. La chaleur déjà forte rend l'endroit irrespirable malgré les vitres baissées. Mehdi a « briefé » le pilote pendant que je montais dans le bus et lui a recommandé de me laisser à Miyandasht, au plus près du caravansérail. Bientôt, je suis le centre des conversations et chacun me fait des sourires de connivence. Pour un peu on pousserait des « hourras » en mon honneur. On me propose même « pour le plaisir » de continuer jusqu'à

Shahroud, car c'est trop triste de se séparer maintenant.
C'est gentiment demandé, mais ce trajet, je ne pousserai pas
le vice jusqu'à le refaire.

Quand le bus me dépose à Miyandasht, avec toutes ces
mains tendues comme des ailes par les fenêtres, on dirait
qu'il va décoller. Ali a laissé EVNI devant sa maison. Il dort
encore, alors qu'il est près de 10 heures, et j'évite de le
réveiller. Je trouve deux morceaux de ferraille qui vont me
servir de « minutes » afin de démonter le deuxième pneu,
puis je constate que le premier, réparé hier, est à plat.
L'apprenti bricoleur a pincé la chambre à air. Je passe un
sacré moment avant de comprendre comment fonctionnent
les valves iraniennes. Les heures passent, le soleil monte.
Quand mon véhicule est en état de rouler, je dépose quelques
billets sur le seuil de la porte d'Ali qui dort toujours. Il est
midi. Le goudron fond, le soleil mord.

Vers 4 heures, quand je reprends ma marche après l'arrêt
sacro-saint sous un pont, un chauffeur arrête son camion
après m'avoir dépassé et me fait de grands gestes d'amitié.
C'est Mehmet, l'homme qui voici deux jours m'a donné le
contenu de sa glacière. Il se rend à Mash'had. Il emmène avec
lui sa fillette de cinq ans et sa femme, une fausse blonde qui
aurait du charme si son sourire ne montrait des dents jaunies
et déchaussées. Il a sorti un melon de sa glacière et nous en
coupe de grandes tranches d'un geste auguste et magistral.
Pendant que nous nous régalons à l'ombre du poids lourd, sa
femme allume le réchaud à gaz que tout chauffeur a dans
sa cabine – les camions d'Iran sont de véritables maisons
ambulantes : on y dort, on y a ses glaçons et on y fait son thé.
Je l'observe tout en discutant avec son mari. Elle roule une
feuille de papier sur un crayon et le « scotche » en son milieu,
pose un fil de métal sur le feu.

– Elle va fumer de la taryak, tu en veux ?

On m'a déjà fait cette proposition, mais je n'avais compris
que le mot « fumer ». Depuis, je sais que la taryak, c'est
l'opium.

– C'est très mauvais pour vous, dis-je à la femme.

Elle me sourit sans saisir ce que je lui dis, et je comprends maintenant pourquoi sa bouche offre un tel désastre. Elle se tape le front du doigt et m'affirme :

– Ça fait du bien à la tête.

Son mari me précise :

– Moi je préfère la morphine.

J'ai un regard pour la fillette insouciante qui joue sur le siège avec une poupée et un petit personnage de plastique que je lui ai donné tout à l'heure. Sa maman a pris le cylindre de papier dans sa bouche et enfilé une boulette d'opium sur une tige de fer. Puis elle saisit l'autre tige de métal devenue incandescente sur le gaz et l'applique sur la drogue. Un grésillement se produit, une fumée dense et blanchâtre se dégage, qu'elle aspire à travers le tube de papier. Elle et son mari en sont visiblement à la première phase, celle du plaisir. Je suis partagé entre irritation et compassion. Finalement, je choisis la fuite, attrape EVNI et me lance sur la route après les avoir salués. Le camion me dépasse trois quarts d'heure plus tard et j'ai droit à de grands gestes et à un concert joyeux, celui de la sirène qui équipe tous les camions iraniens.

C'est décidément un mauvais jour. La roue droite d'EVNI, avec son pneu neuf, se coince et se bloque. Clé française, démontage. Deux des billes qui assurent le bon roulement ont pris la poudre d'escampette. C'est que la plaque en fer qui les protège s'est fendue. A tout moment les autres peuvent tomber et ce ne sera plus un pneu qu'il me faudra trouver mais une roue… En jouant sur le serrage des boulons de fixation je parviens à repartir, mais à trois ou quatre reprises la roue se bloque de nouveau. Rien à faire, il faut tout démonter. Mon ange gardien est revenu car, deuxième miracle, je tombe sur un camion dont le chauffeur est en train de réparer un pneu éclaté. Solidarité des gens du voyage, il me donne de la graisse et des chiffons. Bienfait d'une enfance qui fut pauvre et dont je tire aujourd'hui le bénéfice ; j'ai appris à me débrouiller avec la mécanique. J'avais sept ans et rêvais – et quand je dis « rêvais », je pourrais préciser que je ne pensais qu'à cela – de posséder un vélo… Mais la progéniture était nombreuse et cela ne faisait pas partie des priorités. Ce rêve fut pourtant exaucé, car j'en récupérai un à la ferraille, que je remis en état, aidé par les conseils éclairés de mon frère.

Le soleil s'est couché. Les camions sont moins nombreux, mais les autobus les remplacent. Les voyageurs préfèrent sans doute la nuit, lorsque la chaleur est tombée. Bondés, éclairés comme de vrais sapins de Noël, les bus déboulent et frôlent ce roumi qui avance comme une buse en tirant sa carriole. On ne va tout de même pas dévier sa trajectoire pour un tel fada ! Aveuglé par les phares, j'avance au risque à tout moment de me fouler une cheville, de tomber dans un trou. La chaleur, malgré l'heure tardive, est encore intenable.

Il est 11 heures lorsque j'arrive enfin au tchâï-khâné où nous avons pris le petit déjeuner. Exténué, je dors sur la terrasse, calé contre une pyramide de melons. Au matin, je panique, EVNI a disparu. C'est un employé prévoyant qui l'a mis à l'abri dans un cagibi.

Les deux voies de la route qui s'étaient fondues à l'approche du village, où j'achète trois boîtes de conserve et deux pains, font à nouveau bande à part. Je prends par habitude celle où je suis à contre circulation. Il fait chaud, très chaud. Je me suis autorisé un départ tardif car je vais à Sadr' Abad qui n'est qu'à une quinzaine de kilomètres. Une promenade, en quelque sorte.

Mais je commence à m'étonner de ne pas voir le caravansérail devant lequel avant hier, en voiture, nous sommes passés. Un bâtiment magnifique, abandonné au milieu du désert, non loin de la route. D'après sa position sur la carte, je devrais y être depuis une demi-heure. Je consulte mon GPS qui m'affirme que je m'en éloigne et mon GPS ne m'a toujours dit que la vérité… La route bifurque vers le nord et l'aiguille de l'engin indique le sud. Je n'ai pourtant pas la berlue, je l'ai bien vue, cette merveille, sur la route de

Sabzevar à Abbas Abad, avec Mehdi et Monir! A moins que… mais oui bien sûr, c'était sur la route d'Abbas Abad à Sabzevar, sur l'autre voie. Il me faut y revenir. D'où je suis je ne vois rien, mais en me servant du zoom de mon appareil photo je l'aperçois enfin. A cette distance et avec la terre brûlante, il a l'air de danser dans le désert, de flotter sur une mer de brume. De minuscules fourmis – des camions de trente tonnes – semblent eux aussi rouler sur de la tôle ondulée.

Que faire? Monir m'a dit qu'il y a dans ces parages des sables mouvants. On m'a affirmé dans les tchaï-khânés que ce désert grouille de serpents et de scorpions. Mais si je ne coupe pas à travers les sables, il faut que je retourne à Abbas Abad, dix-sept kilomètres, puis que j'en refasse autant pour atteindre mon but. Ajoutés aux dix-sept que je viens de parcourir, faites le compte et vous conviendrez que c'est beaucoup, beaucoup trop. Je m'aventure donc dans les sables… EVNI très vite a le ventre par terre et il me faut reprendre le sac à l'épaule. Avec les six litres d'eau qui restent, il pèse lourd. Depuis un mois que je ne l'avais pas porté, j'avais oublié. EVNI, à vide, laisse une trace légère sur le limon. Je regarde soigneusement où je pose chaque pied. La sueur ruisselle aux endroits où mon barda pèse et je bois comme un ivrogne pour compenser. Ma réserve baisse à grande allure. La marche dans le sable est épuisante car le pied ne peut prendre appui, et une bonne partie de l'énergie donnée à la jambe est absorbée par le glissement qui se produit à chaque pas. Pour accroître ma stabilité, et sous le poids du sac, je fais de petites enjambées. J'ai l'impression désagréable que le caravansérail s'éloigne à mesure que j'avance. Le désert couleur d'or fuit au loin, à la rencontre du ciel turquoise. Il me faut plus de deux heures pour couvrir les cinq kilomètres qui me séparaient de l'autre voie. Lorsque je mets le pied sur le bitume, j'ai vidé la moitié de ma réserve d'eau emportée ce matin. J'arrête une voiture en agitant la bouteille vide. Le conducteur, méfiant, me donne ce qui lui reste, après avoir empli son radiateur…

Cela valait le coup : le caravansérail est magnifique. Petit bâtiment qui compte une vingtaine de chambres-terrasses donnant sur la cour et le double de cellules à l'intérieur, il est ultraclassique dans sa construction de type abbasside et supporte gaillardement ses deux siècles et demi. Il est vrai qu'ici ce ne sont pas les pluies qui le ravinent – bien que j'aie lu qu'à quelques kilomètres de là, durant la brève période d'hiver, coule durant plusieurs jours une « rivière de la soie ». Au centre de la cour, un petit bassin carré devait recevoir l'eau d'un ghanat. Celui-ci n'arrive plus jusqu'au bassin, mais j'avise tout de même quelques arbres, ce qui prouve que l'alimentation n'est pas tarie. Les coupoles des toits ont bien résisté aux tremblements de terre. Les écuries sont immenses. Dans le fond de la cour, pas loin des latrines, deux fours de boulanger en bon état pourraient encore servir. Je crois aussi repérer le *mihrab*, ce lieu qui indiquait aux pèlerins la direction de La Mecque.

Je passe en revue les cellules doublées d'une terrasse qui donnent sur la cour. L'une d'entre elles est presque propre. Avec quelques herbes dures je me fais un balai et nettoie « ma » chambre. C'est étroit, deux mètres sur deux, juste assez pour s'allonger. Mais Beyazid Bastami a bien vécu toute sa vie dans une cellule semblable, et même si je ne suis pas un saint, je peux y passer une nuit. J'enfile un de ces pantalons dont le fond vous descend jusqu'aux genoux. J'y suis au frais… Pour la première fois depuis que je suis la Route de la Soie, je vis comme un caravanier. Les marchands disposaient chacun d'une cellule comme celle-là, et de la terrasse attenante où ils menaient leurs affaires – leur boutique, en quelque sorte. Je mange une demi-boîte de conserve infecte et froide, car je n'ai plus d'allumettes, en pensant au frichti que se préparaient les caravaniers (un briquet à silex s'échangeait paraît-il contre un cheval), et je m'endors béatement, ma chemise en guise d'oreiller.

C'est un barbu enturbanné penché au-dessus de moi qui me réveille. Je ne l'ai pas entendu grimper sur la terrasse. Deux fillettes enfoulardées malgré leur jeune âge me dévisagent avec appréhension à bonne distance et là-bas, dans

l'entrée, une femme ligotée dans un tchador leur crie de revenir près d'elle. Le mollah lui non plus n'a pas l'air rassuré. Je
lui souris. « Passport », dit-il. Je ne fais même pas mine de le
chercher. Mais je me présente, un Français voyageant sur la
Route de la Soie. Il se détend et fait signe aux gamines
d'approcher. A mon tour je l'interroge. Il ne parle pas
anglais. Il saisit ma carte et me montre Mash'had. Il agite ses
poignets, mime le geste de les couper, puis montre son cou et
fait le geste du nœud coulant qui serre. Eurêka, j'ai compris :
ce n'est pas qu'il veut ma tête, c'est sa profession qu'il mime,
juge à Mash'had. Là, de même qu'à Qom, l'autre cité sainte
du pays, la justice est rendue par des mollahs. A en juger par
sa mine réjouie et son œil vif lors de l'imitation symbolique
de son métier, on peut dire que c'est un homme qui a trouvé
sa vocation. Lorsqu'il me quitte, il m'embrasse fraternelle-
ment sur les deux joues et le front en répétant comme des
litanies : «*I am happy, I am happy.*»

Plus tard, c'est un routier qui me rend visite car il doit laisser refroidir ses pneus qui menacent d'exploser. Il professe que
si je reste ici seul cette nuit je vais me faire couper le cou. En
fin d'après-midi, deux hommes vont furtivement s'installer
dans une cellule voisine, un réchaud à gaz à la main. Après
leur départ, je vais vérifier ce que je sais déjà : sur le sol, deux
petits morceaux de fil de fer et un cylindre de papier attestent
de ce à quoi ils se sont occupés. J'enterre les corps du délit, car
si le mollah ou le routier glissaient un mot sur ma présence à
la police, allez savoir ce qu'il adviendrait de moi !… Je sais que
la région est l'objet d'un fort trafic d'opium et d'héroïne, en
provenance d'Afghanistan et faisant route vers l'Europe.

Le soir descend doucement. Le soleil couchant incendie le
mur et les cellules de l'autre côté de la cour. Je décide de dormir sur la terrasse. Sans allumettes ni briquet à silex – et ce
n'est pas plus mal –, je vois s'enflammer une à une les étoiles
dans un ciel d'une profondeur qui m'émeut. Trois chauves-
souris sortent des écuries et zèbrent la nuit de leur vol sombre
et silencieux. Comment trouvent-elles leur nourriture ici,

alors que la chaleur est si sèche qu'il n'y a pratiquement pas d'insectes ? Je laisse le sommeil venir.

A 5 heures, l'aube blanchit le sommet du mur. Les chauves-souris après un dernier tour d'honneur, vont dormir. Je petit-déjeune d'une pomme et d'une orange, je suis joyeux, je vais jouir de la fraîcheur durant deux heures avant que le feu du ciel me tombe sur les épaules.

La gargote où je m'arrête est tenue par trois frères que j'adore tout de suite et qui me le rendent bien. Ils sont fils de mollah, rigolards et replets. Dans ce pays régulièrement ébranlé par des pulsions de mort, où la tristesse et l'ascétisme sont érigés en vertu, ces trois être dodus sont un régal. Épicuriens en diable, égrillards même, ils rayonnent du plaisir de vivre. Pourtant le plus gros a subi deux pontages coronariens dont il me parle d'abondance, fier d'étaler sous mes yeux une poignée de pilules colorées nécessaires chaque jour à sa survie dans une pochette transparente.

L'après-midi un client du bistrot m'invite à faire un tour dans la petite ville et à l'accompagner chez un de ses amis qui nous offre d'abord le thé puis s'absente en promettant une surprise. Il revient avec un narghilé, une pipe à eau… sans eau, et l'indispensable réchaud à gaz. J'ai compris. Tous les deux m'invitent à tirer sur la pipe, ce que je refuse. Je me suis « drogué » pendant vingt-cinq ans à la gauloise et j'ai mis six mois à me désintoxiquer. Combien coûte l'opium ici ? La barrette permettant de faire une soixantaine de boulettes – et donc de pipes – vaut quarante mille rials. Ce qui met la pipe à soixante-quinze centimes. C'est ridiculement peu cher pour nous, mais pas pour eux. Un homme « accro » fume de quatre à six pipes par jour, l'équivalent d'un demi-salaire que m'ont dit gagner des garçons de restaurant. Le choix de la pipe à eau sans eau est ingénieux : si la police débarque, elle s'en retourne Gros-Jean comme devant…

Pour dire de quelqu'un qu'il fume de la taryak, on croise ses index. Je revois le geste de la femme approchant ses deux fils de fer. Pour les initiés, le geste est éloquent. Mais ici on ne juge pas quelqu'un qui se drogue, c'est ainsi, on ne s'en cache pas, le geste est banalisé.

Avant-hier, j'étais attablé à boire un thé avec deux hommes. L'aîné me demande mon âge puis me met au défi de deviner le sien. Soixante ans, dis-je. Lui en a soixante-sept. L'autre me pose la même question. Il en paraît cinquante mais j'ai un doute et je préfère le flatter. J'annonce quarante. Il en a trente.

– Ce doit être la taryak, dit-il en matière d'explication.

Sont-ils nombreux, les amateurs d'opium ? A Téhéran, du temps du shah, un certain snobisme dans les milieux bourgeois consistait à fumer quelques pipes pour étonner la galerie. Aujourd'hui, c'est le populo qui fume. Le poète Shahryar, dont j'ai visité le mausolée à Tabriz, était un opiomane célèbre. Et lorsque révolution et répression l'ont privé de sa drogue, quelqu'un m'a assuré que les mollahs se sont discrètement arrangés pour qu'il puisse s'en procurer jusqu'à sa mort, il y a trois ans. L'alcool prohibé ? Soixante-dix pour cent des Iraniens, m'a-t-on dit, ont bu de l'alcool au moins une fois, mais ils ne l'avoueront jamais. Cent fois on m'a demandé avec gourmandise si mes gourdes contenaient de l'eau ou du whisky. Certains, incrédules, ont même voulu y goûter. La prohibition de l'alcool encourage-t-elle la consommation d'opium, qui ne fait pas l'objet d'un interdit religieux ? Certes, les punitions qui visent les drogués sont terribles. Mais un réseau de distribution existe, à l'évidence. L'Iran pourrait bien être amené à l'amer constat que, comme la prohibition l'a prouvé aux États-Unis, le régime sec n'empêche pas les gens de boire, mais qu'il suscite en outre la création de mafias plus difficiles à éradiquer que l'alcoolisme [1].

---

1. Dans *Mosharekat*, journal réformateur, en février 2000, Abdolreza Khazayee écrivait : « On compte dans le pays 3,2 millions de drogués et huit cent mille consommateurs occasionnels. Plus de soixante-quatre pour cent des consommateurs ont moins de trente-cinq ans… soixante pour cent de la population pénale est condamnée pour des affaires de stupé-fiants. L'Iran consomme deux mille tonnes de drogues par an, produites par l'Afghanistan. » In *Courrier international*, n° 3183, février 2000.

11 juillet. Davarzan. Kilomètre 1316.
Ali, l'un des trois frères, ressemble étonnamment à Francis Blanche. Du comédien il a la petite taille, l'embonpoint, la moustache, les lunettes rondes et le sourire malicieux. Il m'invite à visiter, dans la ville voisine de Mazinon, un des deux caravansérails. Le sassanide est en piètre état, mais l'abbasside est bien conservé et en cours de réhabilitation par le conseil municipal. Un ghanat, creusé voici plus de deux siècles, va chercher une eau très pure au pied des montagnes, à dix-huit kilomètres de là. Le maire de la commune me traite en hôte de marque. Plusieurs notables viennent nous retrouver et, au bord du bassin, on tire un tapis rouge et on asperge de l'eau pour donner quelque fraîcheur. Puis on déguste un melon en buvant du thé.

Le soir, les trois frères vont d'une table à l'autre et racontent à leurs clients l'odyssée du *Faransé* (Français). Ils en rajoutent, galèjent. Je les entends m'expédier en Afghanistan, au Pakistan, alors que je leur ai pourtant bien dit que j'arrête à Samarcande cette année. Les gens m'observent comme si, tombé du ciel, j'allais d'une seconde à l'autre m'envoler pour y retourner. Je mange, le nez dans mon assiette, riant sous cape. Je dors dans la meçit, et il n'est évidemment pas question que je règle les deux repas que j'ai pris pas plus que le petit déjeuner du lendemain matin. Tous les trois m'accompagnent jusqu'au parking, essoufflés à cause de leurs grosses bedaines, et ils restent là suants d'amitié, à me faire des signes jusqu'à ce que j'aie disparu.

Thomas, Torsten et Frank, trois cyclistes allemands qui viennent de Xi'an, en Chine, se rendent à Cologne sur le Rhin. Ils ont prévu de faire le parcours de la Route de la Soie en quatre mois, soit une moyenne de cent kilomètres par jour. Ils me promettent de m'envoyer les cartes qu'ils ont utilisées pour passer le Pamir, entre le Kirghistan et la Chine, par le col de Torugart. C'est le chemin que je me propose de suivre l'an prochain. Nous nous quittons en échangeant nos *login* pour correspondre par e-mail.

Je quitte Mehr dans la nuit qui s'achève, délogeant un petit renard qui me file entre les jambes et disparaît dans le sable. Un vent léger s'est levé, soulevant de nombreuses colonnes de sable et d'une poussière couleur bise. J'en compte jusqu'à huit simultanément. Avec le keffieh qui heureusement me protège, je dois être la réplique vivante de *Tintin au pays de l'or noir*…

J'ai prévu de m'arrêter à Rivand, un « village » de trois maisons, mais le gargotier est si antipathique que je décide de pousser jusqu'à Emir, qui n'est qu'à quinze kilomètres. J'y arrive à 13 heures. Là, pas la moindre auberge, et les trois quidams que je croise n'ont que faire de mes questions. Ne me reste donc plus qu'à aller à Sabzevar. Encore une journée de folie puisque j'aurai parcouru cinquante kilomètres ! Mais je dois confesser que mon énergie me vient d'un rêve qui me porte : prendre une douche…

J'y arrive vers 17 heures. Hélas le meilleur hôtel, là où j'avais dîné avec Mehdi et Monir, est complet. J'apprendrai le lendemain, par une femme qui parle un excellent français, que c'est à cause des examens d'entrée à l'université. La faculté de Sabzevar est celle d'Iran qui a la plus mauvaise réputation. Je m'étonne en conséquence que tant de familles soient venues présenter leurs rejetons au concours d'entrée. La raison en est simple : comme le niveau de la faculté est médiocre, le niveau du concours est bas. Une fois obtenue l'autorisation d'étudier à la faculté de Sabzevar… l'étudiant se fait muter, grâce aux relations de ses parents, à Téhéran ou ailleurs où le niveau du concours est très difficile. Et le tour est joué.

Le gérant m'inscrit sur un papier, en caractères fârsi, le nom et l'adresse d'un hôtel dont il me dit qu'il est de qualité et je repars, traînant EVNI sur les trottoirs.

Un inconnu qui m'a emboîté le pas me lance sans grande aménité :

– Suivez-moi.

C'est un homme jeune au visage lisse et frais, un peu poupin. Je ne saisis pas tout de suite ce que signifie ce « Suivez-moi ». Il est arrivé si souvent que des Iraniens s'offrent à m'aider que je ne prends pas cette proposition pour une injonction. Je lui présente donc le petit papier que j'ai à la main. Mais il précise :

– Suivez-moi, je suis de la police.

La police en civil, depuis mon flic-voleur de Téhéran, j'ai quelques raisons de m'en méfier. Et c'est sur un ton ferme, voire revanchard, que j'engage la conversation.

– Police ? Vous êtes de la police ? Mais vous n'avez pas d'uniforme.

– Non, mais j'en fais partie et je vous demande de…

– Vous avez peut-être une carte ?

Il comprend que je tente d'inverser les rôles et essaie alors l'intimidation. Il plisse un peu son visage de gros bébé et, sur un ton qu'il veut sans réplique répète, obtus et dans l'espoir de faire taire mes doutes et d'asseoir sa position :

– Je suis de la police, vous devez me suivre.

– Non, vous me dites que vous êtes de la police mais vous ne me le prouvez pas. Je réclame ou bien un uniforme ou bien une carte. Au revoir. Si vous voulez me trouver, je suis à cet hôtel.

Il me désigne un bâtiment qu'on aperçoit à travers les arbres.

– C'est le siège de la police.

Pour un peu il ajouterait gentiment : « Venez y boire un verre. » Mais je ne l'entends pas ainsi. J'empoigne EVNI et nous voilà partis. L'homme se baisse pour être aperçu sous les frondaisons du commissariat auquel il lance de grands gestes, puis il sprinte pour me rattraper et m'agrippe le bras. Je me dégage violemment, sachant pourtant, depuis qu'il a fait signe à ses copains qu'il est un vrai flic et que j'aggrave mon cas. Il me barre le chemin et j'aperçois un soldat armé qui arrive en courant. Bon, inutile de jouer les héros. Je pars au commissariat, encadré par les deux argousins. Ils me prient de laisser EVNI, sous la garde du flic-uniforme et nous grimpons deux étages. Le jeune poulet est très poli, presque déférent, et il s'excuse, mais les ordres... Nous entrons dans un bureau où discutent deux autres policiers, en civil eux aussi. Le jeune poupon s'adresse à l'un d'eux qui vient vers moi, main tendue, et me propose du thé. J'évite de lui serrer la main en fouillant dans ma poche à la recherche de mon passeport.

– Que me voulez-vous ?

– Juste vérifier ceci. Vous êtes sûr que vous ne voulez pas de thé ?

Il s'installe avec son collègue sous la lampe du bureau et feuillette le document. « Votre visa n'est plus valable », dit-il. Je rigole, prends mon passeport, lui souligne du doigt la date d'entrée sur le territoire, 14 mai, la durée de validité, trois mois, et en conclus que mon visa est valable jusqu'au 13 août, or nous sommes le 13 juillet. Il est vrai que les choses ne sont pas simples, certaines dates se réfèrent au calendrier chrétien, d'autres au calendrier musulman. Il a un peu mélangé les deux. Il refait ses comptes et tombe d'accord avec moi. Il intime l'ordre à son subordonné de m'aider à trouver un hôtel, après quoi, m'ayant souhaité un bon séjour à Sabzevar, il me signifie mon congé. Le flic poupin est encore plus gentil. Je suis un peu goguenard et je le laisse se débrouiller pour installer EVNI dans son coffre. Je ne suis pas le seul à rigoler, ses collègues le charrient. Ils doivent lui demander s'il est déménageur. Pendant le trajet, je veux savoir qui il est, qui sont ces hommes qui m'ont reçu. Police ou pas police ? J'entreprends l'interrogatoire en règle du bébé-flic.

– Quel genre de policier êtes-vous ? Vous n'avez pas d'uniforme, vous n'avez pas de carte et pourtant vous travaillez dans le cadre du commissariat.

Il n'aime visiblement ni mon ton ni ma conversation, mais il répond :

– Je suis de la police... de l'information.

Je remue à loisir le couteau dans la plaie.

– Police d'information ? Ça veut dire quoi ? De quelle information ? Police de la presse ?

J'imagine qu'il s'agit de l'équivalent en France des renseignements généraux, ces policiers qui collectent des données pour informer les pouvoirs publics. Mais chez nous ces gens-là n'arrêtent pas les passants. Je le lui balance en ricanant. Il essaie de formuler une ou deux phrases en anglais, n'y parvient pas puis se jette à l'eau :

– Je vais vous dire, monsieur, et vous allez comprendre : « Savak ».

Ça ne plaisante plus. Ainsi les mollahs ont récupéré à leur profit la police qui, sous le règne du shah, avait la plus sinistre des réputations ! Tous les régimes « forts » décidément se ressemblent. Libérés de la tyrannie du tsar et de sa police politique, les communistes qui en avaient été les victimes ont récupéré le bourreau en l'appelant NKVD, puis KGB. Les noms changent, pas les méthodes. Les mollahs ont supprimé le nom de la Savak, pas sa structure.

Une femme, à Qazvin, m'a raconté que, voici seulement cinq ans, alors que Khatami n'était pas encore président, la terreur régnait. Son mari, un jour, va acheter des billets de train pour rendre visite à leurs enfants. Au soir, il ne rentre pas

et toute la nuit, dans l'angoisse, elle l'attend. Le lendemain
matin, à la première heure, elle se rend au commissariat du
quartier. On ne sait rien. Comme elle a des relations, elle fait
intervenir des amis dans un ministère. On lui dit qu'il a été
arrêté par la « police spéciale », celle qui cherche des opposants partout, sans cesse. Enfin elle apprend une nouvelle dra-
matique : il est à la prison de X, dans une cellule d'où les gens
ne sortent pas vivants. Son crime ? Il a été pris dans une rafle.

Grâce à ses relations, elle obtient quelques informations.
Sur son mari, on a trouvé des dollars et des livres sterling. Ce
qui a été clairement traduit par : c'est un espion. « Mais,
s'écrie-t-elle, c'est normal, il travaille dans une affaire
d'import-export et revient d'un déplacement professionnel
en Europe. » Rien à faire. Il est dans la cellule de la mort. Il
n'a, a priori, aucune chance d'en sortir. Pendant un mois, elle
remue ciel et terre, frappe aux portes, patiente des heures
dans les antichambres ministérielles, bat le rappel de tous
ceux – et ils sont nombreux – à qui son mari a rendu des services. Elle réunit quantité de témoignages prouvant que son
mari ne s'intéresse pas du tout à la politique. Rien n'y fait
durant quatre semaines. Et puis un jour elle apprend qu'on
l'a transféré dans une autre prison. Il est sorti de la cellule
fatale. Quelques jours plus tard, on le relâche. On ne s'est
même pas donné la peine d'un simulacre de procès. La police
de l'information *sait*, forcément, qui sont les ennemis du
régime. Et si elle commet des erreurs, qui pourrait s'en
plaindre ? Surtout pas les politiques. Tant que cette police
veille, personne ne réclamera de comptes. Depuis l'élection
de Khatami au suffrage universel, les choses ont changé. La
dernière élection législative a fait lever l'espoir.

Mais il existe une autre menace, plus souterraine celle-ci,
plus redoutable encore : celle que font régner quelques mollahs qui, eux, n'appartiennent à aucune structure étatique.
Leur technique est proche de celle du « Vieux de la montagne » qui fit régner la terreur pendant deux siècles : elle
consiste à utiliser des êtres formés à obéir, les yeux fermés, à

tout ce que l'homme de Dieu pourra exiger d'eux. On m'a assuré que plusieurs des meurtres perpétrés récemment contre des artistes ou des hommes de presse étaient le fait de ces mollahs sans scrupule, manipulateurs d'âmes faibles dont ils n'hésitent pas à armer le bras. Bien entendu, ces crimes demeurent totalement impunis sur terre, puisque le problème sera résolu par Allah lui-même.

Mon flic-guide m'a amené jusqu'à l'hôtel recommandé. Complet lui aussi. Nous nous rendons à une troisième adresse. Il va aux nouvelles et revient : « Non, vous ne pouvez aller là, c'est trop sale », dit-il. Mais en bon petit soldat, il téléphone à sa hiérarchie : « Seul cet hôtel a des chambres libres. Je vais donc vous laisser. » La hiérarchie a dû trouver qu'il avait perdu assez de temps avec cet étranger.

Sale n'est pas le mot adéquat. L'hôtel est crasseux, immonde, insalubre, sordide… Chaque qualificatif qui me vient à l'esprit ne réussit pas à transcrire la pouillerie du lieu. Les chambres, une dizaine, réparties de part et d'autre d'un couloir sinistre au plancher disjoint, disposent en tout et pour tout comme « salle de bains » d'un robinet d'eau qui fuit sous lequel un seau récolte les immondices des clients : déchets de cuisine, boîtes de conserve, couches de bébé et papiers sales. Comme il déborde, les clients jettent leurs déchets à côté.

La seule chambre libre est celle qui jouxte ce dépotoir. Le gérant qui m'a guidé jusque-là pousse la porte – dépourvue de poignée et de serrure, elle se ferme par un crochet… mais seulement de l'extérieur. L'un des deux lits, me dit l'homme, est déjà loué, il ignore lequel. Il règne là une odeur indéfinissable de mille pourritures. Les draps sont froissés, plus que douteux, évidemment. Comme je m'étonne qu'on ne puisse bloquer la porte que de l'extérieur, « Toutes les chambres sont comme ça », commente-t-il sobrement. Je découvrirai plus tard que les cabinets aussi. Mieux vaut coucher dehors, et j'empoigne mon sac pour partir. Mais le gérant qui vient de me faire payer deux jours de loyer d'avance à un tarif décuplé, me prie d'attendre un instant, il va arranger cela. Pour patienter, j'ouvre la fenêtre qui donne sur la rue et pour la première fois depuis longtemps sans doute, un peu d'air nouveau entre dans ce galetas. Le patron revient avec un cadenas et une clé. Il fixe deux œillets sur le chambranle et la porte : je pourrai fermer lorsque je m'en vais, mais je ne serai pas protégé quand je dormirai.

Je préfère oublier la nuit passée à écouter ronfler mon voisin – un étudiant peu sympathique que ma présence, pourtant discrète, semble exaspérer –, mon petit déjeuner – un bouillon dans lequel ont cuit et continuent de se désagréger des têtes de bœuf – chez un gargotier catholique fier d'afficher sur ses murs des vierges à l'enfant, christs en croix et autres chromos faisant bon ménage avec un portrait grandeur nature de l'imam Khomeini... Je préfère, oui, ranger dans un fond de tiroir ces souvenirs nauséeux, ces heures d'une géhenne éprouvante... pour mieux savourer le bonheur qui me fut réservé dans la matinée : une chambre s'est – troisième miracle – libérée dans l' « hôtel de luxe pour étrangers », et personne ne saura jamais avec quel ravissement je me coule sous une douche chaude où je reste jusqu'à ce que ma peau, récurée jusqu'à l'os, ne soit plus qu'une infinité de petits plis...

Il n'y a rien à visiter à Sabzevar. La ville, gracieusement rasée par Gengis Khan comme beaucoup dans la région, est sans le moindre intérêt. C'est pourtant ici qu'était le plus grand caravansérail de toute la Perse. Mille sept cents chambres ! Alors que celui de Qazvin que j'ai trouvé immense n'en comptait que deux cent cinquante !

Akbar, vieux mécanicien à la barbe blanche, abandonne la voiture d'enfant qu'il bricolait pour se pencher sur la roue d'EVNI qu'il remet à neuf en un tournemain. Je veux lui donner plus que les mille rials qu'il me réclame, mais il n'en est pas question, le prix c'est le prix.

Depuis près de deux semaines j'ai accumulé dans mon sac les notes que je rédige chaque soir après l'étape. A la poste, trois employés perplexes tâtent parmi les enveloppes de courrier celles dans lesquelles j'ai glissé des pellicules de photos. Est-ce de « l'information »? A Téhéran, la censure ne laissera pas passer. Le régime n'achemine pas de films sans savoir ce qu'ils recèlent. Des photos, à la rigueur, pas des pellicules. On va les leur renvoyer ici et ils ne sauront qu'en faire. Je décide donc de les garder. Je règle les timbres et bois un thé que les postiers m'offrent. Et puis, en sortant, je croise un quidam dont le regard qu'il me jette attire mon attention. J'ai déjà vu cet homme, mais où? Ce n'est pas à l'hôtel pouilleux d'hier, ni à celui où je suis depuis ce matin. Ce ne peut être qu'au commissariat. Je reviens à la poste en trombe, grimpe à l'étage où j'ai déposé mon courrier. L'homme est là, il me tourne le dos. Sur le comptoir, mes quinze enveloppes ont été ressorties des bacs où j'avais vu les postiers les jeter après les avoir compostées. Prestement je les ramasse.

– Je les posterai demain, j'ai oublié quelque chose…

– Mais elles sont compostées, s'étonne un des trois employés… Vous avez payé… c'est prêt à partir…

A partir où? J'ai ma petite idée. Le quidam n'a pas bronché. Je salue joyeusement la compagnie et je plante tout le monde là. Deviendrais-je paranoïaque depuis l'incident avec le bébé-flic? Possible, mais je ne veux et ne peux prendre aucun risque : étourdiment, j'ai noté ce que j'ai vu sans trop de précautions, et l'on pourrait sans recherches excessives mettre la main sur quelques rebelles qui tâtent de la drogue, ont partagé avec moi un verre d'alcool, ou ne se sont pas privés de critiquer le régime. Après tout, ces enveloppes ne sont pas bien lourdes et je peux attendre d'avoir gommé tout détail compromettant pour les expédier.

Ce que je ferai effectivement le 18 juillet, pour les recevoir à Paris… le 2 décembre. Elles ont été décollées à la vapeur, et l'humidité a détrempé l'encre. Le censeur, cela dit, a été consciencieux : craignant sans doute que les enveloppes une fois violées ne s'ouvrent à tout vent, il a généreusement abusé de la colle qui littéralement emplâtre les versos…

Je m'offre une journée de repos. Il me reste une semaine avant d'atteindre Mash'had et je suis en avance sur mon plan de marche. Ces derniers quinze jours, j'ai brûlé plusieurs étapes. Le gérant de l'hôtel me propose, pour le même prix, une suite luxueuse de trois pièces, donnant sur un jardin. Mais un déménagement par jour me suffit, et je suis si peu dans la chambre…

J'appelle Paris et trouve un ordinateur pour consulter ma boîte à lettres électronique. La société d'informatique qui m'accueille existe depuis peu. C'est un médecin passionné par la communication qui l'a créée. Mais les liaisons téléphoniques sont si difficiles qu'au bout de deux heures je n'ai réussi à lire que deux messages et à ne répondre qu'à un.

De retour à l'hôtel, je préviens le gérant que je partirai demain matin à 5 heures et que j'aimerais prendre un petit déjeuner. Est-ce possible ? Oui, bien sûr. Les Iraniens ne disent jamais non. Mais auparavant il me demande de lui confier mon passeport et de payer un supplément.

– Quel supplément ? Vous m'avez demandé hier matin de payer deux nuits, soit un demi-million de rials (cinq cents francs) alors que pour les Iraniens le prix est de vingt-cinq mille ! De plus vous m'avez assuré que tout était compris. Quel est ce « supplément » ? Je n'ai pas utilisé le téléphone ni pris de repas ici. Quant au passeport, vous me l'avez demandé hier et la police a eu tout le loisir de l'examiner.

Il insiste, avec véhémence pour le passeport, mollement pour l'argent, se contentant de m'écrire le montant – cent cinquante mille rials – en chiffres arabes. Comme je campe sur mes positions, il abandonne la partie et disparaît. Un client, qui habite Mash'had, vient me proposer de m'héberger quand j'arriverai dans sa ville. Pendant que nous discutons, le gérant réapparaît et me réitère ses demandes.

– Pas d'argent, tant que vous ne justifiez pas pourquoi je vous en dois. Pas de passeport, tant qu'un policier *en uniforme* – j'insiste – ne me le réclame pas.

Le ton monte. Sortant comme une apparition de la salle à

manger toute proche, une jeune et belle fille qui a dû
entendre l'altercation vient me proposer ses services. Elle
parle un excellent anglais et un peu le français, elle sera donc
une parfaite interprète. Cela donne :

– Mais c'est la police, pas moi, qui réclame votre passeport…

– Alors, laissez la police venir me le demander et ne vous
occupez plus de cela.

– Mais votre visa n'est pas valable.

Argument massue. Des gens du restaurant s'approchent. Il
y a maintenant une douzaine de personnes qui m'entourent.
Je commence à m'énerver.

– Où est la police dont vous me parlez ? Elle peut venir ici,
non ?

– Elle est là.

Et le gérant de me désigner un type en civil qui se planque
derrière les curieux et qui m'est décidément connu. C'est
l'homme de la poste.

– C'est vous, la police ? – il rit gauchement, comprend mon
incrédulité mais ne dit rien : Alors on échange. Vous me mon-
trez votre carte de police et je vous montre mon passeport.

Il fait non de la tête, tout en dévoilant, dans un rire forcé,
ses chicots. Le gérant vient à son secours :

– C'est bien un policier, vous pouvez le croire, je le connais.

– Et moi, je suis Gengis Khan.

Tout le monde rit sauf les deux compères. Mais le policier
fait un signe d'assentiment au gérant qui revient à la charge :

– Si vous donnez votre passeport, on vous le rend dans une
heure.

– Vous ne l'aurez pas, même si vous promettez de me le
rendre dans la minute.

La jeune interprète peine à traduire tant les échanges sont
vifs. Mais cela l'excite. A l'évidence, elle a pris fait et cause
pour moi, ainsi que les badauds amassés dont le nombre
enfle, mais qui gardent un silence prudent tout en multi-
pliant des sourires d'encouragement dans ma direction.

– Alors venez au commissariat.

C'est sa dernière cartouche, mais elle est bonne, je ne peux pas refuser. Le gérant, l'interprète, la foule et moi formons cortège. A cette heure, les bureaux sont fermés mais, entassés dans un petit local fortement éclairé, quelques pandores de service attendent que passent les heures. Le flic de l'hôtel est déjà là dans un coin du bureau, discret et silencieux. Les autres sont refoulés par un agent qui va s'encadrer sur le seuil, empêchant tout passage. Par le truchement de la jeune fille, je m'enquiers auprès des hommes en uniforme s'il est vrai qu'ils demandent à voir mon passeport. Celui qui a l'air d'être le chef tombe des nues. Puisque je suis là, je décide de lui mettre le document sous le nez afin qu'il vérifie publiquement la validité de mon visa. Force lui est de constater qu'en effet tout est en règle.

Il me somme alors de quitter les lieux, ce que je fais bien volontiers. En bas des marches, des mains se tendent et des applaudissements saluent ma belle résistance à la police. Ils viennent, servis par mon obstination de tête de mule, de remporter une victoire par délégation. Et comme je connais la mesquinerie humaine et ses petites vengeances, je ne suis pas surpris, le lendemain matin, que le concierge – visiblement sermonné par le gérant – me dise qu'il n'est pas habilité à entrer en cuisine. Je pars donc le ventre vide. Mais la tête haute…

J'ai bien étudié les cartes durant ces deux jours et décidé de prendre le chemin des écoliers. J'ai maintenant tout mon temps avant d'arriver à la frontière, et j'entends aborder le Turkménistan et son terrible désert du Karakoum de pied ferme. Je me suis donc reprogrammé des étapes courtes, et je prévois un détour qui va me faire perdre un jour sur le trajet initial. C'est donc l'âme sereine que j'attaque la pente qui mène au petit village de Bakhjar, à dix-huit kilomètres de Sabzevar. Un tout petit trajet, mais une grande montée. EVNI, que j'ai pris l'habitude de tirer sur le plat depuis quinze jours, devient pesant. Le paysage est prodigieux. De grandes vallées roussies, brûlées de soleil, entre lesquelles la route zigzague. Très peu de circulation et pour la première fois depuis longtemps je redécouvre les bonheurs de la randonnée paisible, la communion avec cette nature si belle et si cruelle. Un filet d'eau suffit pour que quelques arbres jaillissent du sol calciné. Comment s'étonner, devant de semblables merveilles, que les Arabes aient choisi le vert comme symbole de l'Islam ?

En me tournant vers le sud, je vois à l'infini le terrible Dasht e Kavir. Une colonne de sable soulevée par le vent se forme et fonce vers le désert. Haute comme une dizaine d'étages, elle passe au-dessus d'un minuscule village qu'elle engloutit sous son voile gris quelques instants avant de poursuivre sa course folle vers l'horizon.

L'arrivée à Bakhjar est un enchantement. Après cinq heures de montée et de sueur, je vois le village surgir à un virage, soigneusement étagé à flanc de montagne. La route surplombe les petites maisons de briques à toit plat agrippées au versant. Autour, des centaines de jardinets abritent dans leurs murs de pisé vignes, abricotiers, mûriers et grenadiers. Au ras du sol les cultures sont éclairées par la couleur violente des poivrons et partout éclatent des roses trémières qui poussent à l'état sauvage. Deux enfants, abrités sous un arbre au bord de la route, mangent une grosse grappe de raisin qu'un des deux tient devant son visage, comme une offrande. Brûlé par tant de soleils, je me sens comme rafraîchi par ces visions et je m'assieds moi aussi sous un arbre pour m'en gorger. Quelle bonne idée que ce détour. Dans ma tête défilent tous les villages que j'ai traversés et Bakhjar m'apparaît comme le plus beau, le plus heureux, le plus coquet dans sa robe de montagnes. Une source jaillit non loin de là, qui alimente les vergers. Un autobus s'est arrêté et quelques personnes s'y entassent. Le chauffeur et un paysan s'occupent à hisser un agneau sur le toit et le car repart, laissant la bête perchée là-haut terrorisée, arc-boutée sur ses pattes fragiles. Je bavarde avec un couple qui arrête sa voiture sous les arbres pour mettre de l'eau dans le radiateur en fusion. Ils me disent qu'au haut de la pente, près du col, il y a un petit village, Alyak, qui ne figure pas sur ma carte.

L'envie d'y aller me prend. J'essaie de me raisonner. Pourquoi une fois de plus les jambes me démangent-elles ? Il ferait bon s'arrêter dans ce hameau de Bakhjar, profiter de sa paix, muser entre ses jardins, voir le soleil se lever demain matin sur le désert. Mais Alyak est peut-être aussi joli, peut-être même plus joli. Et surtout je serai plus haut, plus loin. Le démon de la route, encore et toujours, plutôt que de jouir de cette paix, de ce tranquille isolement, de cette verdure chaleureuse que j'ai sous la main. Je ne balance pas longtemps. Quelques pintes de sueur plus loin, Alyak me montre ses quatre maisons tristes coincées près du col sur un terrain plat, sans arbres. L'image paradisiaque de Bakhjar s'efface. Tant pis pour moi. Ne reste plus qu'à assumer et, bien sûr, à aller plus loin. Le Malin me chuchote à l'oreille : « C'est tout près. Juste quelques heures de marche, tout en descente. Tu n'as qu'à te laisser glisser… » Jusqu'à Sultanabad, où je devais m'arrêter demain soir. Un peu après 13 heures, je me restaure d'une boîte de conserve, à l'orée d'une vigne, à l'abri d'un toit de feuillages qui doit dater des dernières vendanges. Puis je dors du sommeil du juste. La route file gentiment en prenant son temps jusqu'à une immense cuvette cernée par des montagnes pointues comme des crocs. Les pentes ne sont que vignes en jachère – cadeau des mollahs. On a négligé de remplacer les ceps morts et les vignobles sont mités. On ne taille même plus les sarments, et cet abandon me semble un crime.

Sultanabad gît au fond de la vallée, rattaché au nord et à l'est par deux routes qui tracent une ligne droite et noire dans la terre ocre. Je m'assieds au bord de la route, je ne suis pas pressé. La nuit ne tombe que dans deux heures et je suis à une heure de marche du village. Je reste là un moment à rêver, saisi d'une torpeur qui m'est inhabituelle. Cette impression si souvent ressentie d'être un moucheron dans

l'univers, une poussière du cosmos, m'envahit et, littéralement, m'anéantit. Pourquoi suis-je là et surtout qu'est-ce que
je fais là, en ce 16 juillet 2000, assis guenilleux et solitaire sous
le ciel d'Iran ?

Je suis tiré de ma mélancolie ontologique par une Jeep qui
grimpe la pente et freine sec à ma vue. Zeynal Abedine
Nominé s'éjecte de sa bagnole et vient vers moi, la main tendue. C'est un grand bonhomme au poil résolument bicolore :
moustache noire et barbe blanche. Entre les deux, il y a sa
bouche qui parle et qui rit, d'un grand rire libéré qui
découvre une mâchoire où quelques dents font défaut. Cet
homme projette de la sympathie comme s'il en débordait.
M'ayant salué, et avant de me poser les questions rituelles, il
retourne à sa voiture et prélève, sur des pains de glace, trois
grosses grappes de raisin qu'il me ramène. Aïe, aïe, ma tourista…

Il va porter cette glace à Sabzevar.

– Veux-tu que je t'emmène ?

– Sabzevar ? J'en viens !

– Sultanabad, c'est mon village. Je peux t'y mener.

Il lui faut au moins une heure pour aller et revenir de
Sabzevar. A ce moment-là, j'aurai déjà rallié le village. Je me
garde donc de lui opposer un refus et je joue les fines
mouches.

– Non, quand tu reviendras de Sabzevar, je monterai avec
plaisir dans ta voiture…

Il rit de son grand rire à trous, va à sa Jeep dont il ouvre les
portes arrière, empoigne EVNI comme il le ferait d'une
plume, le pose sur la glace puis m'ouvre la portière :

– Eh bien on part, j'irai à Sabzevar plus tard.

Et à ma grande surprise, je m'entends lui répondre :

– Balé.

Ainsi, je suis monté dans une voiture de mon plein gré ! Et
je n'ai pas du tout l'intention, comme je l'ai fait si souvent, de
retourner en haut du village demain matin pour, coûte que
coûte, ne pas me laisser voler un kilomètre. Cela me fera bien

rire par la suite. Car aux gens qui viennent en permanence me demander, soupçonneux : « ... Et vous n'êtes jamais monté en voiture ? », désormais je pourrai répondre : « Si, j'ai fait six kilomètres dans la Jeep de Zeynal Abedine Nominé, entrepreneur de bâtiment à Sultanabad. »

Mon déjeuner est déjà loin et j'engloutis un sandwich dans la boutique de Mohammad Ali Fokaloï, un jeune homme soigné, à la chevelure taillée au millimètre. Sa chemise blanche trop grande fait ressortir son teint de cuivre, et ses yeux légèrement bridés témoignent que les Mongols, ici, ont laissé des souvenirs. Il est très impressionné d'avoir en face de lui un étranger qui vient de si loin à pied. Il court chercher son ami Dadiar qui, avec un mauvais anglais, traduit les questions les plus saugrenues qui leur passent par la tête. La nuit tombe. Il faut que je trouve un gîte. Devant plusieurs refus qui me sont signifiés, mon ami me conduit alors à la mosquée qu'il fait ouvrir par le voisin, un petit vieux grincheux. Je m'y endors tout de suite, sur de moelleux tapis. Lorsque je me réveille, je trouve un plateau avec une théière, un verre et du sucre, que Mohammad Ali a dû déposer pendant mon sommeil. D'autres dormeurs se sont installés là et deux vieillards font du thé sur un réchaud tout en grignotant des fruits secs. Ma culture de catholique s'étonne une nouvelle fois de cette convivialité des mosquées, comparée à la froideur hautaine de nos églises qui ne vivent que lors des offices. Trois jeunes adolescentes en tchador viennent me faire signer leur « livre d'or », un cahier neuf qu'elles ont acheté pour la circonstance. Elles acceptent de se faire photographier et dégagent le tchador pour montrer leurs cheveux, comme les filles délurées de Téhéran. Les vieillards eux aussi me « visitent ». Profession ? Instituteur à la retraite. Katolik ? Balé.

Je quitte la mosquée pour un deuxième sandwich chez Mohammad Ali au sourire doux et aux yeux d'ange. Il me faut négocier dix minutes pour qu'il accepte que je le paie. De retour à mon sanctuaire j'assiste à l'office du soir, le dernier des cinq de la journée. Les paumes tournées vers le ciel,

concentrés, plongés dans l'extase de la prière, les fidèles
semblent porter ou recevoir une offrande. Les femmes sont
là-bas, à l'autre bout de la grande salle, derrière un rideau.
Une fois l'office terminé, elles l'écartent et regardent de loin
l'étranger. En partant, tous ces hommes me saluent et me
souhaitent bonne nuit. Celui qui semble le chef, un enturbanné qui ne porte pas la robe des mollahs, me conseille de
m'enfermer, par sécurité.

Je dors profondément lorsque des cris et des coups sur la
porte me réveillent. Il y a là une flopée de jeunes excités qui
entrent dès que j'ai tiré le verrou.

– Je m'appelle Ali, je t'emmène dormir chez moi dit un
grand escogriffe.

– Mais je suis très bien ici…

– Non tu viens avec moi, et il se saisit d'EVNI avant que
j'aie pu intervenir.

Un autre plie ma couverture et fait de même. Je comprends
alors que mon confort n'est pour rien dans l'affaire. Quelques
intégristes ont trouvé insupportable qu'un katolik dorme
dans la mosquée et ils m'en expulsent gentiment mais ferme-
ment. Abruti de sommeil, je suis traîné chez Ali.

Ali est de ces êtres bienheureux qui vivent de certitudes, sûr
de lui, arrogant. Il se présente comme professeur de manage-
ment et son ami Barat, un boiteux à l'air grincheux, enseigne
la géographie. Ils ne parlent que leur langue, mais Ali
m'annonce qu'on est parti réveiller quelqu'un. Il s'agit de
Moussa, professeur d'anglais. S'engage alors entre nous un
échange de sourds, notre « traducteur » n'y étant pas pour
rien puisqu'il parle l'anglais comme moi le fârsi. J'ai beau
répéter : « Pourquoi m'a-t-on sorti de la mosquée ? », je
n'obtiens aucune réponse. Tantôt on se plonge dans la
contemplation de ses pieds, tantôt on me réplique par une
autre question, par exemple : « Qu'est-ce que je veux manger ? » Je finis par comprendre que le « responsable avait
peur… ». Mais je ne saurai jamais ce qui effrayait cet homme,
car ils deviennent muets. Bien que je m'obstine à dire que je

n'ai pas faim, juste sommeil, Ali va chercher à la cuisine un repas qu'a préparé son invisible épouse.

La conversation roule alors sur la guerre Iran-Irak. Extrêmement présente dans les échanges, elle l'est en particulier chez ces jeunes qui l'ont faite quelques mois, à la fin. La guerre de 14-18 a pareillement décimé la vie de nos campagnes. Dans les rues du village, j'ai vu seize portraits géants de *chahid* (martyrs) âgés de moins de vingt ans qui ont donné leur vie durant cet horrible conflit. Le premier tué du village fut le frère de Moussa, alors âgé de seize ans.

Je suis l'objet d'une série de questions qui sont autant de phrases de propagande et qui m'étonnent de la part de gens que je présume cultivés et qui devraient avoir quelque recul. Les trois hommes ont souffert de la guerre, ont connu la peur, et ils se raccrochent à la religion et, dans la foulée, s'en remettent à la politique des mollahs. « Pourquoi persécutez-vous Roger Garaudy ? » « Pourquoi aidez-vous Israël ? » J'essaie de répondre mais je me rends compte que si Moussa traduit les questions d'Ali, il ne le fait pas de mes réponses. Ali poursuit : « Nous vous aimons bien, vous les Français, car vous avez accueilli Khomeini, mais ce sont vos avions qui nous bombardaient pendant la guerre. » Il va chercher son album de photos où je ne vois que des jeunes fanatisés en costume kaki. Ils n'ont pas vingt ans et brandissent des mitraillettes comme des enfants au plus fort de leur jeu, à la fois terrifiants et joyeux. Barat boite-t-il à la suite d'une blessure de guerre ? Non, c'est un accident de moto. Heureusement pour moi, ce n'était pas une moto française… Comme leur agressivité me fatigue, je fais remarquer qu'il est tard et qu'il me faut dormir.

La route est belle après Sultanabad. J'ai marché une heure lorsque je passe un petit col derrière lequel je découvre une vaste plaine irriguée. A perte de vue se découpent de grands carrés de blé ou de maïs, ponctués çà et là par des rideaux de

peupliers. Je suis passé d'un coup du désert au bocage. Voilà
des semaines que je n'avais pas vu autant d'arbres. Au nord
se dresse la montagne de Kouh e Binaloud. C'est là que se
trouvent les mines de turquoise de Nichapour.

Dans deux jours j'y serai, si tout va bien.

XI

LES PÈLERINS

18 juillet. Hemmet Abad. Kilomètre 1477.
Moment béni, en Iran, vers 18 heures, lorsque l'étreinte
brutale et brûlante du soleil devient caresse et que les vieux
se rassemblent devant une porte, sous la treille. C'est l'heure
de la parole. Elle nécessite tout un rituel. D'abord le choix de
l'endroit. Généralement, près de l'épicerie où tout le monde à
ce moment passe. Ensuite le confort. On projette de l'eau sur
le sol pour à la fois juguler la poussière de la journée et créer
une atmosphère humide et fraîche qui magnifie l'art de la
conversation. Si un silence de mort impose sa loi le jour,
lorsque les ombres s'allongent vient l'heure de la vie et de la
palabre.

Quand j'arrive à Hemmet Abad, ils sont une dizaine assis
en rond sur des caisses de plastique. Un roumi dans ce village
éloigné des grands axes est un événement qui va alimenter les
discussions de ce soir, de la semaine et sans doute du mois.
Pas question de laisser passer une telle occasion. On se précipite pour m'offrir un siège-caisse, on m'allège de mon sac, on
s'empresse d'aller me chercher une boisson fraîche. Curieuse
comme une pie, la jeunesse débarque à vélo, s'informe d'un
mot, et sprinte à l'autre bout du village pour porter la nouvelle : il y a un Anglais (pour les Iraniens, tous les étrangers
sont des *Ingilésé*) devant chez l'épicier. Nous étions dix, nous

sommes promptement cinquante. On se bouscule, on me bombarde de questions auxquelles je ne comprends goutte. Mais ils ont l'air si contents, si comblés par cette visite, que bien vite j'oublie les trente-six kilomètres que je viens de parcourir sous une chaleur d'enfer. Leur accueil bruyant me dope. J'attends le moment où on va s'enquérir : « Où vas-tu manger et dormir ? » puis celui, un quart d'heure plus tard, où le plus amène viendra me dire : « Suis-moi. »

Ce soir, c'est Abbas Ali Beyremadadi qui me reçoit dans sa demeure. Nous dînons en silence. Il ne parle pas un mot d'anglais ou de français, et j'ai craché tout le fârsi que je connais devant l'épicerie. Au matin, après le thé, je serre sa main calleuse et forte. Dans son regard et dans le mien le message se passe de traduction. « Merci, ami, d'avoir honoré ma maison de ta présence », « Merci, ami, d'avoir ouvert ta porte à l'étranger que je suis ». J'ai fait une timide tentative pour sortir des billets. Il a levé les bras au ciel : « Interdit, interdit. »

Sur la route, j'assiste au petit lever du monarque de ces lieux : le soleil, qui toute la journée régnera en maître. C'est tout d'abord une lueur jaunâtre qui irise les sommets de la montagne aux turquoises. Puis la lumière tourne à l'orange et voici qu'elle devient flamme. Les montagnes brûlent. Enfin, comme soulevé par la main d'un géant, le disque d'or surgit, éclairant le paysage d'une lueur sanglante. Pour saluer son arrivée, les ombres des peupliers hachurent la route, rangées comme à la manœuvre.

Invisibles jusque-là dans la pénombre, apparaissent les robes violemment colorées des paysannes kurdes et les chemises blanches de leurs maris qui fanent les herbes coupées la veille. Les Kurdes, ici, sont loin de leur territoire. On les y a installés au début du XIXe siècle car, bons guerriers, ils étaient seuls capables de résister aux Turcomans razzieurs. Là-bas, venant vers moi, ce nuage de poussière, c'est un grand troupeau de moutons qui trottine vers la pâture, mené par le berger qui somnole sur sa bourrique tandis qu'un minuscule ânon gambade autour de sa mère.

Vers 11 heures, je passe le mille cinq centième kilomètre. J'ai le pas et le cœur légers. Je n'aurais pas osé, voici deux mois, espérer arriver jusqu'ici. Me voici pourtant à Nichapour, où je tourne deux heures en rond sous un soleil meurtrier pour trouver un hôtel. Le patron de celui qui, exceptionnellement, a des chambres libres, m'en propose une petite et malcommode pour laquelle il me fixe un prix raisonnable. Puis il décide, pour le même tarif, de m'installer dans une chambre prévue pour trois et dotée au plafond d'un ventilateur électrique. « Je fais cela, dit-il en accrochant entre eux ses deux index, parce que tu es français et que nos deux pays sont amis. Mais si tu étais américain… » Et les deux index de se séparer.

La ville de Nichapour a quelque mérite d'exister. Au début du XIIᵉ siècle, c'est un formidable foyer économique – on y tisse la soie et le coton – et un magnifique foyer intellectuel – ses soufis et ses écoles rayonnent alors dans toute l'Asie centrale et le Moyen-Orient. Mais deux tremblements de terre la réduisent en cendres. A peine est-elle remise que les Huns en font le siège. Coupable d'avoir résisté, la ville est brûlée, on tue même les chiens et les chats qui auraient survécu et on laboure le sol avant d'y semer du seigle. En 1267, un nouveau tremblement de terre jette bas les murs qu'on avait relevés. Puis viennent les Timourides qui la rasent de nouveau. Depuis une quarantaine d'années, elle a décidé de retrouver ses lettres de noblesse. Et d'abord d'honorer SON poète comme il le mérite.

Omar Khayyam a sublimement chanté, à la fin du XIᵉ siècle, les femmes et le vin. C'est dire combien pour les mollahs l'homme est diabolique. Mais Nichapour a fait de lui l'objet d'un culte presque religieux. On vient de très loin se recueillir sur sa modeste tombe et, pour les amoureux des poètes qui veulent rester là plusieurs jours, une trentaine de grandes tentes sont installées dans le coin du parc où est le mausolée. Des haut-parleurs diffusent des enregistrements des robaïates du grand homme. Abritées sous les grands

arbres, les familles pique-niquent en se récitant les qua-
trains :

> *A personne demain n'est promis.*
> *Garde en joie ce cœur plein de mélancolie.*
> *Bois au clair de lune, ô ma lune, car la lune*
> *Bien souvent brillera sans plus nous retrouver.*

Je termine ma journée culturelle dans la ville par la visite
d'un ancien caravansérail transformé en atelier d'art. Il y
règne une atmosphère de ruche, les artisans méticuleusement
assemblent de très petites pièces de mosaïque selon un
schéma préalablement dessiné sur carton par le peintre en
chef, ces panneaux étant prévus en l'occurrence pour décorer
une mosquée en construction. La technique est proche de
celle qu'utilisent les maîtres verriers, créateurs des vitraux de
cathédrales. Et l'objectif est le même, apporter beauté, couleur et lumière dans les lieux de culte.

Je dois devenir paranoïaque. En sortant de la poste où je
viens de remettre une enveloppe dont je sais qu'elle ne
contient aucune information dangereuse pour les amis de
rencontre, je frôle deux hommes qui discutent calmement.
Jusque-là rien d'inquiétant... mais j'entends l'un d'eux prononcer le mot *Farandsa* (France) avant de s'éloigner tandis
que l'autre s'engouffre dans le bureau de poste. C'est en fait
un employé qui va reprendre sa place derrière le guichet. Il
est possible qu'un extraordinaire hasard ait amené ces deux
hommes à parler de la France sans que cela ait à voir avec
moi et mon envoi mais, par prudence, je décide à cet instant
que je ne posterai plus aucune lettre d'Iran. C'est cette enveloppe qui mettra cinq mois à me parvenir dans l'état qu'on
sait.

Le marché de Nichapour a lieu tous les mercredis, la municipalité autorisant tous ceux qui n'ont pas les moyens d'ouvrir boutique à faire du commerce ce jour-là. L'atmosphère n'y est pas celle des bazars, qui vous rassurent parce qu'il y règne un tel entêtement dans le dédale des ruelles, une telle pérennité dans les gestes et les stratégies, une façon si inchangée d'être, que vous n'êtes pas loin de connaître ce qu'est l'éternité. Là, on s'accommode du provisoire, on pactise avec le temps et l'on s'agite pour vendre de tout, sur des caisses en bois ou des tissus étalés : vêtements neufs ou usagés, fruits et légumes terreux, dentifrices et matériel électrique, chaussures et livres, tuyaux de fourneaux, serpes dentelées… Dans la foule qui vous bouscule éclatent les couleurs des foulards et des robes des femmes kurdes, le noir des tchadors avec, çà et là, les turbans d'un blanc immaculé de vieillards jaloux de la tradition. Sur une estrade, des hommes vendent des sandales de caoutchouc aux enchères ; un vieux paysan, son âne ployant sous les légumes, tente de fendre la foule pour trouver un emplacement et, faute de mieux, se sert de la bête comme comptoir ; des femmes en tchadors achètent des vêtements aux couleurs vives dont ne pourront profiter que leurs proches. Sur le sol, l'odeur des fruits de Nichapour, réputés depuis la nuit des temps, entre en concurrence avec les viandes qu'on grille ou le tas d'immondices qui, dans un coin, pourrit au soleil. Tout cela vibre, parle, bouge, crie, se bouscule. Bien que mon stock de pellicules baisse, je ne peux m'empêcher de vouloir impressionner quelques visages, sachant pourtant qu'une fois de plus je serai déçu devant cette pâle représentation glacée de la vie qui ici embrase tout. Pendant ce temps, dans les venelles du bazar, les commerçants philosophent en buvant le thé, cherchant à passer le temps : le marché du mercredi les prive de l'essentiel de leurs clients.

Lors de mon séjour à Téhéran, j'ai voulu par deux fois assister à ce sport qu'on ne pratique que dans quelques villes d'Iran, en milieu populaire. Le *zurkhâné*. Il a été inventé et s'est développé lorsque la Perse fut envahie et occupée par des princes afghans. Afin de maintenir un esprit de résistance, on a créé ces usines à gros bras pour préparer les couches populaires au soulèvement contre l'occupant. Ce sport se déroule dans une grande salle où l'on a creusé une fosse octogonale d'un mètre de profondeur. Chaque athlète, un pagne noué comme un short entre les jambes descend dans la fosse, caresse le sol, embrasse sa main. Les tenues sont inhabituelles dans ce pays si pudique ; la jambe et les pieds sont nus, le torse parfois aussi. Sur une estrade, un homme chante une mélopée qu'il rythme avec un tambour. A chaque exercice correspond un chant particulier.

Le maître, dont la carrure se doit d'être impressionnante, dirige l'entraînement et impose les figures. Les séquences purement athlétiques alternent avec d'autres qui sont dansées. Le rythme imposé par le tambour est épuisant. Très vite, les visages et les maillots ruissellent de sueur. La phase d'échauffement dure près d'une heure à une cadence tendue. Arrive l'épreuve des masses : il s'agit de sortes de quilles de bois qui peuvent peser jusqu'à vingt-cinq kilos chacune, que les athlètes, à un tempo effarant, font rouler d'une épaule à l'autre, accompagnant ce mouvement d'un déhanchement réglé par la musique. C'est une sorte de ballet de gros bras, un exercice d'épuisement. Les membres des zurkhâné sont fiers d'en être. Le patron de l'hôtel, pour prouver au voyageur venu de si loin que lui aussi est sportif et qu'il n'est pas une poule mouillée, me fait une démonstration de masses durant plus de vingt minutes, après s'être posté devant la grande glace de la salle à manger.

A 4 h 30 du matin, les innombrables coqs qu'on élève dans les cours de Nichapour m'offrent un concert gracieux, et je me prends à haïr ces volatiles imbéciles qui m'empêchent de me reposer. Autant partir…

Mais il m'est très vite impossible de marcher plus de cinq

cents mètres sans être obligé de me jeter derrière une haie,
sous un pont ou dans un fossé, torturé par une tourista plus
violente encore que celle qui me lancine depuis mon départ.
La déshydratation étant trop forte, je me résous à absorber
un antibiotique, car l'immodium que je prends quotidienne-
ment n'a plus aucun effet. Alors que je suis installé inconfor-
tablement derrière une haie, ayant abandonné EVNI au bord
du chemin, ce ne sont plus les poules qui me contrarient mais
une troupe de pèlerins se rendant au mausolée de l'imam
Reza à Mash'had, à cent vingt kilomètres de là. Une cinquantaine d'adolescents ou de jeunes adultes sont venus
jusqu'à Nichapour en bus, et se proposent d'effectuer le trajet en trois jours. Une camionnette porte leur barda. Les
organisateurs ne lésinent pas sur les chants religieux hurlés
par un mégaphone, cependant que deux ou trois étendards
noirs et verts marqués de signes calligraphiés sont agités frénétiquement.

Peu enclin à partager ma route avec cette faune trop
bruyante, je me reculotte et accélère l'allure, mais mes arrêts
obligés ont raison de mon avance et bientôt je suis loin derrière. Un jeune traînard en tennis, le front ceint d'un bandeau
rouge, me dit dans un anglais oxfordien qu'ils viennent tous
de Kashmar et vont à Mash'had, ce que je sais. Je n'ai pas
envie d'aligner des paroles informatives, je préfère solitude et
silence, aussi discrètement je prends un chemin de traverse,
au grand étonnement du jeune fidèle. Je parcours ainsi un
immense verger où voisinent dans la profusion vignes et pom-
miers, figuiers, abricotiers et grenadiers, pêchers et cognassiers, tout cela irrigué par des centaines de petits canaux.

A Qadamgah (le Lieu du Pas), les pèlerins s'arrêtent pour
contempler une relique dont j'ai vu l'équivalent sur la route de
Compostelle : une pierre qui porte l'empreinte d'un pied – ici,
celui de l'imam Reza, là-bas celui de saint Jacques. L'endroit –
comme souvent – recèle aussi d'autres bienfaits : en l'occurrence une source censée guérir tous les maux. On s'y abreuve
et l'on repart, comme de Lourdes, avec une précieuse fiole

d'eau miraculeuse. Une rapide comparaison des empreintes catholique et islamique révèle que ces deux saints devaient peiner à trouver chaussure à leur pied, la pointure devant être un bon 55.

Au soir, je fais halte à Qal'eh Vazir, où la mosquée ne désemplit pas. C'est la seule à trente kilomètres à la ronde, dans un paysage de collines ventrues et ocre, vierges du moindre brin d'herbe. Une pléthore de camions attendent leur chauffeur qui s'est arrêté pour la prière et pour une pause-sandwich dans l'un des trois établissements qui jouxtent le lieu de culte. Je m'installe pour dormir sur la terrasse de l'une des gargotes quand débarquent mes pèlerins, beaucoup moins fringants mais tout aussi dévots puisqu'ils se ruent tous à la mosquée, me laissant heureusement quelque répit.

Mais je n'en ai pas fini avec eux, que je retrouve le lendemain dans une taverne tenue par deux adorables petits vieux au bord d'un lac. L'Oxfordien m'a fait une sacrée réputation : partout où je passe, on me connaît déjà. Il m'expliquera qu'il n'a jamais appris l'anglais qu'en écoutant la BBC et en se plongeant dans un livre de grammaire…

Cette jeunesse exaltée finit par avoir raison de mes réserves et je fais quelque bout de chemin avec eux, profitant d'ailleurs d'une étape organisée où leurs cuistots ont préparé un chaudron de nouilles promptement avalées… Ils ont faim de tout, ces garçons, de la France, du foot, de la Turquie, de Zinedine « Zeïdane », ils sont convaincus de la supériorité de l'islam sur les autres religions, mais ils n'ont en rien l'agressivité de leurs aînés, et quand ils apprennent qu'on m'a viré de la mosquée d'Abbas Abad, ils me proposent de coucher dans la même mosquée qu'eux ce soir même, et sous leur protection. Ce que j'accepte.

Leur profonde gentillesse, leur solidarité entre eux, la compassion dont ils font preuve à l'endroit d'autrui sont réconfortantes. Ils sont pieux, sans ostentation. J'ai encore dans l'oreille la voix de cristal de ce jeune garçon qui, a capella, face au mihrab de la mosquée où nous avons dormi

ensemble, m'a réveillé à 4 heures du matin. Une voix venue
des cieux…

J'ai d'ailleurs été surpris par l'absence de contraintes de la
part de leurs leaders. Chacun prie selon son humeur et son
emploi du temps. Ceux qui n'ont pu assister à la prière collective se mettent à l'écart quelques minutes pour des grâces
expresses. Cette religion sans prêtres, si souvent tyrannique
pour ceux qui ne la partagent pas, ne contraint nullement
l'exercice du culte. Et me reviennent en mémoire les phrases
de quelques amis rencontrés au fil des étapes, lorsque la discussion abordait le plan de la religion. « Nous n'avons nullement besoin des mollahs, me disait-on. Il n'y a rien entre moi
et mon Dieu, et ma prière n'a pas besoin d'intercesseurs. »

Une autre face de l'islam. La seule qui devrait exister. Le
souvenir de ces jeunes musulmans qui marchent derrière moi
me poursuit à mesure que j'avance vers la ville sainte.
Comment ce pays – où la notion de religion et de respect dû
aux Anciens structure la société – va-t-il évoluer, dans le
contexte de mondialisation et de village planétaire, quand en
Occident ces mêmes valeurs s'effondrent ?

Mash'had, deuxième ville d'Iran, plus de quatre millions
d'habitants, est remarquable surtout parce que chaque année
quinze millions de pèlerins viennent se recueillir sur le tombeau du huitième imam, Reza, empoisonné au IXe siècle par
une grappe de raisins. Afghans, Irakiens et Turcs côtoient les
Iraniens autour du sépulcre.

Je ne manque pas de points de chute dans la ville. Mehdi
et Monir m'y ont invité, et ce matin une voiture a pilé près de
moi. Un père et ses deux ravissantes filles m'ont couru après.
On leur avait parlé d'un « Français marcheur à Nichapour »
et ils me cherchent depuis pour m'inviter… En outre, voilà
trois jours, un quidam m'a donné sa carte en m'assurant
que je pourrais rester tout le temps que je souhaite dans sa
maison.

L'accueil que me réservent Monir et Mehdi est aussi chaleureux que lors des deux rencontres précédentes. Leur vie est harmonieuse, à l'image de leur travail. Voici vingt ans, ils ont ouvert leur premier atelier de céramique dans un petit village du désert. Aujourd'hui ils possèdent trois lieux de production. Je visite leur atelier de Mash'had. De toutes leurs œuvres, ce sont les chevaux aux longues jambes et au cou flexible que je préfère, mais je trouve aussi très beaux les taureaux, inspirés à Mehdi par ceux qu'il a vus dans la grotte de Lascaux. Ces gens savent rendre poétique ce qu'ils touchent, et faire sourdre l'esprit de la matière. De vrais artistes, en somme. Ils ont de plus cette extraordinaire vertu, alors qu'ils dirigent trois entreprises, de se rendre disponibles pour un étranger de passage qui n'est qu'un poids mort. Je passe auprès d'eux une semaine que je ne suis pas près d'oublier.

Je visite le mausolée du poète Firdousi dans le village de Tous. Né aux alentours de 940, il est l'un des plus fameux auteurs iraniens avec Hafiz et Khayyam. Il est surtout connu en Occident pour une œuvre écrite en trente années à partir de l'âge de quarante ans, le *Shah Nameh (Le Livre des rois)*, un poème épique retraçant l'histoire de la Perse avant l'arrivée des Arabes. Rédigé dans un fârsi encore préservé de l'apport d'expressions et de certaines lettres de l'alphabet des derniers envahisseurs, son poème de cinquante mille distiques fut très controversé à la cour et valut à son auteur d'en être chassé. Quelque temps plus tard, le shah reconnut son erreur et envoya au poète une caravane de chameaux porteurs de cadeaux. Quand elle arriva, Firdousi était mort.

Mais l'endroit le plus extraordinaire est le mausolée de l'imam Reza. Pas besoin de chercher le sanctuaire dans la ville, toutes les rues y convergent, la cité étant littéralement bâtie autour. De presque tous les quartiers, on aperçoit la coupole bleue turquoise de la mosquée Göhar Shâd, construite par la belle-fille de Tamerlan et une autre, couverte de feuilles d'or, qui abrite les restes du saint.

A l'entrée je dois déposer mon appareil photo ainsi que

mon passeport et me soumettre à une fouille rapide. Mon guide, prévoyant, m'a écrit en fârsi le lieu où nous nous retrouverons si nous nous perdons. Il me semble que la précaution est excessive mais je la comprends, dès la première cour qui fait deux hectares et accueille simultanément cent mille fidèles pour la prière. L'ensemble des bâtiments, me dira-t-on, couvre soixante hectares. Nous traversons plusieurs cours et mosquées, toutes décorées de mosaïques où dominent ces bleus qui dansent et enchantent le cœur, reproduisant à l'infini le nom des pères du chi'isme et des versets du Coran. Dans toutes les cours, des hectares de tapis de haute laine recouvrent les carreaux de marbre blanc. Mais si le décor est impressionnant, le spectacle à ne pas manquer est celui de ces hommes en chemise et de ces femmes en tchador (le simple foulard n'est pas autorisé ici) qui convergent vers la coupole d'or, sans hâte mais sans baguenauder. Ici et là, des croyants sont en prière. Un homme, une femme et leur bébé dorment sur un tapis à l'ombre, image de félicité. Plus loin, debout, une femme abîmée dans une prière, son visage pur et pâle enchâssé dans le tchador noir, les yeux au ciel, titube d'émotion contenue. Sous un grand *eiwan*, un mollah à longue barbe blanche commente le Coran devant un parterre de fidèles assis en rangs serrés. La foule, silencieuse et recueillie, est si dense qu'elle déborde dans la cour, en plein soleil. Je suis perdu, incapable de m'orienter dans ce dédale de chemins et d'espaces où nos pieds nus brûlent sur les dalles et se rafraîchissent sur les tapis. Autour de fontaines, les croyants se livrent à des ablutions car l'heure de la prière approche.

L'espace, la passion religieuse et les lieux sont démesurés. A la mosquée bleue de Göhar Shâd, la foule est devenue très dense. Une rumeur faite de litanies, de conversations et parfois du cri d'un enfant sourd de la foule. Un homme, en transes, embrasse avec vénération le Coran. Des salles pleines, les gens débordent dans les couloirs et il devient de plus en plus difficile de progresser.

Dans la mosquée au toit d'or qui contient la dépouille du saint, la pression de la foule est à son comble. Encore un effort, encore quelques mètres à jouer des coudes et nous voici enfin à dix mètres de la tombe de l'imam Reza.

Le plafond de la salle qui l'abrite est couvert de miroirs et de verres colorés qui renvoient la lumière. Les murs sont plaqués de mosaïques grises et d'or. En bleu et en relief, contrastent des calligraphies. Mais là encore, l'œil, fasciné par le spectacle dans la salle, ne fait qu'effleurer le décor. Tout autour de la châsse protégée de barreaux en or et en argent, des centaines de personnes s'entassent. Dans une atmosphère d'exaltation, disons même d'hystérie pour certains, on cherche à s'approcher, à toucher, caresser, embrasser la cinéraire. Ceux qui parviennent, après moult pressions, à toucher les barreaux veulent frénétiquement introduire des ex-voto entre les plaques de verre qui doublent la protection de la tombe. Des enfants, hissés par leurs parents au-dessus des têtes sous peine d'être étouffés, rampent sur la multitude, caressent et embrassent la sainte cage et reviennent en nageant sur la foule haletante, mouvante, frénétique, suppliante.

Je suis envoûté par le spectacle que bien peu d' « infidèles » sont admis à contempler. Cette ferveur religieuse est quotidienne. Toute l'année des millions d'êtres font don de leur foi et de leur argent. Le mausolée, ou plutôt l'organisme qui le gère et s'appelle le *Astan é ghods é razavi*, voit s'abattre sur lui une manne dorée. On lègue au sanctuaire sa fortune, son usine, son magasin, sa collection d'art, tous ses biens. Les deux musées qui sont dans l'enceinte ne peuvent exposer que le cinquantième des objets rares ou précieux. Astan possède, selon les sources, un minimum de six cents entreprises, instituts ou conglomérats. Il est propriétaire, phénomène unique au monde, d'une zone d'activité hors taxes à Sarakhs, près de la frontière irano-turkmène. Une grande part de cette fortune va à des œuvres charitables ou pieuses, mais elle constitue surtout un extraordinaire trésor de guerre pour les mollahs dont la force, on en a ici la preuve même si on le sait déjà, n'est pas uniquement spirituelle. Elle me semble comparable aux richesses engrangées par l'Église catholique entre le XXᵉ et le XVIIᵉ siècle, lorsque les ordres des grandes confréries régnaient sur l'Europe et dictaient leurs lois aux monarques, régnant ainsi par procuration.

XII

LA FRONTIÈRE

30 juillet. Mash'had. Kilomètre 1625.
Je me sens rouillé par une semaine d'inactivité à Mash'had, Je retrouve mon envie de bouger. J'ai repris des forces, du poids. Kimia, la fille de Monir et de Mehdi, est venue de Téhéran passer quelques jours avec Behzad, son mari. Médecin, il me donne d'excellents conseils et me prescrit un antidiarrhéique que j'espère efficace. J'apprends à ce sujet que les médicaments en Iran sont tous génériques et qu'ils portent comme nom celui de la molécule qu'ils contiennent.

J'ai acheté une tente en prévision de la traversée du terrible désert du Karakoum sur lequel j'ai lu des informations qui me fichent la trouille. J'ai enfin, bêtement, perdu mon appareil photo obtenu avec tant de difficultés à Téhéran. Mais Mash'had n'est pas Abbas Abad et j'ai pu en acheter un troisième !

Durant ces quelques jours, j'ai essayé de mieux comprendre la société iranienne. J'ai saisi par exemple que si les visites des mausolées des grands hommes ou des saints sont une activité très commune, c'est parce qu'elle permet d'exprimer une distance par rapport au pouvoir violent et étouffant des mollahs. Et si les cimetières sont un lieu de piété familiale où il est fréquent que la famille vienne pique-niquer et passer une demi-journée auprès de la sépulture d'un proche, c'est qu'il est bon de se replier sur une vénération *choisie* – celle d'un parent – plutôt que d'accepter celle qui vous est imposée. J'ai eu l'occasion, avec Behzad et Kimia, de visiter un vieux cimetière abandonné. Sur les tombes, les anciens indiquaient, par des représentations d'outils, la profession que le défunt exerçait de son vivant. Est-ce d'un ancien coiffeur, cette tombe avec un peigne ? Non, c'est celle d'un ancien tisserand, le peigne étant l'outil utilisé pour tasser la laine sur le métier. Et le coiffeur, le voici, avec les ciseaux.

La société iranienne est la plus puritaine qui soit. Le corps doit être impérativement caché, en particulier celui de la femme. Les hommes bénéficient d'une certaine licence, notamment grâce au ticheurte. Mais j'ai constaté que, sans aucune exception, les hommes portent deux pantalons, le deuxième plus léger leur servant de pyjama. La place des femmes dans l'ordre social m'intéresse. Avec les œillères complaisamment fournies par notre arrogante culture occidentale et l'image que la femme de ce pays nous offre, enveloppée dans son noir tchador, j'avais placé les Iraniennes au dernier échelon de la considération chez le Persan. Vrai pour les conservateurs et les mollahs. Mais ils ne sont pas les seuls, et les femmes chi'ites, contrairement aux sunnites de Turquie et a fortiori d'Arabie, ont ici un rôle important. Symbole de la place que veulent leur assigner les hommes, les Iraniennes, dans leur majorité, ne souhaitent qu'une chose : ranger au fond du placard le tchador, le foulard et autres maghna'é. Et celles qui y tiennent pour des raisons religieuses ne sont pas plus nombreuses que les nonnes qui, chez nous, portent le tchador chrétien. On m'a décrit avec quelle célérité celles qui partent à l'étranger oublient cet accessoire encombrant dès qu'elles sont montées dans l'avion qui les emmène ailleurs.

Dans les familles et dans les bureaux, la place des femmes n'est pas aussi niée que l'infamant voile islamique pourrait le faire croire. Le fait qu'il n'y ait que très peu de bigames, alors que la loi islamique autorise jusqu'à quatre épouses, démontre que ces dernières ne sont pas disposées à subir sans réagir. Seuls les mollahs abusent du mariage à répétition. Les femmes sont de plus en plus nombreuses à travailler dans les entreprises, même si on est très loin de l'égalité des sexes ; et dans les universités, elles tiennent la dragée haute aux garçons.

En revanche, la « révolution » islamique n'a pas gommé les différences de classe, bien au contraire. L'argent ouvre toutes les portes. Par exemple, j'ai découvert que le service militaire est obligatoire et que quiconque ne s'en est pas acquitté trouvera difficilement à s'employer. Mais nul besoin de passer un an et demi sous les drapeaux. Il suffit d'acheter à l'armée, pour douze millions de rials (douze mille francs, une somme considérable ici) une lettre très officielle certifiant que l'intéressé a accompli son service national. La démarche n'est pas frauduleuse – le prix est le même pour tous –, mais elle est interdite aux pauvres. A la sortie de l'Université, les jeunes diplômés ont souvent intérêt à acheter cette fameuse lettre. Un professeur de collège qui gagne seize millions de rials en dix-huit mois s'offre un fructueux « retour d'investissement », comme disent les économistes.

Le temps a passé et les excès des mollahs ont contribué à rompre l'alliance du petit peuple et de la bourgeoisie qui a permis l'émergence de la révolution islamique. La population pieuse, celle qui soutient les enturbannés, ne compte plus que sur l'armée et la police pour maintenir l'ordre qu'elle a instauré voici vingt ans. Or la nouvelle génération, du moins celle qui bénéficie d'une éducation supérieure, supporte de moins en moins les lois coraniques. Un bel exemple est fourni par la mésaventure arrivée à des jeunes gens partis camper au printemps dernier. Ils amènent dans la montagne quelques bouteilles d'alcool, mais sont pris sur le fait et dénoncés par un membre du komité. Au procès, les juges sont des mollahs et nulle pitié n'est à attendre de leur part. Un jeune se sacrifie, affirme qu'il est le seul à avoir apporté de l'alcool et à en avoir bu. On le condamne à deux mois de prison et à cinq millions de rials d'amende. En un clin d'œil il devient célèbre, une souscription réunit les fonds et paie l'amende. La condamnation a fait du jeune homme un héros et la souscription a démontré l'unanimité des jeunes contre le régime.

Je me fais déposer au petit jour par un taxi à la sortie de Mash'had, car si toutes les rues mènent au sanctuaire de l'imam Reza, celles qui sortent de la ville sont plus difficiles à trouver et la circulation est hallucinante dès potron-minet. Monir a bourré mon sac de victuailles. Un panneau annonce : Sarakhs 180 km. Il va me falloir six jours pour les parcourir sans trop d'efforts, il n'y a pas un seul hôtel sur le parcours et je dois passer une petite chaîne de montagnes. Elle ne doit pas être infranchissable car c'est par ce chemin que sont arrivées la plupart des armées qui ont envahi la Perse au cours des siècles.

Ce qui est étonnant, dans ce pays, c'est l'unité qu'il a su préserver malgré l'absence de frontières naturelles et en dépit des vicissitudes de son histoire. Aucun n'a sans doute été aussi envahi, occupé, menacé, depuis Alexandre le Grand trois siècles avant J.-C. jusqu'aux Russes après la dernière guerre mondiale. Le paradoxe est qu'il ait su préserver son identité et sa culture. Comme si le sentiment d'appartenance qu'il possède lui avait suffi pour rester fidèle à lui-même, depuis plus de deux millénaires. On a dernièrement pu le constater, lors de la guerre contre l'Irak.

A 10 heures, assis sous un figuier, je contemple la riche campagne de Mash'had qui s'étend vers le sud. Entre l'or des blés coupés qui alterne avec le vert profond des champs de tomates, de petits nuages de poussière s'élèvent çà et là. Ce sont des troupeaux de moutons en marche ou de minitornades, plantées par le vent sur la plaine, que j'ai déjà vues cent fois le long de la route.

A 13 heures, j'ai déjà parcouru trente-deux kilomètres lorsqu'une voiture de police me croise, va effectuer un demi-tour et me coince sur le bas-côté. Le chauffeur descend et me demande mon passeport. Il l'apporte au passager, un type à grosse moustache qui est resté paresseusement assis tout en égrenant un chapelet. Ils me prient de monter dans la voiture.

– Impossible, je ne me sépare pas de mon chariot.

– On va le mettre dans le coffre.

– Non, je fais la Route de la Soie à pied, pas en voiture.

Ils insistent, je refuse, ils se concertent. Le chauffeur reprend sa place au volant et le gradé, que l'autre appelle « capitan », descend. Il m'annonce qu'il m'accompagne jusqu'à Aberavan, le prochain village distant de cinq kilomètres. Que me veulent-ils ? Il fait semblant de ne pas m'entendre. C'est un homme mou et ventripotent, peu amène et dont le visage suinte la veulerie. Il mime que je dois le suivre. Le suivre ou le précéder ? J'opte pour la seconde solution et m'en vais de mon pas de marcheur aguerri. L'homme a empoché son chapelet et rame de ses bras courts pour me suivre. Très vite, il souffle comme un phoque et ruisselle. J'ai l'hypocrisie de m'en réjouir intérieurement tout en lui prodiguant quelques amabilités, m'enquérant de son âge, quarante ans et annonçant le mien, soixante-deux, tout en accélérant mine de rien le rythme. Pour égratigner un peu son amour-propre, je l'attends ostensiblement à chaque fois qu'il s'arrête, au bord de la crise d'apoplexie. Puis dès qu'il m'a rattrapé, sans le laisser souffler, je repars et accélère progressivement l'allure. Son supplice dure près de trois kilomètres, mais heureusement pour lui son adjoint arrive avec du renfort : un jeune bidasse au corps longiligne et musclé. Le capitan se laisse tomber sur le mol coussin de la voiture avec un soupir de soulagement qu'il ne peut retenir. Il doit regretter de ne pas être rentré en voiture pour me cueillir confortablement au passage à Aberavan.

– Ça va, capitan ? s'inquiète sournoisement le chauffeur.

– Hmm, grogne-t-il avec la délicatesse qui semble le carac-
tériser.

Le jeune bidasse, lui, ne traîne pas. Lorsque nous arrivons
au poste, il a peut-être mouillé sa chemise, mais il n'a pas
répondu à mes questions. Et cela ne me plaît pas. Que me
veulent-ils ? Pourquoi m'encadrent-ils ainsi ? Vont-ils
m'arrêter, et sous quel prétexte ? C'est la première fois que
des policiers en uniforme semblent décidés à me tenir à l'œil.
Je décline l'invitation du bidasse à rentrer dans la cour et
préfère m'installer à l'ombre de l'auvent du marchand de
boissons, près de l'arrêt d'autobus où quelques voyageurs
attendent le car pour Mash'had. Le planton me fait signe de
nouveau d'entrer dans la cour.

– Non, merci.

Il insiste. Même réponse. Un autre flic arrive en renfort.
Devant ma résistance, les badauds s'approchent, pressentant
du spectacle. C'est ce que je voulais. Pas question de me laisser piéger à l'intérieur du commissariat. Un troisième soldat
vient faire nombre et réitère la demande en baragouinant
quelques mots d'anglais. Je lui réponds dans la même langue.
Il ne comprend rien. Le quatrième qui arrive est un gradé.

– Entrez, me dit-il, désignant la porte de la cour.

– Pour quoi faire ? Mon passeport ? Le voici. Le capitan l'a
déjà vu. Notez, notez.

– Non, entrez pour boire de l'eau.

– J'en ai cinq litres dans ma gourde, dis-je en la tapotant.

– Eh bien, pour manger.

– Je n'ai pas faim et j'ai aussi tout ce qu'il faut – et je
désigne mon sac.

Il me prend par l'épaule, cherche à m'entraîner, mais je me
dégage. Je lui fais, comme au flic de Sabzevar, un topo
concernant mon passeport : date de validité, date d'entrée
sur le territoire, durée autorisée du séjour, date limite de
séjour en Iran... Un cinquième flic apparaît comme par
enchantement. Celui-ci est un costaud qui cherche à m'inti-
mider. Je fais alors mine de partir, informant le gradé :

– Je vais déjeuner à Aberavan.

Ils restent tous plantés là, sidérés. Je n'ai pas compris ce qu'ils voulaient et je redoute qu'ils ne viennent m'arrêter. Mais que faire ? Je suis à leur merci, et demain matin, en repartant, je serai obligé de passer devant le commissariat. Inch Allah.

C'est justement sous la protection d'Allah que je me place. Car informés sans doute de l'altercation avec les flics, les habitants du village ne se précipitent pas pour m'accueillir. Je m'installe donc à l'ombre d'un mur dans la cour de la mosquée et je prends quelques notes avant de plonger dans ma sieste quotidienne et réparatrice.

Ce sont des enfants qui me réveillent, une quinzaine de gamins, debout en demi-cercle autour de moi, silencieux et attentifs. En ticheurtes crasseux et pantalons déchirés, ils ont tous de bonnes bouilles. Les questions pleuvent et je m'efforce d'y répondre lorsqu'un vieil homme, Abbas, arrive tiré par deux gamins. Il m'offre l'hospitalité pour la nuit puis s'en retourne.

A la nuit tombée, le vieil Abbas m'a oublié mais les enfants qui se souviennent de sa promesse me guident chez lui. Il n'est pas là mais sa femme traîne une natte sur la terrasse de béton. Je sors les provisions de Monir et suis en train de peler une pomme lorsque la vieille femme m'apporte un grand bol d'une soupe odorante. La nuit est splendide. J'ai pris goût à dormir dehors, malgré le gros chien qui franchit le muret et vient affectueusement partager ma couche, me faisant généreusement profiter d'un nuage de puces.

Dès avant les premières lueurs du jour, les coqs et les ânes jouent leur partition, prenant la relève du diesel qui toute la nuit a diffusé son « pouet pouet », afin de remonter l'eau des puits nécessaire à l'irrigation.

Je n'en mène pas large lorsque je passe devant le commissariat, et suis surpris que le planton me regarde sans réagir. Je compte être rapidement à Sürak Maleki, mais un vent violent se lève, qui m'oblige à avancer plié comme un portefaix

turc. Pire, une tornade de poussière d'un rouge sanglant
s'abat en un instant sur le monde qui m'entoure, noyant le
village proche, recouvrant la route où les véhicules continuent
de rouler à l'aveuglette. Giflé par la violence du souffle,
asphyxié, je n'ai plus qu'à me recroqueviller et à m'accroupir
sur le talus. La tête emmitouflée dans le keffieh, pour mieux
me protéger je plaque mon chapeau sur mon visage. Le sable
me fouette les mains. Et puis, la tempête de sable, après cinq
ou six assauts, s'arrête aussi soudainement qu'elle s'était
levée.

Seyed Reza, qui tient échoppe sur quelques caisses devant
la mosquée chi'ite, me vend une boîte de thon et un melon
dont je fais mon déjeuner. Sürak Maleki est un village de mille
habitants particulier : il ne possède pas moins de trois mosquées dont deux sunnites, et les chi'ites, majoritaires partout
en Iran, sont ici en minorité. Seyed Reza règne sur la mosquée
chi'ite qui lui sert aussi d'entrepôt pour stocker ses caisses de
jus de fruits. Il m'offre de m'y reposer. Sur deux tapis profonds je fais une sieste puis j'y passe la nuit. Mais auparavant,
je dois raconter mon histoire devant quelques représentants
de la communauté que Seyed Reza m'a ramenés en même
temps qu'un grand plat de riz pour mon dîner. Kobra, la fille
de mon hôte qui parle assez bien anglais, sert d'interprète.
Elle me fait promettre de lui envoyer une carte postale de la
tour Eiffel. Son père, lui, ne comprend pas que je ne sois pas
musulman, et à plusieurs reprises il me demande si, par
hasard, je ne voudrais pas changer de religion.
  A 5 heures du matin, je suis réveillé par de petits coups
frappés aux carreaux. Un oiseau, derrière la fenêtre, tente de
piquer du bec un papillon qui, collé à la vitre, essaie vainement de sortir. Je m'apprête à me rendormir lorsque Seyed
Reza arrive et me presse de partir, prétextant qu'il doit
prendre un car pour se rendre à Mash'had. Je découvre vite
que cela est un pieux mensonge : ce sont ses coreligionnaires

qui ont critiqué sa décision de laisser un roumi dormir dans
le temple d'Allah.

A la sortie du village, la plaine est belle. La voie ferrée et la
route, parallèles, filent droit jusqu'à n'être plus qu'un fil, là-
bas, à l'horizon, au pied d'une montagne dont le bleu se plaît
avec l'ocre de la terre. J'avance d'un bon pas, rêvant de rien,
porté par le chant de mes godillots. Talon-plante-pointe, je
« déroule » mon pas comme on le fait dans la course de long,
sans effort. La chaussure gauche crisse, la droite craque. Frrrt,
crac, frrrt, crac… Je franchis aujourd'hui le mille sept centième kilomètre et me réjouis qu'à la différence des pneus
d'EVNI, mes semelles aient résisté à la fournaise du macadam.
Après un col, je plonge dans une immense vallée blanchie au
soleil. Sur la côte opposée, la petite oasis de Mazdaran fait à
mi-pente une tache sombre. L'endroit s'appelait naguère
Mosduran : « homme de peine », « homme à tout faire »,
« homme à gages ». Mais comme ce nom était humiliant, on a
changé l'orthographe. Désormais, le village signifie qu'il est
« garde frontière ».
    C'est de la minimontagne qui me fait face qu'ont déferlé
au cours des siècles les hordes de cavaliers qui régulièrement
envahissaient et ébranlaient la Perse. Et à chaque fois, avec
constance, le pays a absorbé, assimilé, digéré l'acier des
sabres et des lances. Dans le creux de la vallée, les pluies de
printemps ont creusé de petits canyons dans la terre meuble
et rouge sur laquelle poussent de maigres tamaris. Sur la
route, un aigle est mort. Pourquoi ce seigneur du ciel est-il
venu si bas chercher un trépas ? A-t-il été heurté par un
camion ou s'est-il électrocuté sur la ligne électrique voisine ?
Une voiture est passée sur son bec altier qu'elle a réduit en
bouillie. C'est une sacrée bête, d'un bon mètre d'envergure.
Je me sens tout chose, devant cette royauté fauchée par
l'homme, et je me surprends à le ramasser, pour l'aller déposer sur un bloc de pierre, l'œil tourné vers les cieux. La sépul-

ture reste certes indigne de lui, mais elle vaut mieux que la bouillie noire du bitume.

A 13 heures j'attaque la montée, alors que le soleil me cloue sur le goudron, me cuit le dos et les bras. EVNI se fait de plomb. L'ascension n'en finit pas, je me traîne, et il me faut près d'une heure pour couvrir les deux derniers kilomètres. La première maison est une épicerie. J'y avale deux sodas glacés qui n'apaisent pas du tout ma soif. Je ne peux plus me relever. « Il y a deux restaurants, me dit le vendeur de bulles, va jusqu'au second, c'est le meilleur. » Mais devant la première auberge – la seconde n'étant pas encore en vue – je renonce à aller plus loin. Sur la terrasse, je m'installe sur un lit de bois – un *takhté* – et passe commande d'un repas. Mais saoul de fatigue je m'endors avant qu'on me le serve. Respectueux de mon sommeil, le garçon me le rapportera deux heures plus tard, lorsque j'ouvre les yeux. Le plat qu'on me sert est sans doute immonde, mais je l'avale sans barguigner et me rendors sur-le-champ.

Il est 5 heures du matin lorsque, réveillé et dispos, je reprends l'ascension de la côte avec des mollets neufs. Parvenu au faîte vers 8 heures, je m'assieds un moment pour contempler le paysage. Il est sublime. La vue porte presque jusqu'à Mash'had que j'ai quittée voici deux jours. Quelques collines pelées caracolent au premier plan, puis la vue glisse sur la vaste étendue que fait bouillir un soleil déjà brûlant.

L'aubergiste de Bezangan pourrait figurer dans un film de cape et d'épée pour y tenir le rôle de marchand de soupe. Petit, rondouillard, tout de noir vêtu et les joues charbonnées par une barbe de huit jours, il accourt, bras levés à ma rencontre et me donne l'accolade, m'installe à l'ombre sur la terrasse, m'abreuve et me nourrit comme un canard qu'on gave. Après la vallée morte dans laquelle est nichée son auberge, tout près d'une source, j'entre dans un paysage de cendres. Quelques ruines et des maisons troglodytes abandonnées témoignent que les hommes ont fui ces falaises stériles, nues et tourmentées. Sur les hauteurs, des plissements de roche ont résisté à l'érosion alors que la terre meuble était entraînée par le vent et les rares pluies. Le résultat ressemble à une monstrueuse légion de dragons au dos crénelé et aux écailles luisantes qui montent à l'assaut du ciel.

La dureté du paysage en est-elle la cause ? Une Jeep puis une camionnette stoppent, qui veulent absolument m'embarquer jusqu'à Sarakhs, la ville frontière. Je dois pour la dix millième fois me défendre pied à pied pour conserver mon droit à marcher.

Dans une vallée ombragée aux à-pics verticaux, un couple vient à ma rencontre. L'homme tient par la bride un splendide alezan sur lequel est juché un bel enfant. En Turquie, c'est l'homme qui aurait chevauché, mais en Iran, l'enfant est roi. C'est une belle scène, un tableau de légende qui m'enchante et je salue avec reconnaissance cette famille qui respire une douce grâce.

Le village de Shorlok pourrait se trouver au bout du monde que Marco Polo prétendait avoir approché, près du grand arbre qui le bornait. Mais ici, il n'y a ni arbre ni sympathie spontanée. L'accueil que j'y reçois est glacial. A l'épicerie j'achète l'unique boîte de haricots rouges dont la date de péremption remonte à deux ans. Pas d'hôtel, pas de restaurant. Celui à qui je demande où je peux camper me désigne le pont routier. C'est en effet l'endroit le plus adapté. Une eau croupissante, recouverte d'une mousse verdâtre, stagne sous l'ouvrage d'art. Des enfants y pataugent. Alors que je monte la tente, ils sautent autour de moi comme de jeunes chiots. Je fais chauffer ma boîte sur deux pierres. Un gamin revient avec une fourchette, un autre avec un bout de pain qu'ils sont allés chaparder chez eux et qu'ils m'offrent cérémonieusement. Mais leur acte n'est pas gratuit. L'un me réclame la tente en échange, l'autre guigne EVNI et le troisième qui n'a rien apporté se contenterait de ma montre. Je distribue quelques pin's. Ils me proposent de me baigner avec eux, mais le petit vent qui transporte les effluves d'un égout à ciel ouvert me fait décliner l'offre. Un quidam, les poches pleines de *péstés* (pistaches), m'en donne deux grandes poignées avant de m'entraîner dans sa maison de l'autre côté de la rivière, de m'offrir le thé, puis le dîner, et enfin le coucher. Je démonte la tente, heureux d'échapper au cloaque sous le pont.

Grands-parents, enfants, brus et petits-enfants dorment alignés sur la terrasse. On m'a mis bon dernier. Mon logeur part à 4 h 30 du matin. Lorsque je me prépare, une demi-heure plus tard, sa femme et sa mère, gênées devant un étranger alors que le maître de maison est absent, ne m'adressent plus la parole et finissent par se réfugier dans la maison. A 5 h 30 je suis sur la route, accompagné par un homme sur son baudet que suivent deux molosses qui grondent dès que j'approche. Deux kilomètres plus loin, l'homme qui m'a longuement questionné fait demi-tour et repart apporter sa provende d'informations au village au moment où un troupeau de chèvres surgit de nulle part. Où se rendent-elles, ces bêtes silencieuses qui se hâtent ? Une demi-douzaine d'entre elles courent en avant de l'imposant peloton d'au moins trois cents animaux. Devant elles, rien que du sable. Pas un arbre, pas une fleur, pas une herbe qu'elles pourraient brouter. Le piétinement de leurs sabots me fait un bout d'accompagnement. Après un quart d'heure de compagnonnage, elles obliquent brusquement vers le nord, suivies par le berger sur son âne. J'ai beau me crever les yeux dans la direction où elles se rendent, je n'aperçois pas la moindre bribe de verdure.

Le soleil brûle depuis longtemps lorsque je fais, dans ce pays pourtant fertile en surprises, la rencontre la plus inattendue. Sur la route déserte, j'aperçois d'abord un grand drapeau vert qui flotte au vent. Puis, sous le grand carré de soie aux couleurs de l'islam, je distingue un portefaix qui avance dans la berme, louvoyant à chaque souffle d'air plus violent dans son oriflamme. Dès qu'il m'aperçoit il vient à ma rencontre, me serre longuement la main. C'est un bibendum d'une trentaine d'années, boudiné dans une chemise qui fut blanche et un pantalon de survêtement qui peine à le contenir. Ses joues sont rebondies et roses, son ventre replet, et ses poignets ont des plis comme les baigneurs en celluloïd. Il a glissé, entre les bretelles de son bagage et ses pectoraux, une serviette-éponge car les lanières doivent lui scier la chair. Il a un sourire confiant, cette rencontre visiblement le ravit.

Il pose à terre, aussi dodu que lui, son sac à dos, un surplus kaki de l'armée sur lequel sont ficelées la hampe du drapeau ainsi qu'une couverture. Il s'appelle Seyed Ziya Martezani et me dit qu'il a quitté Sarakhs ce matin pour rejoindre à pied son village natal, quelque part au sud de la mer Caspienne. Il a soigneusement compté la distance : mille vingt-huit kilomètres qu'il compte parcourir en trente-deux jours. Sa motivation semble très forte, mais son matériel n'est pas à la hauteur. Ses sandales de caoutchouc sont déjà fatiguées et je serais étonné qu'elles tiennent une semaine. Comme il veut prendre une photo de moi, il ouvre son sac, bourré d'un bric-à-brac ahurissant. Il sort d'abord un Coran qui doit peser ses trois livres, un poignard à la lame polie de trente centimètres et au manche ouvragé (« Sécurité », dit-il en le posant sur le sol), et des boîtes de conserve car, précise-t-il, « Au restaurant, il y a des microbes ». Il extirpe aussi un atlas routier du pays comme en possèdent les chauffeurs de poids lourds. Enfin il parvient à son appareil photo. Comment compte-t-il réaliser sa moyenne avec un matériel aussi lourd et aussi peu adapté ? J'ai posé la question en m'emberlificotant, car je ne veux pas le vexer. Mais la réponse m'arrive, brève et incontestable :

– Avec l'aide d'Allah.

Ayant pris la photo, il m'offre l'appareil, puis son atlas, de l'argent qu'il tire de sa poche. Je refuse tout et me sens penaud de n'avoir rien à lui proposer en retour. Il peine dix minutes pour faire rentrer tout son barda dans le sac, puis arrime la couverture et le drapeau. Je l'aide à charger le tout. Il se baisse péniblement pour saisir sa Thermos d'eau et le voilà reparti. Je le regarde s'éloigner, patinant dans le sable du bord de route, ses fesses rebondies sautant joliment à chaque pas, son drapeau vert claquant au vent. Il ne se retourne pas. S'il arrive à destination en trente-deux jours, on peut parier qu'il aura perdu au moins trente-deux kilos.

Gambaldi, où j'ai prévu de faire étape, est un petit bourg aux maisons sagement alignées de chaque côté de la route. J'en ai vu de semblables dans des westerns américains. L'accueil manque de chaleur, sans doute les habitants sont-ils blasés par le passage de voyageurs se rendant à la ville frontière, distante de vingt-cinq kilomètres. Le restaurant n'a rien à offrir et les quatre amis qui jouent aux cartes me font comprendre que je les importune. Un épicier me vend deux œufs qu'il accepte, moyennant rétribution, de me faire cuire dans la grange voisine. Ainsi calé, je vais avoir le courage de rallier Sarakhs où Monir et Mehdi doivent me retrouver ce soir.

Avant mon départ de Mash'had, ils m'ont prévenu qu'ils s'apprêtent à y organiser leur grande fête annuelle animée par chanteurs et comédiens, et où sont conviés trois mille invités. Il n'est pas question pour eux que j'échappe à l'événement. Ils doivent donc être en route pour me récupérer et me ramener deux jours à Mash'had. Il me reste six kilomètres à parcourir lorsque leur voiture, une puissante et belle limousine d'usine conduite par un chauffeur, stoppe sur le bas-côté. Ils descendent et me regardent avec stupeur. Le chauffeur se précipite pour sortir de son coffre une couverture qu'il étend sur ses coussins… En me voyant dans la vitre d'une des portières, je comprends leur stupéfaction. Je ne me suis ni rasé ni lavé depuis une semaine, la sueur a piégé les particules de sable et mon visage ainsi que mes vêtements disparaissent sous une jolie croûte d'un ocre doré. Nous roulons jusqu'à Sarakhs où je loue une chambre, le temps de me doucher. Pendant ce temps, Monir a commandé une collation. Je dois avouer qu'elle tombe à point nommé, car les deux œufs de ce midi ne m'avaient pas vraiment rassasié…

Sur la route du retour, je scrute en vain les bords de route pour repérer Seyed Ziya, mon porte-drapeau. Mehdi et Monir ne l'ont pas aperçu non plus à l'aller. Il aura sans doute gagné un abri pour la nuit. Mes amis somnolent, quant à moi, requinqué par la douche et par la dînette, avant de me laisser glisser dans le sommeil je m'offre un bilan qui ne me déplaît pas. Parti depuis un peu plus de quatre-vingts jours j'ai couvert mille huit cent trente-huit kilomètres, sans problème majeur. Mes séjours à Téhéran et à Mash'had font que ma moyenne est bien moindre que celle que se fixe Seyed Ziya, mais je ne suis en compétition avec personne. Et les rencontres que j'ai faites me consolent de tous les mauvais jours, de la soif et de la fatigue. Je me sens en forme et les cinquante kilomètres d'aujourd'hui, malgré le soleil et le vent, me prouvent que je garde mon potentiel physique, comme disent les sportifs… Cette longue traversée du pays m'a fait découvrir, derrière la brutalité des pouvoirs, une population accueillante, merveilleusement ouverte et qui, malgré les ravages de la révolution islamique, a conservé ses qualités ancestrales. J'ai pu mesurer l'injustice qui est faite par les médias d'Occident à ces Persans cultivés et raffinés, qui passent à l'arrière-plan, derrière les mollahs obscurantistes, attardés et violents. Évidemment, car ce sont les tyrans, les satyres, les monstres, qui accaparent les esprits et polarisent l'information

Dans mille kilomètres j'apercevrai les coupoles turquoise de Samarcande. Mais si tout fut rose depuis mon entrée en Iran, les perspectives de l'avenir sont plus sombres. Depuis quelques jours, je suis déjà en pensée au Turkménistan qui ne me promet rien de bon. Ce que j'ai pu lire sur ce pays ne me plaît pas. Flics brutaux et voraces, administration obtuse et méticuleuse. J'en ai d'ailleurs tâté avec les services consulaires de Paris et de Téhéran. « Les Turkmènes, m'a-t-on résumé, ont cumulé les tares du système soviétique qu'ils ont subi pendant un demi-siècle et celles du système capitaliste qu'ils connaissent depuis dix ans. » Et puis il n'y a pas que les hommes. Je vais devoir franchir deux cent cinquante kilomètres d'un désert où grouillent d'aussi réjouissantes créatures que cobras, scorpions et tarentules, sans compter la redoutable veuve noire, cette minuscule araignée à la piqûre mortelle qui a la contestable habitude de dévorer son mâle dès que s'achèvent leurs amours.

XIII

LES TURKMÈNES

5 août. Sarakhs. Kilomètre 1838.

Je suis à l'heure. Le consul turkmène de Téhéran m'avait prévenu : « C'est un mois jour pour jour, pas un de moins, pas un de plus. » Reparti de Mash'had ce matin par l'autobus, je suis descendu à l'endroit où Monir et Mehdi m'avaient cueilli et j'ai rapidement couvert les six kilomètres qui me restaient à parcourir. La ville de Sarakhs, côté iranien, a une sœur jumelle, Serakhs, côté turkmène. Avant d'entreprendre le parcours du combattant que représente le passage de deux douanes, j'ai pris la précaution d'enterrer mon GPS au plus profond de mon sac et d'en retirer les piles. Ces engins, sans doute pour des raisons de sécurité militaire, sont interdits dans l'ancienne république soviétique.

A 14 heures, un flic iranien examine longuement mon passeport, vient me regarder sous le nez puis… s'en va déjeuner avec mon document. Je tue le temps en lisant et relisant mon guide d'Asie centrale [1] que je connais déjà par cœur. Lorsque l'homme est de retour, il me scrute encore une fois longuement. Il semble que le visa inhabituellement long qu'on m'a accordé lui pose problème. Il me fait donc poireauter, à la mesure de sa perplexité.

---

1. Lonely Planet, 1998.

Me voici enfin dehors. On m'indique un chemin de terre qui conduit à une passerelle, laquelle enjambe le lit d'une rivière à sec. Sur l'autre rive, un minuscule poste de garde abrite des soldats russes qui gardent la frontière pour le compte des Turkmènes. Le terme « garder » est un bien grand mot. Un soldat, pieds nus, dort béatement la bouche ouverte à l'ombre du mur. Un autre, botté, s'est endormi sur sa mitraillette. Il a déboutonné sa vareuse jusqu'au nombril et ne porte pas de chemise. Je tousse d'abord discrètement puis m'exerce à une véritable quinte sans parvenir à les réveiller. Alors je secoue le planton armé. Il émerge lentement du sommeil puis, voyant cet étrange étranger penché sur lui, se dresse d'un bond, arc-bouté sur sa mitraillette. Il me fait signe de rester où je suis, secoue son collègue aux pieds nus, puis recule jusqu'à la porte qu'il ouvre en gueulant quelque chose en russe. Ce qui fait apparaître peu après un jeune officier aux yeux gonflés de sommeil qui, lui, porte des tongs... Les Soviétiques ont décidément du mal à chausser leur soldatesque. Ma vue le réjouit, il sourit, la tension tombe, et tous me font signe de prendre place sur un banc à l'ombre. De ma poche, je sors les petits papiers plastifiés que j'ai préparés depuis Paris pour expliquer mon parcours. Les trois dormeurs sont ravis de voir un étranger. Ce ne sont pas encore les loups-garous qu'on m'a promis. Sur mon passeport, l'officier jette un œil distrait avant de me le rendre. Puis il m'explique que le poste de police et la douane sont dans les bâtiments qu'on aperçoit, à deux kilomètres d'ici. J'empoigne EVNI pour m'y rendre, mais il n'en est pas question, je dois attendre la « navette ». Durant trois quarts d'heure, assommés de chaleur, nous bavardons par gestes au ralenti. La navette, qu'on entend de loin, est un autobus hors d'âge qui cahote à grand bruit sur le chemin de terre troué de nids-de-poule. Il me rappelle une voiture vue au cirque dont les roues étaient excentrées et qui perdait ses pièces en route. Celui-là, mangé de rouille, à la vitesse vertigineuse de cinq ou six kilomètres à l'heure, ne perd qu'un épais nuage de fumée noire. Pourquoi oblige-t-on les gens à emprunter ce cercueil roulant ? J'ai tout de suite la réponse : *one dollar*, me signifie le pilote qui, crânement, arbore des lunettes noires comme celles avec lesquelles paradent les marines américains. Bien entendu c'est parfaitement illégal et uniquement destiné à fournir de l'argent de poche aux douaniers.

Les formalités se déroulent sans encombre. On fait venir un bidasse qui parle anglais, les officiers se passionnent pour mon parcours et, d'abord incrédules, feuillettent mon passe-port pour avoir la preuve que je suis bien parti de Turquie. A l'homme à lunettes américaines qui ne me lâche pas d'une semelle car il attend toujours *one dollar*, je donne la monnaie iranienne qui traîne dans mes poches. Pas exigeant, il s'en contente. Pour ma sécurité, je ne dois jamais laisser imaginer que je pourrais transporter des dollars.

Il faut pourtant que je sorte ceux qui sont dans mon sac car je n'ai pas de monnaie locale, et la première grande ville, Mary, est à une dizaine de jours de marche. Pour cent dollars, l'employé de la banque quitte son guichet et va récolter, un peu partout dans les bureaux, une pile de *manat*, la monnaie turkmène. Quand je dis pile ce n'est pas exagéré, puisque je me retrouve avec des tas de petites coupures qui, empilées, doivent atteindre cinquante centimètres… Évidemment je m'insurge et l'homme repart à la chasse aux coupures de cinq mille et dix mille, stimulé par le fait que le change n'est pas au bénéfice de la banque pour laquelle il travaille mais au sien propre, car il m'a calculé le change au noir.

Il est plus de 19 heures et la nuit ne va pas tarder lorsque, enfin, je pose mon premier godillot sur l'ancien territoire des redoutables Turcomans qui, dix siècles durant, ont pillé, ran-çonné, vendu comme esclaves tous ceux qui leur tombaient sous la main, se faisant la guerre entre eux lorsqu'ils ne pou-vaient la mener chez les autres. La plaine est uniforme. Vers le sud, seul monticule visible, j'aperçois un *tépé*, des buttes de terre fréquentes ici et qui révèlent l'emplacement d'un ancien fort ou la tombe de quelque puissant personnage datant d'avant la Route de la Soie. Un cheval mélancolique broute une herbe rare, se promenant librement dans la campagne. A l'est, une gare ferroviaire barre l'horizon, encombrée de milliers de wagons-citernes destinés au transport du gaz liquide que les Turkmènes produisent en grande quantité. Plusieurs pipe-lines sont en construction mais, pour l'instant, on bricole encore avec ces wagons pour acheminer le liquide jusqu'à une mer ouverte via l'Iran ou, au nord, vers les républiques de l'ancienne Union soviétique. Il n'existe aucune route allant vers la gare et j'emprunte l'unique chemin asphalté et mité de nids-de-poule ici gros comme le bras qui file vers le nord. Je dois faire un long détour, une dizaine de kilomètres au moins, pour rejoindre Serakhs, pourtant très proche du poste de douane.

Dès les premières maisons, le bord de route est planté de panneaux qui, en turkmène, proclament la pensée profonde du maître du pays, le *Turkmenbashi* (chef des Turkmènes) Saparmurad Nyasov. Ancien apparatchik, il a simplement modifié une lettre dans le sigle du PCT – le parti communiste turkmène – pour en faire le PDT – le parti démocratique turkmène. A part cela, rien n'est changé, le parti garde ses immenses richesses et la nomenclature qui le dirigeait est toujours en place. Élu avec quelque quatre-vingt-dix-neuf pour cent des voix lors de l'accession du pays à l'indépendance, Nyasov règne sans partage sur le pays et, pour s'éviter la contrainte de se représenter cinq ans après comme le prévoit la Constitution, il a fait reconduire son mandat juste après son élection pour cinq ans supplémentaires par un parlement entièrement à sa botte. Le culte de la personnalité qu'on lui voue dépasse tout ce qu'on a pu faire jusqu'à présent, et l'imam Khomeini, Staline ou Mao font pâle figure si l'on pense à l'extraordinaire omniprésence du personnage. A la télévision, dans les journaux, sur les billets de banque, son image est partout. Pas une place où n'est érigée sa statue, pas un immeuble, pas un pont qui n'arborent son portrait.

Photos, gravures, bas-reliefs, médailles, dans certaines rues son portrait s'affiche sur chaque façade. Un Turkmène qui me recevra chez lui me fera cadeau, privilège insigne, d'une carte postale en couleur du Turkmenbashi. Et gare à qui ose contester la loi d'airain qu'il fait régner dans le pays. Ceux de ses opposants qui sont encore vivants sont ceux qui ont réussi à fuir le Turkménistan à temps.

Dans le gros bourg de Serakhs, une succession de maisons grises, j'ai la surprise de voir sortir d'une maison une fille à la longue chevelure blonde et en minijupe. Après trois mois de tchadors, la vision est magique. Les voitures sont rares, quelques camions crachent comme des volcans des colonnes de fumées asphyxiantes. L'unique hôtel annoncé par mon guide est introuvable. Je distingue dans la pénombre une voiture de police stationnée ; le chauffeur bavarde avec un homme debout près de la portière, le passager fume une cigarette dont j'aperçois le bout incandescent. Ils ne m'ont pas vu approcher, c'est l'homme avec lequel ils bavardent qui les informe de l'arrivée d'un étranger, visiblement un Occidental. Ma vue agit sur eux comme une décharge électrique. Le chauffeur ouvre précipitamment la portière en criant «*passport! passport!*» tandis que le passager cherche fébrilement sa casquette sur le siège arrière, finit par la trouver, s'éjecte en riant du véhicule et vient vers moi après avoir fait un clin d'œil de connivence à l'interlocuteur qui sourit d'aise. Le premier a deux dents en or, le deuxième en a trois. Visiblement, si j'en juge par leur excitation, ils ont déjà calculé qu'ils s'offriront chacun une dent supplémentaire avec les dollars qu'ils comptent m'extorquer. Je m'attendais à des scélérats, j'ai affaire à des bouffons. Mais mon cœur dont le rythme, par la vertu de la marche, était descendu à soixante pulsations, s'affole, cogne comme un fou dans ma poitrine. Les clowns, lorsqu'ils portent des pistolets, peuvent être dangereux. Il va falloir avoir l'œil.

Celui qui semble être le chef feuillette minutieusement mon passeport. L'autre, plus grand, fait semblant de lire par-dessus son épaule, mais il n'arrive pas à réprimer sa joie d'être tombé sur un étranger, pour lui synonyme de tirelire. Le chef tapote une page et, sentencieusement, déclare en russe :

– Il y a un problème.

– Ah oui, oui, oui ! dit l'autre.

Je m'approche et, en douceur, je fais tourner les pages du passeport jusqu'au visa turkmène.

– *Prablem niet*, dis-je, et du doigt je souligne la durée de validité, la date d'entrée et pour mieux insister sur la durée, je fais avec précaution glisser le document de ses mains dans les miennes, souligne de l'ongle la date « un mois » puis aussi naturellement que possible je referme le passeport que j'empoche en adressant un franc sourire à mes deux nigauds.

– Mais il faut nous suivre au commissariat pour vérification, insiste le gros, cependant que le grand, qui est pourtant bête, a déjà compris que son projet sent le roussi. Ses deux dents en or ne brillent plus dans la nuit, il a cessé de sourire.

Je tente le tout pour le tout.

– Vérifiez tant que vous voulez, mais à l'hôtel. J'y serai jusqu'à demain matin.

Et je pars sans me retourner. Mes jambes tremblent et j'ai le souffle court. C'est maintenant que tout se joue. Vont-ils s'opposer à mon départ, me retenir physiquement ? Rien ne se passe. Cent mètres plus loin, je me retourne : ils sont restés debout près de leur bagnole et parlent avec leur interlocuteur de tout à l'heure. Vont-ils faire une descente à l'hôtel ? Des chauffeurs iraniens m'ont raconté le cauchemar qu'est la traversée du Turkménistan. Les barrages routiers sont innombrables, les flics imbattables dans l'art d'inventer des contraventions. Un routier m'a dit que par trois fois, la semaine dernière, on l'a arrêté sous les prétextes les plus divers. A chaque fois, l'amende était de cent dollars, payable sur-le-champ et en liquide. Pas de reçu, l'argent va directement dans la poche de la flicaille qui se partage la manne. En cas de refus, le contrevenant est traîné au commissariat. « Ne rentre jamais chez eux si tu peux l'éviter, car à l'abri des regards tout peut arriver. »

L'hôtel est un bâtiment bas, long et sale dont les carreaux n'ont jamais été nettoyés. Une sorte de baraquement avec des herbes grises qui grimpent à l'assaut des murs. Pas la moindre lumière, une porte d'entrée à la peinture écaillée fermée par une grosse chaîne et un cadenas de cuivre. Rien d'ailleurs n'indique que c'est un hôtel. Un homme qui passe par là me le confirme, c'est bien l'hôtel, mais il est fermé. Depuis quand, pour combien de temps ? il ne sait pas. C'est quoi, mon problème ?

– Dormir.

– Viens chez moi, j'habite en face.

Il s'appelle Mrat et vit dans une pièce qui tient plus du hangar que de la chambre. Des entrepôts délabrés et désaffectés délimitent une cour où pourrissent quelques tas d'ordures. Mrat a sorti un lit en fer et dort dehors, devant la porte de sa « maison ». Il est marié, père d'une petite fille. Sa femme et sa fille habitent une sorte de HLM de l'autre côté de la rue. Nous y passons brièvement car, me dit-il, sa femme est malade. Je crois comprendre qu'elle est droguée et en manque. Je meurs de faim et j'invite Mrat à dîner dans un restaurant sinistrement éclairé où on nous sert des brochettes avec du fromage blanc. Au bar, des hommes descendent cul sec des godets de vodka. Nous buvons une bouteille de bière et je songe qu'à deux kilomètres de là, cela nous condamnerait au fouet.

Au réveil, je note une ligne de fourmis qui processionne jusqu'à mon sac. Je vais y regarder de plus près, et découvre des milliers de petites bêtes acharnées à venir à bout du morceau de pain que je garde toujours en réserve. Elles sont si nombreuses qu'on n'aperçoit plus la croûte. Mrat me prend le pain des mains, le tape sans façon contre le mur pour faire tomber le plus gros des fourmis, l'essuie avec une serviette sale et me le rend.

J'avais imaginé, avant d'entrer au Turkménistan, un pays sinon pimpant du moins propre. Ma première impression – et la suite du voyage me la confirmera – est une vision de saleté en tout, d'un État retardé sur le plan sanitaire... Entre la Turquie et ici, l'Iran est une parenthèse de relative netteté.

Je n'ai pas quitté Serakhs que je tombe sur un barrage de police. D'une bicoque au bord de la route, une barrière comme celle qui équipent les passages à niveau barre la chaussée. On me soumet au même régime que les chauffeurs routiers : je dois produire mon passeport. L'un des flics reporte sur un cahier mon identité – mes trois prénoms, mais il néglige mon nom – et les dates du visa. Un deuxième barrage, vingt kilomètres plus loin, est un peu plus sophistiqué. L'officier recommande à ses sous-fifres d'avoir l'œil sur moi. Il téléphone à sa hiérarchie mais on doit lui ordonner de me ficher la paix car il m'invite à continuer ma route.

Je garde de mes premiers jours de marche au Turkménistan, comme dans un brouillard de perceptions contrastées, un souvenir de grisailles et de franc soleil, de choses familières et d'inconnu. J'ai choisi une route qui implique un détour de trente kilomètres, pour rejoindre Hauz Han, une petite ville située sur le canal du Karakoum près d'un immense bassin d'eau. Il existe bien une voie plus directe, mais il n'y a pas le moindre village sur près de cent kilomètres et les difficultés pour me nourrir et boire pourraient être réelles. La solitude désertique arrivera bien assez tôt avec ce terrible Karakoum qui, déjà, habite mes nuits peuplées de bestioles rampantes et piquantes.

Durant quatre jours, je marche sur une route étroite, comme enterrée entre deux haies de tamaris brûlés par le soleil. De temps à autre, un village est tapi au milieu de la steppe, enterré dans le sable. Les maisons grises couvertes de toits en tôle ondulée à quatre pans sont toujours disposées selon un tracé rigoureux qui contraste avec les chemins de terre tordus et creusés de fondrières. Les villages donnent l'impression d'avoir été conçus par des géomètres et construits par des saltimbanques. La chaleur est mortelle. Je tète sans discontinuer le tuyau de ma gourde, et l'eau semble ne pas même faire une pause dans mon organisme desséché. Je patine sur le goudron où mes crampons de chaussures et les roues d'EVNI laissent leur empreinte. L'asphalte, liquéfié par la chaleur, se déforme sous le poids des camions qui tracent des ornières parallèles, donnant à la route l'apparence d'un chemin de boues sombres.

Habitué depuis plusieurs mois à l'alphabet vermicellé du fârsi, je déchiffre assez facilement les panneaux rédigés en alphabet latin. Les enseignes des magasins sont en caractères cyrilliques et en russe. Les Turkmènes et les Ouzbeks, qui pratiquent deux langues cousines turcophones, ont adopté l'alphabet latin pour affirmer leur indépendance face au russe, pratiqué ici depuis deux ou trois générations. Mais pour rendre plus tordue une situation qui déjà n'était pas simple, ils ont choisi des lettres ou des signes différents. Le résultat est que le russe qu'on voulait abandonner reste la véritable langue véhiculaire d'Asie centrale utilisée par les Turkmènes, Ouzbeks, Tadjiks et Kirghiz. Chaque habitant est au moins bilingue. Ceux qui, appartenant à la communauté turkmène, résident dans un quartier ouzbek pratiquent trois langues.

Après les sinistres règles que dictent les mollahs, je redécouvre avec plaisir une certaine liberté des corps. Les femmes russes dévoilent leurs jambes et s'habillent de vêtements qui ne dissimulent pas leurs formes. Les Ouzbeks et les Turkmènes sont vêtues d'une robe légère à la coupe simplissime : un tube de coton à manches courtes qui descend jusqu'aux chevilles. Les différences portent sur les couleurs, chatoyantes et vives. Si les Russes, dès la trentaine, se font rondelettes, les descendantes des Turcomans, elles, restent sveltes et leurs robes pudiques laissent deviner des corps élancés. La plupart portent un foulard de soie simplement noué sur le chignon et qu'elles laissent pendre dans le dos, comme une chevelure.

Mes premiers jours au Turkménistan coïncident avec une forte poussée de chaleur. C'est de toute façon en juillet que les températures les plus fortes sont relevées dans cette partie de l'Asie centrale. Dans le sud et le sud-est, le thermomètre va jusqu'à 50°. Je résiste bravement durant les deux premiers jours, mais au troisième, alors que j'avance sur cette route toujours droite et qui semble ne jamais devoir finir, je suis pris d'une véritable crise de désespoir. Voilà six heures que je vais, j'ai l'impression de ne pas avancer. Pas la moindre parcelle d'ombre le long de ces buissons de tamaris aux feuilles quasi inexistantes. Je n'ai plus une traître goutte d'eau dans le corps malgré tout ce que j'avale – près de douze litres depuis ce matin – et je n'ai pas pissé une seule fois tant ma transpiration est forte. Brusquement, je craque, je m'assieds au bord de la route, prenant la précaution de jeter ma couverture sur un gros tamaris mort pour ne pas crever sous ce soleil meurtrier. J'ai beau consulter la carte et mon GPS, je ne vois pas poindre à l'horizon ce canal du Karakoum que j'aurais dû atteindre depuis plusieurs kilomètres. Cette humanité grossière et ces flics avides, ce soleil assassin, ces étendues immenses et déshumanisées, tout est trop hostile. Durant plus d'une heure je me laisse doucement glisser loin de l'espoir qui me portait jusqu'alors. A quoi bon lutter? L'épreuve est trop difficile, le soleil trop chaud, Samarcande trop loin. Et cette route sans fin, ce chenal qui se joue de moi comme un mirage. J'aimerais qu'une main amie se pose sur mon épaule et qu'un sourire rallume mon énergie éteinte. Mais je suis seul, absolument seul. Je suis trop petit, trop fragile, trop faible pour affronter cette route titanesque. Autant me coucher dans l'ombre de ma couverture, agrippée comme une peau brûlée sur le squelette du tamaris, et attendre le divin sommeil éternel.

Et le miracle se produit. Je m'endors. Lorsque je me réveille, mes démons ont fui et le soleil brûle moins. Une heure plus tard, sur un pont enjambant la rivière enfin trouvée, j'achète une pastèque à un paysan venu on ne sait d'où. Sous l'arche ombreuse, je me fais un lit de roseaux, immerge ma gourde dans l'eau boueuse et, après avoir mangé deux tranches savoureuses du melon d'eau, je m'assoupis de nouveau. A mon réveil, un berger torse nu et chaussé de grosses bottes de cuir de l'armée russe m'observe, visiblement déconcerté. Ses moutons se disputent l'accès à l'eau à quelques mètres de là. Il me rend mon sourire. Je cherche dans mes poches le petit papier qui relate mon parcours. Mais il ne sait pas lire et me le rend tout de suite.

Lorsqu'il s'en va, je suis tenté de me plonger dans l'eau du canal, mais le flux ocre qui file vers l'ouest ne m'inspire pas trop. Qui sait quels germes campent dans cette eau fangeuse et tiède ? Le canal du Karakoum, large comme un fleuve, rapide comme un torrent, est une prouesse technique et une aberration technologique. Cette eau qui coule devant moi a été détournée de l'Amou Darya, l'un des deux grands fleuves d'Asie centrale, descendu des hauts sommets du Pamir. Le canal a été réalisé pour augmenter la production du coton, encore et encore du coton. Afin de réduire le Turkménistan au simple rang de fournisseur de matière première pour l'empire soviétique, les ingénieurs russes ont joué la démesure. D'une longueur actuelle de neuf cents kilomètres, sans doute le plus grand canal du monde, il n'a pourtant permis d'irriguer – encore une performance soviétique – que moins de trois pour cent des terres turkmènes… Et le résultat de la saignée pratiquée sur l'Amou Darya est le dessèchement de la mer d'Aral. La vie ici, la mort là-bas.

Je garde de ces premières journées au Turkménistan le souvenir d'hommes qui m'ont ouvert leur maison et leur table, à moi l'étranger de passage, comme à un ami de toujours. Je pense à Touwan, le vieux tractoriste de kolkhoze, grand, ridé et sec comme les abricots qu'il cultive et a séchés au soleil de son jardin – et dont il a bourré mon sac. A soixante-douze ans, il n'a vécu que sous le régime communiste qu'il regrette, et dix ans dans un régime capitaliste qu'il ne comprend pas. Quand je l'ai quitté, il m'a donné son adresse en précisant « république soviétique du Turkménistan ». Je pense à Atamarat, le vétérinaire qui m'a aidé à retrouver mes lunettes, tombées de ma poche sur le bord de la route et sans lesquelles je n'aurais pu continuer mon chemin. Ses yeux bridés et son visage rond tout en fossettes m'ont fait prendre conscience que j'avais quitté les Aryens pour le pays des Mongols.

Je pense à Shahmourat. La journée allait s'achever lorsque je suis arrivé dans sa buvette de bord de route. Des kolkhoziens venaient y boire le premier verre de la soirée. Ce gros homme au visage jovial m'a tout de suite adopté.

– Pose ton sac ici. Tu as faim ? Je te prépare à manger. Tu as soif ? Je te verse une vodka. Tu veux te laver ? Suis-moi.

Il m'a traîné jusqu'au fond du pré envahi par de très hauts roseaux derrière la buvette. Là, coulait l'eau rapide et boueuse d'un petit canal. Il a vu mon mouvement de recul. Me laver là-dedans ? Pas question. Il s'est penché, a recueilli de l'eau dans la paume de sa main et l'a bue. Puis il est reparti vers ses clients, englouti par les hautes herbes. L'endroit était désert. J'ai quitté mes vêtements et plongé pour me débarrasser de la crasse qui depuis mon entrée au Turkménistan me collait à la peau. Ce n'est que lorsque je suis sorti que j'ai aperçu, entre les herbes, les visages rieurs de trois garnements. Je leur ai fait un signe amical, ils sont partis au galop, traçant un sillon onduleux dans les roseaux. L'eau était si boueuse que ma serviette est devenue toute rouge.

Shahmourat avait préparé le repas que nous avons pris dehors, sous une grande moustiquaire que recouvrait, à la nuit tombante, un voile de moustiques tous dards pointés vers nous. Mourad, un de ses amis au poil blanc comme un lièvre des neiges, nous a rejoints.

– Vodka ?

– Non, merci, je préfère de l'eau.

– *Tchout tchout* (un peu).

– Si c'est un peu, je veux bien, pour trinquer.

Il a rempli mon verre à ras bord, puis levé le sien. Mourad, respectant l'interdit islamique, buvait un jus de fruits. Shahmourat a vidé son verre d'un trait. J'ai bu une gorgée, l'alcool m'a déchiré la gorge, brûlé l'estomac. Mon hôte m'encourageait à vider mon verre, j'ai refusé. Durant le dîner – brochettes et légumes crus – les invitations à boire se sont répétées.

– Tchout tchout.

Vingt fois j'ai dit non, étanchant ma soif à ma gourde. Après le dîner, Mourad nous a emmenés dans sa voiture à la maison de Shahmourat, dans le village voisin, au bout d'un chemin de terre crevé de fondrières. Au passage, nous ramassions des hommes revenant des champs. Un second dîner attendait Shahmourat. Encore brûlé par le soleil de la journée, je n'avais pas faim mais, par égard pour mon hôte, j'ai pioché dans mon assiette de pâtes, grignoté du pain, picoré dans une grappe de raisin. Il a rempli deux verres et m'en a tendu un :

– Vodka ?

– *Niet, spassiba, wada* (non merci, de l'eau).

Nous étions assis par terre face à face, il maintenait le verre à hauteur de mon visage.

– Tchout tchout.

– Niet, spassiba.

J'ai tenu bon près de dix minutes. Imperturbable, Shahmourat tendait toujours le verre sans faiblir, un sourire amical aux lèvres. Je ne voulais pas ingurgiter ce poison douloureux pour mon estomac habitué à l'eau depuis mon départ. Le verre dansait devant mes yeux, l'alcool scintillait sous le lustre. J'étais décidé à résister. Le verre toujours offert, le maître de maison pinçait pouce et index de la main gauche, signifiant « petit » et répétait « tchout tchout ». Son insistance devenait insupportable. J'ai enfin compris qu'il avait absolument besoin que je l'imite pour ne pas faillir au code de politesse qui veut qu'on ne boive pas si son invité ne trinque pas. Il fallait que je participe pour qu'il s'autorise à consommer. Je suis têtu, mais j'ai cédé. A peine y ai-je touché qu'il a vidé le sien d'un grand coup de tête en arrière, après un toast auquel je n'ai rien compris. Puis il a rempli son verre et porté un nouveau toast.

Le repas fini, et tout en éclusant quelques verres, il m'a montré, sur une vidéo, le mariage de sa nièce. Dans un pré, les invités bâfraient du mouton et de grands plats de riz tout en faisant circuler les bouteilles. Des amis jetaient en l'air des poignées d'argent que les enfants se précipitaient pour ramasser. Sur le seuil de leur demeure, les deux époux ont brisé du pied deux assiettes renversées, gage de bonheur et de prospérité. Jolie conjuration, il est vrai, que de briser la vaisselle avant le mariage... Et puis la mariée, toujours cachée sous le voile, a dénoué patiemment les multiples nœuds de la ceinture en toile de son mari. Avec celle-ci qu'il faisait tournoyer, il a simulé de chasser les invités comme des mouches jusqu'à ce que le dernier ait quitté la pièce nuptiale.

Lorsque la bouteille d'un demi-litre a été vide, Shahmourat a fini mon verre qui était resté plein et il est sorti droit comme un I dormir sous les étoiles. Sa femme et ses quatre enfants, trois très belles filles et un garçon trapu étaient alignés dans la cour sur deux takhtés. J'ai préféré dormir dans la maison, tartiné de produit répulsif pour résister aux moustiques qui attaquaient en nuages compacts. Ceux qui ont piqué Shahmourat cette nuit-là ont dû se payer une sacrée cuite.

Au Turkménistan, on ne voit de femmes dans les champs que pour la cueillette du coton. Malgré un siècle d'occupation russe et soixante-dix ans de communisme, les traditions restent fortes ici. Les enfants prennent encore femme ou mari par ordre d'âge. Et bien qu'on m'assure que c'est de la vieille histoire, on pratique encore le lévirat, cette coutume qui veut qu'un jeune frère reprenne la femme de son frère aîné si celui-ci vient à mourir. Si on n'enlève plus les femmes, des cadeaux aux familles pour le rachat de la fiancée s'inspirent de cet usage. La religion a beaucoup souffert de la période soviétique, mais le *parandja*, le foulard islamique qui avait pratiquement disparu, revient lentement.

J'ai quitté la route d'Ashkabat que je suivais depuis trois jours pour obliquer, vers le nord, sur un petit chemin qui enjambe les innombrables canaux et serpente entre de grands champs de coton. Des bulldozers défoncent le sol et d'énormes engins arasent les buttes, peignent le sable et y dessinent des tracés compliqués où l'eau des canaux arrivera, le moment venu, pour baigner chaque centimètre carré de ces terres encore vierges. Je suis stupéfié par l'absence d'imagination des gouvernants. Du coton, du coton, encore du coton.

De jeunes travailleurs, le torse nu, la hache à la main, luisants de sueur, le crâne protégé du soleil par des foulards noués à la corsaire, défrichent bénévolement « pour le Président ». Ils en mettent un coup, certains qu'il viendra un jour constater le produit de leurs efforts. Plus loin, des adolescents ressortent du canal des filets remplis de curieux poissons plats qui, à peine mis hors de l'eau, meurent desséchés. S'ils restaient au soleil, je suis sûr qu'ils seraient cuits à l'heure du déjeuner. Ces fossés m'incitent à la baignade, puisque aussi bien j'ai survécu à mon bain d'hier dans le canal de Shahmourat. Dissimulé par les roseaux, j'expose ma peau laiteuse aux rayons cuisants du soleil avant de plonger

dans l'eau ocre où je trouve, un instant, un peu de fraîcheur.
J'aime ces séances de naturisme qui me libèrent des trois
mois de contention vestimentaire chez les mollahs. Et l'eau
est si chargée en boue que je prends la couleur du sol, je me
fais terre.

. A midi, trois solides gaillards qui se sont gavés de truite
frite et se sont assommés à la vodka surmontent leur timidité
et viennent m'exposer leur amour de la France et leur admiration pour sa culture, citant pêle-mêle Alexandre Dumas, le
cognac Napoléon « Ludovic XIV », Platini et Zidane.

La petite bourgade de Hauz Han, au bord du grand canal,
somnole au soleil. De l'autre côté du pont qui enjambe ce
fleuve artificiel aussi large et plus rapide que la Seine à Paris,
l'auberge de Iazberdy offre l'ombrage d'une treille et la
fameuse truite frite accompagnée de tomates. L'homme est
un artiste : il a fait peindre, sur le pignon de sa guinguette, un
paysage exotique de palmiers et de lagons hawaïens. Il me
reçoit avec tous les honneurs qu'il juge dignes d'être décernés
à un homme venant de si loin à pied, et débarrasse à la hâte
une chambrette à l'étage pour que je reprenne des forces.
Ensuite, me dit-il, nous irons faire la course dans le canal
tous les deux. Iazberdy est l'échanson du paradis : la trentaine vigoureuse et volontaire, il tient cette auberge ouverte
jour et nuit, et rejoint chaque semaine pour quelques heures
sa femme et ses deux enfants qui résident à Mary. Tout en me
servant au dîner comme au petit déjeuner l'invariable menu
truite frite et tomates, il me fait parler de Paris, la voix
mouillée, où il voudrait aller, ne serait-ce qu'un week-end.
Ceux qui aiment à chercher chicane pourraient affirmer que
ses tomates sont blettes, je préfère me convaincre qu'elles
sont simplement bien mûres et j'alimente ses rêveries en lui
racontant ma vie à Paris.

En fait, je suis très préoccupé par mon entrée prochaine
dans le désert, ces soixante-dix kilomètres qui me séparent de

Mary. Iazberdy à qui je demande s'il y a des gargotes ou bistrots le long de la route, ramasse pour toute réponse une poignée de sable et la laisse glisser entre ses doigts : rien que le sable du désert. Un de ses clients, un ouvrier agricole, a une voiture dont il n'est pas peu fier. Il viendra, moyennant finances, me chercher demain soir au terme de ma journée de marche, me ramènera ici puis me reconduira le lendemain matin à l'endroit où il m'aura ramassé. Ainsi je pourrai me rendre à Mary sans camper. En 1886, un Français mauvais coucheur se plaignait d'avoir ses nuits à Mary perturbées par des moustiques. On lui répondit, paraît-il : « Ne vous plaignez pas, la semaine dernière, on a eu une invasion de scorpions. » J'ai échappé récemment aux scorpions d'Aran, raison de plus pour ne pas forcer ma chance et éviter, autant que faire se peut, ceux d'ici ainsi que les cobras et les tarentules qui viennent vous saluer, dit-on, dès que l'on quitte la route.

Malgré mes protestations, Iazberdy refuse d'accepter le moindre manat pour toutes les truites et les tomates. Je le photographie devant son mur peint résolument figuratif et il exige un deuxième cliché sur lequel il me fait poser près de lui. N'eût été la truite, je serais bien resté une journée supplémentaire auprès de cet ami au beau sourire, si jovial et plein d'humour.

Attentif à la route, rêveur, je ne me suis pas rendu compte que j'avais passé le deux millième kilomètre. Je compte : avec les deux mille trois cents kilomètres du chemin de Compostelle et les mille sept cents kilomètres du plateau anatolien, voilà six mille kilomètres que je franchis en trois ans. Je ne peux m'empêcher de calculer. Comme si l'arithmétique, science de maniaque entre toutes, s'accordait bien avec ma frénésie de marche. Deux marottes analogues…

Après quelques *samsas* (pâtés de viande et légumes cuits au four du boulanger) et une roborative *tchourpa* (ragoût de mouton), je m'offre un somme sous une treille près d'un canal pendant que, près de là, le paysage brûle.

Redjepnour est venu conduire son père à des agapes de retrouvailles et s'arrête pour m'interroger. Il a la tenue stricte et triste d'un homme d'affaires prospère. Maigre, le visage en lame de couteau, il a de remarquables petits yeux intelligents et fureteurs qui font oublier un épouvantable prognathisme. Comme au surplus il est affecté d'un goitre, il ressemble à ces cormorans que les Chinois dressent pour la pêche. Son sourire est incroyablement chaleureux, peut-être parce que toutes les dents de sa mâchoire supérieure sont en or. Il se commande un thé, s'assoit près de moi et me fait raconter mon voyage. Puis soudain, péremptoire : « A Mary, tu logeras chez moi, j'ai un grand appartement et tu y seras très bien. » J'accepte d'autant plus volontiers que mon guide affirme qu'il n'y a que deux hôtels à Mary : le premier, qui n'accueille que des étrangers, sera bondé de touristes avec qui je n'aime pas à frayer, le second, financièrement aussi prohibitif, affirme le rédacteur, offre au voyageur le luxe du choix : la chambre dont la porte ne ferme plus, celle à la douche hors d'usage, ou celle dont la fenêtre est cassée.

Son appartement est situé dans un des innombrables clapiers en béton que les constructeurs russes ont semés dans tout l'Empire, ces grandes barres grises sur lesquelles on a collé des vérandas de verre que personne n'a jamais eu l'idée de nettoyer. Les escaliers sont restés bruts de décoffrage. Mais chez Redjepnour, c'est spacieux et propre. Il me présente sa jolie femme, Aïna, aux longs cheveux auburn rassemblés en un chignon mou qui ondule à chacun de ses gestes. Dowlet, son fils aîné et Sarin, le second, au sourire déluré, sont en admiration devant leur troisième frère, un bébé que toute la famille caresse à l'envi. Il héberge aussi une jeune femme qui a fui la guerre civile de Tchéchénie. Tout ce petit monde, malgré mes protestations, va s'entasser dans deux pièces alors qu'on laisse à ma disposition une véritable

« suite » – la chambre des époux meublée d'un grand lit et une pièce attenante. Dans la baignoire, je laisse ma peau tremper longuement afin de la laver des suées iraniennes, des sables du désert et des boues des canaux. Récuré, briqué comme un sou neuf, je prends quelque repos pendant que mes vêtements, réquisitionnés par Aïna dès mon arrivée, tournent dans la machine à laver.

Mon hôte m'enlève pour m'amener à son village et me présenter à ses parents et à ses frères. On me fait goûter les abricots du jardin de la grande maison familiale, cependant que le *pater familias* me défie dans un duel à la vodka, s'offrant une victoire facile dès le premier round. L'homme, d'une courtoisie surannée, a le bon goût de ne pas me proposer la revanche. Quant à la mamma, elle va tirer d'un coffre une cuiller en bois peint qu'elle m'offre avec trois pots de confiture. Longues palabres pour lui faire admettre l'idée que je ne peux pas emporter les confitures mais que j'accepte la cuiller avec plaisir. Pour compenser sans doute, elle me fait cadeau d'un de ces tapis que la famille tresse à longueur d'année et qui doit peser cinquante pots…

Le lendemain, Redjepnour et sa famille m'emmènent visiter Merv. J'en rêve depuis des semaines. Cette ville fut la rivale de Bagdad et, pour un temps, la capitale des Seldjoukides. On l'appelait Marvishajahan (Merv-la-Reine-du-monde). Des historiens prétendent que c'est dans ses murs que furent rêvés et contés pour la première fois les *Mille et Une Nuits* de Schéhérazade. D'autres assurent que ses murs abritent le berceau des familles aryennes. Ce qui est certain, c'est que c'était la plus grande étape sur les routes de la Soie et qu'Alexandre le Grand s'émerveilla de sa richesse. La bibliothèque comportait cent vingt mille volumes et Omar Khayyam, dont j'ai visité la tombe à Nichapour, y a vécu et travaillé. Alors qu'entre le VIIIe et le Xe siècle Paris comptait aux alentours de vingt mille habitants, Merv en abritait entre cinq cent mille et un million. Ses hautes et innombrables murailles, d'une longueur d'une vingtaine de kilomètres, affirmaient sa puissance et l'immense oasis qui l'entoure assurait son opulence, notamment grâce aux nombreux barrages qui retenaient les pluies de l'hiver.

Et puis vint Gengis Khan.

En 1218, il envoie une ambassade réclamer une lourde fourniture de grain pour ses chevaux et quelques douzaines de vierges pour ses nuits et celles de ses généraux. La municipalité, expéditive, répond en coupant la tête des plénipotentiaires. Gengis Khan est rancunier. Trois ans plus tard il envoie l'un de ses fils, Tolui, à la tête d'une armée. Pendant une semaine celui-ci prépare le siège puis s'apprête à donner l'assaut. Les responsables de la ville, sachant qu'il va leur en cuire, proposent alors de se rendre en abandonnant leurs richesses à la condition d'avoir la vie sauve. Tolui promet, fait sortir la population et la fait parquer sous les murs. Puis il charge chacun de ses soldats de couper de trois à quatre cents têtes. On rase les maisons et on sème du seigle. L'armée s'éloigne, laissant des pyramides de têtes coupées derrière elle. Quelques survivants miraculés reviennent alors pour voir ce qui peut être sauvé des ruines. C'est ce qu'attendait Tolui, de retour en catimini, qui les encercle et achève le travail commencé. Geoffrey Moorhouse[1] estime qu'à Merv les seuls épées et couteaux ont tué plus que les deux bombes atomiques de Nagasaki et Hiroshima. Cette tuerie est sans doute la pire de l'histoire des guerres. La ville ne s'en relèvera pas. Gengis Khan a tué la Reine du monde. Au XIXᵉ siècle, lorsque les Russes – sous le prétexte de délivrer les chrétiens capturés et réduits à l'esclavage – envahissent le Turkménistan, ils abandonnent la ville qui n'est plus habitée que par quelques centaines de Turkmènes et ils construisent Mary à quelques kilomètres de là. La visite des ruines montre des constructions qui se sont succédé au cours des deux mille cinq cents ans de l'histoire de Merv, au fur et à mesure que la ville se

---

1. *Le Pèlerin de Samarcande*, Geoffrey Moorhouse, Phébus, Paris, 1993.

développait ou se reconstruisait. Au beau milieu des remparts écroulés se dresse encore le tombeau du sultan Sanjar mort à la fin du XIIᵉ siècle. Une construction gigantesque, considérée comme la plus belle du XIIᵉ siècle en Asie centrale, dont ni Tolui ni les tremblements de terre n'ont pu venir à bout. Autrefois couverte de tuiles turquoise, elle est en cours de rénovation.

Au Turkménistan, les ruines sont en quelque sorte une spécialité. De Nisa, qui fut voici deux mille trois cents ans la capitale des Parthes, il ne reste plus guère qu'une ou deux constructions miraculeusement préservées. Ashkabat, l'actuelle capitale du pays, fut soufflée par un monstrueux tremblement de terre en 1948. On retira cent mille morts des décombres. Les nomades batailleurs qui habitaient ce pays n'ont pas construit de villes et il fut très difficile aux vainqueurs russes de les sédentariser au début du XXᵉ siècle, après leur prise de pouvoir.

Passant sans transition de la tente ou de la yourte aux maisons, les Turkmènes auraient pu, comme les Iraniens ou les Turcs, conserver le souvenir de la tente dans l'organisation de leur habitation. Mais non. Les maisons du Turkménistan sont fortement marquées par le style russe. A l'extérieur, nulle particularité. Immeubles ou pavillons, tous d'une triste couleur grise, sont impeccablement alignés. A l'intérieur on trouve une table, des chaises, des lits et la plupart du temps un bahut ou un buffet sur lequel trône la télévision. Les murs parfois, le sol toujours, sont recouverts de tapis. Chaque village a un dessin spécifique pour ses tapis, mais le motif le plus courant est, sur fond rouge, le dessin dit « Boukhara », tissé la plupart du temps au Turkménistan mais commercialisé dans la ville ouzbèke. Un autre dessin célèbre et traditionnel est celui des « Mauri », l'un des noms de la ville de Merv, mais il est tissé pour l'essentiel en Afghanistan où des artisans se sont autrefois réfugiés. Les murs des maisons sont toujours peints dans des couleurs pastel sur lesquelles on a imprimé, au pochoir ou au rouleau, des fleurs naïves ou des dessins géométriques.

Chez Redjepnour, ce sont des colonnes en fausse perspective. Les plafonds sont toujours très travaillés. A Ata ou Alam, ils sont en caisson et les bords sont arrondis et peints. A Hauz Han ou Mary, ils sont en stuc, peints et parfois dorés. Partout, on gaspille largement l'eau, le gaz et l'électricité. Ils sont gratuits, « offerts par Nyazov ». Les immeubles collectifs bruissent des chuintes de W.-C. qui fuient et qu'on ne répare jamais, on coupe rarement le gaz qui brûle toute la journée et j'ai vu des pièces aveugles comme des W.-C. ou des salles de bains où l'on a supprimé l'interrupteur devenu inutile puisqu'on n'éteint jamais les lampes.

Mon ami m'emmène aussi visiter un marché qui ne se tient que le dimanche matin en dehors de la ville. Imaginez une sorte de terrain vague où tout le monde vend de tout. J'achète pour le prix ridicule de vingt euros un joli petit tapis de Boukhara rouge qui, placé sous mes reins, me rendra plus douces les nuits sur les planchers. Il se glisse sous mon sac et ne pèse qu'à EVNI. Lorsque je vais faire mes adieux aux parents de Redjepnour, son frère qui est professeur d'anglais m'avoue qu'en quarante ans il n'a rencontré que deux étrangers, le premier étant un Ouzbek venu presque en voisin.

Au matin, Dowlet et Sarin m'accompagnent pour me mettre sur la bonne voie. Redjepnour devant sa porte d'immeuble, le bébé dans les bras, me fait longtemps de grands signes d'adieu. Il aurait voulu que je reste plus longtemps. Ces deux jours de repos dans la chaleur amicale de sa famille et des nombreux amis venus voir l'étranger m'ont dopé. Je ne suis jamais fatigué de découvrir de nouvelles têtes, d'apprendre aussi, sur moi et sur les autres. La marche solitaire, en me mettant face à moi-même, m'amène à me poser des questions sur ma vie, sur mes projets. Et puis toutes ces rencontres m'enchantent. Cet appétit de connaître me pousse presque autant que le plaisir de la marche. C'est alors que me viennent la plupart de mes projets. Mais il faut que je parte. Le désert m'attire, même s'il me fiche sacrément la pétoche.

Je voudrais dire ici un mot de mes peurs, afin de mieux
détromper ceux qui auraient l'idée saugrenue de me prendre
pour un héros. Elles peuvent paraître excessives et, s'il n'est
pas facile de les avouer, je n'ai pas honte de les porter en moi.
Elles sont le complément indispensable qui, jusqu'à maintenant, m'a permis de rester en vie en pondérant mon esprit
d'aventure. La peur ne m'empêche pas de prendre des
risques. Elle m'oblige à les calculer. Je ne fais pas partie de
ceux qui n'ont peur de rien. J'ai la frousse, des paniques, des
frayeurs, la pétoche, les jetons, en particulier pour tout ce qui
rampe, pique, ou empoisonne. Mais je n'ai pas de réelle phobie, et si les tarentules m'inquiètent, je laisse vivre les araignées qui, dans ma maison normande, veillent au coin des
fenêtres en attendant patiemment la mouche de leur déjeuner.

Après m'être régalé d'un *laghman* – plat d'Asie centrale
constitué principalement de féculents –, me voici maintenant
aux portes du redoutable désert du Karakoum. Depuis des
jours et des jours, il est au centre de mes cauchemars.
Camper ? Ne pas camper ? Le pessimisme qui m'est parfois si
naturel m'a fait peindre cette redoutable étendue en couleurs
mortelles. Et lorsque je regarde, sur la carte, l'interminable
ligne droite qui sépare Mary de Tchardjou sur près de deux
cent cinquante kilomètres, je ne peux m'empêcher de rêver
de battre en retraite.

XIV

LE KARAKOUM

14 août. Mary. Kilomètre 2046.

En juillet et août, les températures atteignent 45 et 50° dans le Karakoum. Bientôt j'entrerai – à reculons – dans ses sables. Auparavant, je traverse la petite ville de Bajramaly ou Bayram Ali, près de Merv. Alexandre III, tsar de toutes les Russies, s'y fit construire un palais. Il voulait y profiter de la qualité de l'air, le plus sec qui soit, réputé bon pour les reins. Après la révolution, le château a été transformé en sanatorium.

Trois chauffeurs routiers attablés devant un thé – un Turc, un Allemand et un Russe – me confirment ce que je craignais : entre la dernière oasis et Tchardjou – qu'on a récemment rebaptisée Turkmenabad –, sur une distance de cent soixante-dix kilomètres il n'y a que le Centre de recherche de Repetek. A part cela, pas la moindre oasis, pas même une station d'essence où je pourrais trouver gîte ou couvert. «*Allahismarladik*», «*auf Wiedersehen*», «*da svidania*», oui, bonne chance et au revoir. Cette fois, je suis bien dans la seringue, et il n'y a pas d'autre moyen d'en sortir que par l'aiguille.

Même les Turkmènes constatent qu'il fait *jarka* (chaud). Comme chaque jour à la même heure, le goudron entre en ébullition. Mais alors que la soirée avance, j'ai la chance de

traverser à nouveau le canal du Karakoum. Je m'y jette malgré les conseils de prudence de familles qui pique-niquent
sur sa rive. Ce sera la dernière occasion que j'aurai de me
baigner avant l'Amou Darya, à la frontière ouzbèke. Deux
bateaux qui naviguaient autrefois sur le canal ont été hissés à
terre et transformés en « hôtel-restaurant ». Un hôtel un peu
particulier, puisqu'il n'y a pas de lit dans les chambres et que
l'on dort à même le parquet. Durant le dîner, une jeune
femme haut perchée sur des talons bien peu adaptés et qui
fume comme un pompier asticote les deux serveurs qui comprennent enfin et s'enferment avec elle dans la cabine de
pilotage. La nuit est mouvementée – et trop bruyante pour
que je dorme –, car la jeune femme proclame à grands cris le
bonheur que les garçons lui procurent.

Yossof, le propriétaire d'une gargote à Ravnina où j'arrive
au soir, vient après ma tchourpa me proposer une « surprise ». Intrigué, j'embarque dans son side-car et il me
conduit au village proche, dans sa maison. La surprise est de
taille : un bidon rempli d'eau a chauffé toute la journée sur le
toit. Avec un tuyau et une pomme d'arrosoir, je vais pouvoir
prendre une douche véritablement royale.

Ma présence a dû être signalée, car le lendemain je suis par
deux fois apostrophé par des automobilistes qui me réclament
un autographe... à signer au dos du portrait du président
Nyazov. Voyez comment une réputation se fait... Ce qui
m'inquiète bien plus, c'est le nombre de serpents – les lézards
font jusqu'à un mètre cinquante... – aplatis sur l'asphalte et
réduits à l'aspect de reliures cartonnées que je rencontre. On
m'avait pourtant affirmé que les serpents ne s'approchaient
pas de la chaussée et que je n'y risquais rien. Pas rassurant,
tout ça, qui relance la question que je me pose depuis des
jours : « Camping ou pas camping ? » Je suis tenté, mais ce
désert et ses habitants m'effraient. Je peux aussi pratiquer le
« stop et reviens » que j'ai déjà fait dix fois. En même temps

me titille l'idée de passer au moins une nuit dans ce désert. En fin de matinée, c'est décidé : je vais bivouaquer. Mais pendant le déjeuner, lorsque j'annonce mon intention, un homme fait onduler sa main et son bras d'une manière lente et sans ambiguïté : « *Zméia, Zméia !* »

Mon sang se glace et je m'en veux d'être si froussard. Mais après un long somme j'ai repris du poil de la bête : j'ai choisi, cette fois définitivement, de camper.

Kadam, le jeune serveur qui travaille avec son grand-père, me montre un bout de papier : c'est l'adresse de Philippe Valéry, ce marcheur qui se rend en Chine et dont j'ai entendu parler à Téhéran, puis dans un petit village où l'on ne se rappelait que son prénom. Je la recopie car il ne me déplairait pas de rencontrer cet homme qui a eu la même idée que moi – et pas mal d'ennuis, semble-t-il. D'après Kadam, il a dû traverser le désert en mai dernier, par des températures sans doute plus clémentes, le veinard.

A la sortie du dernier village avant le désert, un barrage de police me met en garde : danger, serpents. Mais c'est dit, j'y vais. J'ai soixante-quinze kilomètres devant moi avant de parvenir à Repetek. Je caresse un moment l'idée de marcher de nuit, mais je n'oublie pas que les serpents se cachent du soleil et se montrent à la lune. L'obscurité s'installe d'un coup. A 19 h 30, après quarante-cinq kilomètres, les forces me manquent.

Je dresse la tente à une trentaine de mètres de la route et j'allume un grand feu de branches de tamaris ramassées alentour. Après avoir dîné d'une boîte de thon et d'un bout de pain je me calfeutre. Mais avant de m'endormir, la torche à la main, j'inspecte longuement toute la toile et découvre un trou minuscule entre deux fermetures à glissière. Assez grand toutefois pour une tarentule ou une veuve noire, aussi je l'obture avec mon ticheurte. Dans ce désert silencieux, je retrouve mes peurs d'enfant. Bien que je sois exténué, durant toute la nuit chaque souffle de vent sur la toile me réveille en sursaut. Avant même que l'aube pointe, éclairé par la lune et le feu que j'ai ranimé, je suis debout et je plie la guitoune. Après tout, inutile d'en faire toute une histoire : je suis vivant et dispos.

Une très légère rosée, une buée même, s'est abattue sur la route au cours de la nuit, imperceptible humidité dans ce monde lyophilisé, et les pneus des rares voitures tracent une traînée luisante sur l'asphalte.

Il ne fait pas trop chaud et j'avance d'un pas décidé : à nous deux, Karakoum. Il y a une heure que je marche et je m'apprête à assister au lever de sa majesté le soleil, un spectacle dont je ne me lasse jamais. Au-dessus des dunes encore plongées dans la nuit, c'est d'abord une lueur jaunâtre, plus orangée au contact de la ligne d'horizon bleutée, qui monte à l'est. Puis un foyer rouge sang augmente la luminosité. Les tamaris, plantés sur les dunes qui passent du noir à l'ocre, apparaissent en ombres chinoises. Très vite la lueur s'embrase au fil des secondes, rythmées par mes semelles sur le bitume. Un point rouge brillant émerge, qui se transforme en une demi-sphère incandescente, couleur d'un fer chauffé à blanc. Le temps de faire dix pas, et le soleil se hisse sur l'horizon. Encore trois pas, le voilà tout entier. Nous devrions, au soleil levant de chaque jour, mesurer l'incroyable rapidité avec laquelle défilent nos jours.

Anémié, il tremble, posé sur le désert comme une offrande au monde. On comprend que des peuples aient pu le déifier. Sa lumière froide dessine sur les dunes des abîmes d'ombre. La lueur orangée s'est agrandie, chassée en son centre par ce disque blanc. Le spectacle n'a pas duré dix minutes. Maintenant il décolle et entame sa course folle. Je suis à chaque fois surpris par la célérité avec laquelle le soleil surgit de l'horizon. Au matin, lorsqu'il se dévoile, il grimpe au ciel comme s'il espérait, en quelques secondes, faire pardonner sa nuit d'absence. Une fois noyé dans le bleu du firmament, il semblera immobile. Dans une heure, cette lueur glacée chauffera, dans deux heures il me faudra mettre mon chapeau, dans trois m'enrouler la tête dans le keffieh. Si l'immensité muette et brûlante m'oppresse, en même temps je me sens libre, souverain. Avec pour seul horizon ces dunes d'or, je suis seul au monde. On dit que c'est toujours dans les déserts – exception faite pour Claudel, mais les cathédrales n'en sont-elles pas ? – que les hommes ont entendu la voix de Dieu. Comment s'en étonner ? Dans ces immensités où la vie est effacée, où l'homme est écrasé, il est bon de se raccrocher à l'idée d'une force divine, d'une puissance salvatrice.

Vers 10 heures je passe devant un derrick qu'on démonte. Baba, le cuisinier et Issa, le technicien, m'offrent le thé puis à déjeuner dans un wagon désaffecté qu'on a amené là je ne sais comment. La moitié du plancher est effondrée. Ils vivent et dorment dans l'autre moitié au milieu de monticules d'oignons et de patates. Le déjeuner est servi dans une cuvette émaillée où, tout à l'heure, un homme se débarbouillait. Baba s'excuse, il n'a pas de gras pour agrémenter le *plov* – le mets national turkmène à base de riz et de mouton – qu'il me sert. On lui livrera une brebis dans l'après-midi et il la sacrifiera avant le dîner. Si je veux rester…

Le forage n'a rien donné. Dans quelques jours, quand le dernier boulon sera dévissé, ils iront ailleurs procéder à une nouvelle recherche. Ils travaillent dix jours consécutifs qui leur donnent droit à quatre jours dans leur famille. Ils gagnent bien leur vie, disent-ils, cinquante dollars par mois.

Il est 18 heures lorsque j'arrive, harassé, à Repetek. La voie ferrée coupe le village en deux. D'un côté, quelques fermes posées sur le sable et des chameaux au piquet qui semblent s'ennuyer et me manifestent un superbe mépris. De l'autre, le Centre de recherche qui existe depuis une soixantaine d'années et rassemble une trentaine de maisons au milieu des arbres. C'est le train qui assure la survie de ce hameau. Il apporte la nourriture mais surtout l'eau, trois fois par semaine. Car s'il y a des puits ici, l'eau en est salée, mortelle même pour les arbres qu'il faut arroser d'eau douce une fois par semaine.

Vladimir qu'on appelle, à la mode russe, Valodia, est le responsable de la division scientifique du centre. Il parle anglais. Le teint pâle, les cheveux d'un blond cendré, il est discret, timide même, derrière son patient regard bleu-vert. Il occupe le poste depuis vingt-deux ans. Sa femme et son fils n'ont pu tenir ici et vivent à Moscou. Il va les voir une fois par an. Du temps des Soviétiques il y allait trois fois, parce que les voyages étaient pratiquement gratuits.

Le directeur du centre, un gros Turkmène, géographe de formation, accepte de me louer la chambre d'hôte pour la modique somme de cinq dollars. Je resterai une journée ici, pour me reposer des quelque cent kilomètres que j'ai couverts en deux jours sous un soleil de feu. Je me couche éreinté, après un dîner qu'on m'a fait porter, et je dors avec une belle sérénité.

Le soleil est déjà haut quand je mets le nez à la fenêtre ombragée par un grand arbre. Dans les allées, quelques employés vaquent. Je rêvasse et mon regard descend vers le sol lorsque je reçois comme une décharge électrique. Paresseusement allongé sur le sable, un serpent gris somnole. Maîtrisant tant mal que bien ma peur, je l'examine de loin. Il a la tête rectangulaire des vipéridés et son corps fin et souple doit faire un bon mètre de long. Une femme s'approche, l'épouse du directeur. A grands gestes, je lui désigne le danger mortel vers lequel elle se dirige. Elle ne semble pas terrorisée outre mesure. Elle ramasse un caillou qu'elle lance sur l'animal. Celui-ci semble se réveiller, se met en mouvement, glisse vers le mur sous ma fenêtre et… rentre, par un interstice, sous ma chambre.

– Est-il dangereux ?

– *Da.*

Déjà, j'imagine que dans cet abri il a dû retrouver quelques congénères et je vois comme si j'y étais de monstrueux écheveaux de reptiles, cobras et autres vipères animés de lentes reptations, cherchant le moyen de venir me piquer. Tout en me traitant d'idiot, je fais un examen minutieux du sol, soulève les tapis, m'assure qu'il n'y a aucun passage par lequel le plus petit d'entre eux pourrait changer d'étage. Rassuré, je sors faire un tour dans les allées ombreuses, en regardant toutefois attentivement où je mets les pieds.

Valodia m'a promis de me faire visiter son royaume. Solidement chaussés, tandis que nous escaladons la première dune qui surplombe le centre, il m'indique que cent trente espèces animales et mille variétés végétales ont été recensées sur les trente-six mille hectares de la réserve de Repetek. On y compte quatre guépards très rares – les *felis caracals* –, un grand nombre de chats sauvages et quarante-cinq gazelles. Je rectifie : quarante-quatre, car hier des paysans m'ont montré la tête de l'une d'elles abattue par des braconniers et dépecée sur place.

Très pédagogue, mon guide m'ouvre les yeux sur l'extraordinaire vie qui grouille ici. Voici les saxaul, le blanc et le noir. Le premier se présente sous la forme d'un buisson, le second d'un arbre qui peut atteindre sept ou huit mètres de hauteur. Mais tous les deux sont des herbes. Leurs feuilles ne permettent pas de les discerner, sauf si on les goûte. La feuille du saxaul blanc a un goût amer, celle du noir est salée. C'est que le premier se nourrit d'eau douce, alors que le second va, à trois mètres de profondeur, pomper l'eau salée de la nappe phréatique. Au passage, Valodia éclaircit un mystère. Les caravanes de la Route de la Soie faisaient étape ici, soit. Mais comment pouvait-on abreuver hommes et bêtes ? Eh bien, les hommes apportaient leur eau douce et les chameaux, ces animaux capables de prévoir les orages de sable, se contentaient d'eau salée.

Mon cicérone me montre de longues racines de silin qui courent au ras du sable. Elles font jusqu'à dix mètres et plus et produisent une gomme qui, s'agglomérant à du sable, forme une sorte de coque isolante, thermique, qui les protège de la brûlure du soleil. Mais comme la nature est intelligente, cette seconde peau est perméable à l'eau et, durant les nuits, chaque racine récupère l'infime rosée qui se dépose sur le sable du désert. Valodia me parle de cette fleur parasite qu'on appelle candélabre et qui, pour un jour ou quelques heures, monte à un mètre de haut. Ou encore des *acrema partum flaxillum*, qui donnent une fleur rouge exhalant des effluves entêtants, ou de ces tamaris qui fleurissent au printemps et à l'automne. L'*ephedra stovilacem*, dont se régalent les lapins, les « shoote » car elle contient de l'éphédrine, une drogue excitante qui leur fait multiplier les galipettes et tanguer comme s'ils étaient ivres. Entre mars et mai, le désert fleurit, tapissé de milliards de corolles qui disparaîtront jusqu'à ce que l'eau du prochain printemps leur rende la vie.

Ce désert qui m'effrayait prend, sous les descriptions de Valodia, des aspects merveilleux, enchanteurs. Mais le rêve ne dure pas, car voici que nous passons au cauchemar. Oui, il y a dans ce désert quelques animaux inquiétants et mon guide me les montre dans le petit musée que possède le centre. On ne le visite que sur autorisation expresse et écrite du ministère de la Culture, mais le directeur comme le scientifique prennent sur eux de s'en dispenser en ce qui me concerne. Dans le formol, un cobra de couleur bronze dort dans sa coque de verre, non loin d'un autre serpent tout aussi dangereux à l'aspect de gros saucisson rond et court, le *colluber*... et du serpent qui était sous ma fenêtre ce matin.

Le désert du Karakoum contient aussi deux cents variétés d'oiseaux dont quinze sont spécifiques à la région. Le plus étonnant est le *soïka*, un oiseau blanc et noir de la taille d'un pigeon qui a la particularité de ne pas voler mais de courir. A la sortie du musée, Valodia me montre deux larges puits au fond desquels sourd une eau claire. Hélas elle est si salée qu'elle attaque le ciment du bac dans lequel on en a stocké quelques mètres cubes.

Pendant que nous regagnons nos chambres, mon guide me

dit qu'il a décidé de dormir désormais à l'intérieur. Jusqu'ici, la nuit, la chaleur dans les maisons était insupportable. En juillet, le mois le plus chaud, la température moyenne est de 42°. Dans le désert, le sable atteint 82°! A la fin du mois d'août, la température diurne ne change guère mais, la nuit, le thermomètre « tombe » à 28 ou 30°. Ceux qui restent dormir dehors grelottent. On rentre donc au chaud dans les maisons et on sort les couvertures.

Une réception est donnée ce soir en l'honneur de policiers et de pompiers venus faire une visite de sécurité. Le directeur m'y convie. Nous mangeons assis en rond sur le grand plateau en béton devant la maison directoriale : la tchourpa et le fameux plov, sont deux plats qui se mangent à la cuiller. Tout le reste se mange avec les doigts : les salades *(sateh)* et le mouton grillé *(baran)*. Les fruits sont juteux à souhait : raisins, abricots et l'indispensable *arbous*, le melon. Il va de soi que la vodka coule à flots, et l'on picore gentiment dans le désordre tous ces mets, salés ou sucrés, au hasard de l'inspiration ou de la proximité des plats.

D'un commun accord, tout le monde veut que je boive. Les femmes ne sont pas en reste et lèvent bien le coude. On remplit mon verre à ras bord et on me houspille parce que je ne fais qu'y tremper les lèvres. Un gros policier dépense une énergie incroyable pour me pousser à consommer. Sa tactique est de me demander de porter des toasts, ce que je ne peux refuser. Après trois demi-verres je suis pompette. Comme à ce jeu de con je n'ai nullement l'obligation de participer, je tire ma révérence malgré les protestations. A 5 h 30, lorsque je quitte le centre en traînant EVNI, ils cuvent ici et là, enroulés dans des couvertures, ronflant avec entrain.

A l'aube, le désert est superbe. Je marche au milieu des dunes, ces vagues figées aux rondeurs ambrées, et le sable est doux comme une peau. Ici et là, poussé par le vent, il envahit la route, emplâtre d'or mouvant sur le goudron noir. A 10 h 30, mes bois-sans-soif me rattrapent avec leur vieux bus et s'esbaudissent parce que j'ai déjà marché vingt-cinq kilomètres. Ils descendent pour une séance photo puis repartent en poussant leur véhicule car la batterie est à plat.

A midi, je découvre une station-service désaffectée. Il subsiste une grande plaque de béton surmontée d'une structure métallique. Le toit s'est envolé mais j'attache ma toile aux mâts et sous ce ciel de lit je dors deux heures comme un prince. Lorsque je repars, le fameux soïka, cet oiseau blanc et noir, arrive au sommet d'une dune en courant. Curieux, il m'accompagne un moment avant de repartir ventre à terre vers d'autres solitudes.

Lorsque je plante ma tente, j'aperçois au loin les cheminées des premières usines de Tchardjou. Je n'en suis qu'à une quinzaine de kilomètres, mais je ne crains plus le désert. D'ailleurs je me couche nu sur mon duvet, c'est dire comme j'ai vaincu ma phobie des petites bêtes. Mais au milieu de la nuit, j'ai froid ! Je suis, moi aussi, devenu extrêmement frileux !

A l'entrée de Tchardjou, un policier qui contrôle mon passeport me prévient : à Samarcande, Tadjiks et Ouzbeks se tirent dessus. Je savais qu'il y avait des incursions d'intégristes tadjiks en Ouzbékistan, mais j'ai de quoi m'inquiéter si la bataille a gagné Samarcande. N'ayant mangé depuis hier matin que deux œufs durs, une pomme et mon quignon de pain quotidien, n'ayant pas pris de petit déjeuner, je décide de m'offrir un festin. Le garçon, un Russe, me dit que le Turkménistan est un pays *ploxa* (mauvais). Pour preuve, dit-il, ayant perdu cinq dents dans un accident de voiture, il lui faut trouver un million de manat, une somme considérable, pour se faire refaire une denture.

– En or ?

– L'or, c'est bon pour les Turkmènes. Nous les Russes, nous ne voulons que des fausses dents en céramique, me dit-il avec fierté.

Zidane, l'un des policiers rencontré à Repetek, est venu à ma rencontre et me conduit chez des amis au sud de la ville, dans un petit village très proche de Tchardjou. Sous une treille où pendent de lourds raisins et près d'un abricotier qui plie sous le poids des fruits, des vieux bavardent avec animation. De grands plateaux circulent : on y choisit le *goulabé*, un melon qu'on ne cultive qu'ici et qui embaume le palais, le *yarma*, une soupe de lentilles, des *bogursaks*, petits gâteaux en losange que les femmes apportent tout chauds. Tout cela arrosé d'eau fraîche qu'on tire du puits ou de thé qu'on soutire d'un samovar. J'apprends à reconnaître les différentes nationalités d'après les visages mais surtout d'après les couvre-chefs. L'Afghan est en casquette, les Turkmènes sont coiffés du *telpek*, le bonnet taillé dans une peau lainée de brebis noire ou grise. Ils le portent été comme hiver et certains ne le quittent pas, même pour dormir. Un Ouzbek et plusieurs Turkmènes ont le petit chapeau carré noir rehaussé de broderies blanches des musulmans pieux. Tout ce monde bavarde agréablement à l'ombre de la treille et dans la fraîcheur de l'eau qu'on répand alentour lorsque arrive l'*aksakal*, et je comprends que ce n'est pas rien. Dans la société civile et politique turkmène, il est en effet un personnage considérable, généralement riche et chef de clan. On lui doit donc respect et obéissance. Mais son pouvoir vient aussi de ce que le régime a récupéré à son profit le système très ancien des aksakals et que ceux-ci participent à l'administration du pays. Dans le quartier, rien n'échappe à sa vigilance. Il sait tout contrôler. Celui qui vient d'arriver frise les soixante-dix ans. On lui témoigne affection, on l'entoure, toutes les conversations s'interrompent et la vie qui palpitait tout à l'heure se concentre autour de l'éminence.

Tchardjou ne mérite pas qu'on y consacre une journée ni même une heure. C'est sans doute la cité la plus laide que j'ai eu l'occasion de traverser. Triste, grise, surchargée de centaines de portraits, de médailles, de statues de Nyazov. Il m'a été donné de contempler de nombreuses statues d'hommes politiques ou de chefs de guerre debout, à la Lénine, le doigt pointé vers l'avenir radieux qu'ils promettent à leurs peuples, ou encore chevauchant de fiers destriers, l'épée à la main. Mais je n'avais jamais vu la statue dorée à l'or fin d'un dictateur dans son fauteuil. Celle-ci est majestueuse, environ deux fois la taille normale. Calé dans une bergère à pompons, le Turkmenbashi, une main posée sur l'accoudoir, l'autre saisie au vol alors qu'elle venait de ponctuer une déclaration, trône au centre d'une place au gazon soigneusement tondu. Bel emblème doré de la mégalomanie politique. Est-ce dû à la proximité de la frontière? Le culte rendu au personnage éclate ici d'une manière excessive, ridicule. Même les chauffeurs de taxi arborent sa binette sur leur pare-brise. Ce nationalisme est d'autant plus bizarre qu'il est prôné par d'anciens communistes ayant fait leurs classes dans l'internationalisme. Et le plus extraordinaire, c'est qu'à l'exception des classes moyennes minoritaires, le potentat bénéficie d'une grande popularité. Certains observateurs estiment que dans une élection où il serait face à un opposant, il aurait toutes les chances d'être élu. Mais tout de même, conscient de la versatilité des foules, il préfère ne pas prendre ce risque…

Nyazov en rajoute, mais les autres aussi. La télévision donne un résultat sportif? Entre deux images nous montrant les athlètes en action, la photo du chef apparaît. Il est présent plusieurs fois à chaque journal télévisé. Lui-même ne laisse pratiquement pas passer un jour sans prendre publiquement la parole. Là encore, de manière caricaturale. Cadré assis à un bureau, souvent en manches de chemise, il laisse voir derrière lui son propre portrait. Et un coin de l'écran affiche son profil doré. Trois représentations du personnage en même temps, qui dit mieux? Dans cette multiplication à l'infini, cette mise en abîme de soi, on touche au sublime. L'homme doit se sentir l'égal des dieux. D'ailleurs ses cheveux ayant brusquement blanchi, il s'est fait teindre. Mais cela ne se pouvait dire. Alors l'ancien-communiste-athée-militant-Nyazov a annoncé que c'était Dieu qui, une nuit, lui avait rendu ses cheveux noirs, parce que cela lui seyait mieux. On m'a assuré que c'est un de ses amis proches, un industriel français, qui lui apporte en douce la teinture. Au Turkménistan, la couleur des cheveux du président est un secret d'État.

Malgré le peu de plaisir que me procure la cité, je reste vingt-quatre heures à Tchardjou car j'ai besoin de repos. Mais il est aussi une autre raison qui m'incite à prendre mon temps : j'ai une semaine d'avance sur mon plan. Alors je me promène dans des cours d'immeubles encombrées de garages métalliques plantés là par des propriétaires peu soucieux de voir partir leur véhicule en pièces détachées chaque nuit. Je fais aussi un tour au marché kolkhozien de la ville. Sur les étals, de nombreux objets de pacotille *made in China*, outils de bricolage ou d'agriculture. Les vendeurs sont majoritairement ouzbeks, quelques-uns sont afghans. Les fiers nomades du Turkestan russe n'ont jamais voulu, après la perte de leur indépendance et leur sédentarisation par les Soviétiques, devenir des commerçants.

Les femmes russes sont bien plus apprêtées et coquettes que les Turkmènes. Elles s'habillent court, ont le plus souvent les cheveux coupés à la diable, teints ou décolorés, et elles se maquillent fortement. Elles préservent leur teint pâle et la plupart d'entre elles font leurs courses en se protégeant d'une ombrelle. Les Turkmènes et les Ouzbeks, vêtues de longues robes, dissimulent souvent leurs longs cheveux sous un foulard.

Après une journée dans cette ville sans âme, j'ai hâte de traverser le fleuve mythique qui est à quelques kilomètres. Depuis le début de mon voyage, trois ou quatre noms me font rêver : Amou Darya, Samarcande, Kashgar – et bien sûr Xi'an, si j'y parviens.

Ce grand fleuve s'appelait l'Oxus, lorsque Alexandre le Grand le traversa. La route qui y mène est incroyablement défoncée par les poids lourds. Je m'attends, à proximité de l'eau, à trouver de la verdure, une forêt peut-être, mais je n'aperçois que le brun brûlé de cette terre sableuse. Champs en friche, maisons lépreuses, immondices qui marinent dans des fossés d'eau croupie, l'approche n'a rien de poétique. Le désert vient buter sur la rive.

Et le voici. J'en ai le souffle coupé. Ce n'est pas un fleuve, c'est une mer. Une mer rouge qui se rue entre deux rives chauves. Je m'étonne de nouveau que cet immense flux, aussi riche que le Nil, n'ait jamais été utilisé pour fertiliser les terres qui le bordent. Seuls les Russes y ont pensé en pratiquant cette saignée, mortelle pour la mer d'Aral, à deux cents kilomètres en amont de l'endroit où je me trouve, à l'est de la ville de Kerki. A cause de ce détournement et de la saison, je m'attendais à trouver le fleuve à sec. J'ai lu que la seule évaporation en été réduit son débit d'un tiers. On m'expliquera par la suite que nous sommes au contraire en période de hautes eaux. Car le soleil d'été fait fondre, à plus de mille kilomètres de là, les neiges du Pamir où il prend sa source. Et c'est en mars, quand tout est gelé dans les hautes altitudes, qu'il connaît son débit le plus bas. Quelle peut bien être sa largeur ici ? Un kilomètre et demi, deux kilomètres ? Il me faut un bon moment pour m'habituer aux dimensions de ces flots rouges.

Je passe sans encombres le barrage de police et le péage où attendent des files de camions, m'approche du bord et des eaux tournoyantes et me laisse emporter par le rêve et l'histoire. Lorsque, voici deux mille trois cents ans, Alexandre le Grand le traverse après avoir conquis la Perse, il est décidé à aller jusqu'au bout du monde. Entre l'Oxus et le Iaxartes, ce fleuve jumeau qu'on appellera plus tard Syr Darya et qui prend, lui, sa source dans les montagnes du Tian Shan, s'étend la Transoxiane : une terre riche et fertile aux villes opulentes. Comment Alexandre fait-il traverser cette eau aux quelque soixante mille hommes de son armée – sans compter le même nombre de femmes et d'enfants qui suivent ? J'imagine des esquifs glissant sur les eaux boueuses et dont on fait des ponts flottants, les cris et les rires des cavaliers qui mettent leur cheval à l'eau, accrochés à la crinière comme le feront plus tard les Mongols. En Transoxiane, le conquérant Alexandre gagnera l'amour de Roxane. Mais il tuera, à la suite d'une beuverie et d'une de ses colères légendaires, son ami Cleitus. Il y connaîtra enfin l'échec, lorsque ses soldats refuseront d'aller plus loin, doutant avec raison qu'ils approchent des limites du Monde. Le jeune prince y découvrira aussi la ville qu'il jugera la plus belle, Maracanda. Joli nom, qui sonnera peut-être mieux encore quand, des siècles plus tard, elle s'appellera Samarcande.

La traversée du fleuve est plus aisée que du temps d'Alexandre mais elle est à peine moins périlleuse. On n'a pas construit de pont au-dessus des eaux bouillonnantes, on a installé une série de grosses barges d'acier reliées entre elles par des chaînes. Ça bouge, ça ballotte. Sur le côté, un étroit passage protégé par une barrière métallique est réservé aux piétons. Lorsque les roues d'un bus ou d'un camion grimpent sur une barge, elle s'abaisse d'une dizaine de centimètres cependant que la barge derrière, libérée du poids, remonte d'autant. Ce n'est pas un pont, c'est un escalier horizontal. J'ai toutes les peines à faire circuler EVNI sur l'étroit passage. Au milieu du fleuve, sur un bateau des douanes, des hommes me hèlent et m'offrent le thé. Sous nos pieds le fleuve rugit, se débat contre cet obstacle dont la rouille s'accorde pourtant bien avec la terre ocre dont sont chargées ses eaux. Après la traversée, je reste encore une bonne heure à musarder en regardant rouler les eaux rouges vers les sables du Karakoum.

Il a été convenu que je passerais une journée dans la ville de Farap, de l'autre côté du fleuve, chez Nick Calli. Par deux fois cet homme m'a arrêté sur la route, m'a écrit son nom et son numéro de téléphone sur un bout de papier et m'a fait jurer que j'irais sans faute. A la poste du village, lorsque je demande au préposé à téléphoner, il me regarde comme si j'avais dit une incongruité. Puis sans un mot il passe dans la pièce voisine et en revient en me tendant un bloc de rouille d'où sortent des fils. *C'était* le téléphone. Devant ma déception, il ferme la boutique et me conduit chez lui. Son téléphone fonctionne. Mais « Il n'y a pas d'abonné au numéro que vous demandez », me répète une voix chantante. Et par la même occasion, la même voix regrette de me dire que personne, dans les environs, ne s'appelle Nick Calli.

Pour me consoler, je m'offre un festin de samsas au restaurant du village. La plaine cuit au soleil. Quelques arbres pourraient bien apporter un peu d'ombre, mais ils la gardent pour eux car elle tombe à pic. Je fais la course avec deux gamins, Tchermet et Dantatal, montés sur une carriole tirée par un bourricot. Finalement, afin de converser plus facilement, j'attache EVNI à la charrette et nous faisons ainsi deux kilomètres fort agréables durant lesquels je leur donne mes derniers pin's. Ils me quittent pour rallier leur village qui répond au nom de Maxime Gorki. J'arrive à la frontière. Comme elle est fermée, je dîne dans une gargote au bord du canal qui va de Tchardjou à Boukhara. Le garçon, un sournois au regard fuyant, semble avoir envie de tout sauf de me servir, et pour finir il me fait payer le triple du prix.

A la nuit, je m'installe pour dormir, entre le canal et le restaurant. Je ne sais pourquoi, je prends ce soir-là des précautions inhabituelles. Je sors mon barda du chariot et le gare près de moi, puis je glisse mon appareil photo et le GPS dans mon sac de couchage. Après m'être enduit de répulsif pour décourager les moustiques qui vrombissent autour de moi, je m'endors benoîtement. Je suis réveillé par un léger crisse-

ment. C'est le garçon au regard chafouin. Que fait-il là ?
Quelle heure est-il ? Ma montre marque deux heures et la
nuit est profonde, mais une lampe allumée dans le restaurant
projette une lueur. Abruti, je me dresse et constate que le
petit saligaud a vidé la moitié de mon sac. Le bruit qui m'a
réveillé était celui de la fermeture à glissière de la poche où je
range d'habitude mon appareil photo.

– Tu étais en train de me voler ?

– Non, je suis venu te dire que la douane ouvre à 6 heures.

L'excuse est si idiote et le vol si manifeste qu'une brusque
montée d'adrénaline me submerge et que je lui flanque une
gifle.

– Mais je ne volais pas, dit-il, en repoussant chemise et
chaussettes qu'il ne jugeait sans doute pas bon d'emporter.

Je lui flanque une deuxième gifle et me retiens de lui ficher
une vraie torgnole. Il part penaud et le matin, quand je m'en
vais, il est en train de plier sa moustiquaire et me jette un
regard plein de rancune.

La douane est ouverte à 6 heures, c'est vrai, mais le responsable ne vient qu'à 9. Je patiente en remplissant un
imprimé sur lequel je dois déclarer ma fortune en dollars et
les éventuels achats faits au Turkménistan. Quand le chef
apprend que j'ai un tapis, il demande à le voir et cela nous
conduit au dialogue suivant :

– Vous avez une autorisation ?

– Une autorisation pour quoi ?

– Pour exporter ce tapis. Il vous faut une autorisation du
ministère de la Culture. Obligatoire pour les objets culturels.

– Qu'est-ce que vous appelez « objet culturel » ?

– Tout ce qui est fait à la main.

– Comment se procure-t-on cette autorisation ?

– Au ministère de la Culture à Ashkabat.

– Ashkabat est à sept cents kilomètres, il n'y a rien de plus
près ?

– Non, demandez le bureau 628.

J'apprends que seuls les tapis fabriqués mécaniquement

peuvent sortir du territoire – et encore, seulement s'ils ont moins de dix ans. Et comment peut-on prouver qu'ils ont moins de dix ans ? Personne ne le sait. La douane turkmène ne laisse rien passer. Mon guide indique qu'un homme à qui une babouchka avait tricoté une paire de chaussettes n'a pas été autorisé à les sortir du pays, même en payant. Dans les « objets culturels » entrent aussi les telpeks, les foulards ou tout vêtement traditionnel. Je bataille de 9 heures à midi sans obtenir gain de cause et je cherche déjà un Turkmène à qui je pourrais faire cadeau du tapis car il n'est pas question que je le laisse aux douaniers, lorsque mon bon ange se manifeste. Sous les traits de Catherine et Martine, deux jeunes Françaises qui entrent au Turkménistan, venant de Boukhara, et qui, soucieuses de leur confort, ont loué les services d'un guide-interprète-chauffeur. L'une d'elles a acheté un tapis auquel s'intéressent immédiatement les douaniers. Problème. Mais moins grave que le mien puisque l'« objet culturel » a été acheté en Ouzbékistan et que la douane ouzbèke l'a laissé passer, il n'y a rien à dire. Mais il y a à faire. Pendant que les douaniers auscultent, pèsent, mesurent et finalement scellent l'objet dans le sac de Martine, je bavarde avec Catherine Gilotin et il me vient une idée.

– Puisque vous séjournez à Ashkabat, pourquoi ne pas prendre mon tapis et passer au bureau 628 du ministère ? Que vous obteniez ou non l'autorisation de sortie, je vous offre un dîner à toutes les deux à Paris.

Inch Allah.

Quant à moi je ne suis pas sorti d'affaire. Car si les gabelous me laissent passer, les douaniers ouzbeks me barrent la route.

– Votre visa ne vous autorise l'accès du territoire que le 1er septembre. Nous sommes le 23 août, revenez dans huit jours.

Mes protestations, appuyées par celles des douaniers turkmènes, n'y font rien. Je suis repoussé sans le moindre espoir d'amadouer le soldat russe qui me toise, une lueur de défi dans le regard. Je suis certes un Occidental nanti, mais c'est lui, aujourd'hui, qui a le pouvoir. Rien à faire, je ne passerai pas.

J'affrète donc un taxi et je retourne au tchâï-khâné tenu par les trois jeunes femmes où j'ai bu un thé la veille. Nous nous mettons d'accord pour que, à raison de trois dollars par jour, elles me nourrissent pendant ce temps de purgatoire.

– Et pour dormir ?

– Je dormirai ici, sur la terrasse.

Raghman Damiliev, qui gère le restaurant, me prépare ce soir-là d'excellents chachliks. Puis, apprenant mes ennuis par les filles, il propose de mettre à ma disposition une maison qu'il possède non loin, à Galavnoï, une demeure traditionnelle dont les deux chambres donnent sur une petite cour ceinte de hauts murs de terre. Devant la porte, une treille, lourde de grosses grappes d'un raisin rose ambré, apporte de la fraîcheur, et une des chambres a même l'air conditionné.

Je passe ici cinq jours illuminés par des matins de rêve. Moi l'homme de devoir, toujours pressé, raisonnable, austère parfois, je me laisse aller, profite d'un rien, en redemande, me découvre épicurien. A l'aube, assis sous la treille, je regarde le soleil émerger derrière la haute colline pelée qui domine le village. Ensuite je vais à la « corvée d'eau ». Cela consiste à jeter dans le puits de la voisine un seau attaché à une corde de chanvre. Ça n'a l'air de rien, mais il faut un tour de main : un coup sec au départ, comme pour lancer une ligne de pêche à l'eau, et puis un savant lâcher de corde qui doit être mollement enroulée autour de l'avant-bras. Tout un art. Les premières fois, je m'y prends mal, le récipient flotte et je ne ramène rien.

« Chez moi », je plonge dans l'eau fraîche deux belles grappes aux grains d'un rose carné, presque translucides, sans pépins, pour les débarrasser des centaines de petites fourmis gourmandes.

Je goûte alors un bonheur inouï. J'ai mille fois mangé du

raisin, j'aime les fruits, mais jamais je n'en ai trouvé d'un goût aussi unique, procurant une si profonde jouissance. Il y a de la sensualité dans cette rondeur souple et satinée, soyeuse. C'est un élixir, un nectar jamais savouré. Je prends mon temps, retiens la saveur sur mes papilles comblées. Des mois après mon retour, je ressens les heures passées dans ce petit village et ces merveilleux petits déjeuners comme les moments les plus forts que j'aurai vécus au Turkménistan.

N'est-ce pas cette sagesse que je vais chercher au bout du monde que je trouve là ? N'est-ce pas sous cette treille que je me dépouille du sentiment de l'urgence, de l'oppression du temps, des astreintes qui bousculent la vie du citadin ? Grain après grain, tout en surveillant à travers les pampres de la vigne le soleil monter au zénith, je savoure ce plaisir si simple qui me vient, bien malgré elle, d'une douane chicanière. J'ai beau laisser filer le temps, retarder chaque nouvelle sensation de ma langue ravie, déguster avec nonchalance un kilo de ces fruits chaque matin, je dois lutter pour ne pas dévorer toute la treille.

Vers 11 heures, j'affronte le soleil qui darde pour gagner le restaurant, longeant le canal où des enfants nus sautent en piaillant depuis le pont. Et puis ils regagnent la rive en cavalant, s'installent le temps d'un rire sur le rebord du bief, et sautent de nouveau dans l'eau. Parfois je plonge avec eux, et ils crient alors plus fort parce qu'ils partagent leurs jeux avec l'*Ingélés*.

Avant d'arriver à ma cantine, je dois emprunter trois cents mètres de route et affronter un barrage routier. Durant la semaine ici, il me faut quatre fois par jour produire mon passeport. Un jour, un chef est là, qui houspille ses troupes. L'après-midi même, alors que je digère mes chachliks du restaurant, quatre hommes arrivent dans une Jeep flambant neuve, exigent de voir mes papiers et m'interrogent longuement sur mon voyage et ma présence ici. Ils sont obligés, à regret, d'en convenir : tout est en ordre.

Les brochettes que me préparent les jeunes femmes me

paraissent délectables les premiers jours, mais bien vite, je
sature. La préparation est toujours la même : alternance de
morceaux de mouton et de morceaux de gras. Je découvre
d'ailleurs, étonné, que le gras chez le boucher vaut plus cher
que le maigre... Un midi, elles me régalent de fantastiques
poivrons farcis de riz et de viande. Un soir, Raghman a convié
des amis et a fait préparer un rôti de porc. C'est la première
fois que je mange de cette viande en terre musulmane.

Je tue le temps avec de longues siestes et je fais une ou
deux excursions dans le désert qui commence juste derrière la
colline. De là-haut, on domine le canal qui file vers Boukhara
et, vers le sud, les méandres de l'Amou Darya et la ville de
Tchardjou-Turkmenabad, à une quinzaine de kilomètres à
vol d'oiseau. Je profite aussi de ce repos forcé pour m'adon-
ner à des travaux de couture. Je pourrais certes envisager
d'acheter un nouveau pantalon, mais celui-là est irrempla-
çable. Où en retrouver un qui ait huit poches ? Je ravaude
donc, économe, épuise mon stock de fil blanc, puis vert, puis
rouge, donnant à mon fendant un aspect princier de culotte
de clown.

Les petits ramasseurs de coton qui travaillent dans
l'immense champ devant le restaurant ont entre dix et treize
ans. Les filles, pour tenir sous le soleil ardent, s'enveloppent
la tête dans deux foulards pour que seuls leurs yeux apparaissent, ce qui leur donne un air très mystérieux. Les garçons, en ticheurte, comptent sur leur tignasse pour se protéger
et rares sont ceux qui ont une casquette. Chacun est équipé
d'un grand sac de toile noué autour des reins. Je croyais
jusque-là que c'était la fleur que l'on cueillait. Erreur, car si
cela ressemble à une grande fleur blanche, ce qu'ils ramassent
c'est le fruit et les fibres qui l'entourent. La fleur de coton, une
corolle orangée dont la taille et la forme sont proches de la
tulipe, donne naissance à un fruit de la taille d'une petite noi-
sette qui devient gros comme une balle de ping-pong. Cette
bogue dure éclate alors en forme d'une étoile à cinq branches
et le coton qu'elle contient gonfle et s'épanouit en une boule

virginale. Les cueilleurs, penchés sur les tiges aux feuilles couleur de vieux bronze, empoignent ces boules et les fourrent dans le sac. Comme on continue d'irriguer le coton durant la récolte, ils sont le plus souvent pieds nus dans la boue. Au bout du champ, deux contremaîtres surveillent en crachant le jus de chique de leur *nas*. Au soir, ils pèsent la récolte de chacun des gosses, qui est notée sur un calepin. Chaque soir, le propriétaire viendra leur donner cinq cents manat (vingt-cinq centimes) par kilo ramassé. Pour manger un repas de chachliks au restaurant, il faut cueillir entre huit et douze kilos de coton.

Le Turkménistan, par le fait de la nature et des hommes, ne produit que de la matière brute qu'il ne peut commercialiser aisément. Le coton a été, au fil des années, acheté par les ex-pays soviétiques et payé à très bas prix. Récemment, la fourniture à la Russie a été diminuée car les Turkmènes se sont aperçus que ce pays revendait sur le marché mondial avec un gros bénéfice le coton acheté ici pour rien. Le gaz, autre grande richesse puisque le Turkménistan, avec sept cents millions de tonnes prouvées, se situe au troisième ou quatrième rang mondial, nécessiterait pour être livré des milliers de kilomètres de pipe-line qui ne peuvent passer que par l'Iran ou la Russie et l'Ukraine. Des entreprises françaises sont partie prenante dans les contrats qui sont en train de se passer.

Après cinq jours, ma sagesse toute nouvelle est balayée par une furieuse envie de bouger. Je devrais attendre encore deux jours mais je range mon fourbi, fais mes adieux aux filles et à Raghman et, quarante-huit heures avant la date fatidique, je franchis la frontière turkmène sans encombres. Au passage, soucieux par une petite provocation de me venger des douaniers, je demande un formulaire de déclaration et j'y inscris la cuiller en bois peint que m'a offerte la maman de Redjepnour.

– Ce n'est pas la peine si vous n'avez que ça.

– Mais c'est un objet culturel.

– Non, pas vraiment.

– Pourtant elle a été faite à la main. Je veux un tampon sur ce papier, car on va me la prendre à l'autre frontière.

Le douanier, un autre que celui de la semaine dernière, me prend pour un malade mental et il a un soupir de commisération :

– Ça, monsieur, c'est une cuiller russe…

Je me présente plein d'optimisme à la douane ouzbèke. L'officier qui me reçoit fait son travail avec sérieux. Il apprend par cœur tout ce qui est noté sur mon passeport, vérifie chaque tampon, regarde les pages en transparence. Puis il me fait vider mes poches et transborder le contenu de mon sac sur une table, scrutant chaque objet avec soin. Malgré tout, mon GPS échappe à son inspection. Puis il va confier mon passeport à trois soldats dévolus à l'interrogatoire et qui s'étonnent de mon parcours. Pendant que je remballe mon barda, un plus malin que les autres constate ce que n'a pas vu l'officier trop occupé à chercher un faux tampon : mon visa n'est valable qu'à partir du 1er septembre et nous sommes le 30 août. Le bidasse a un petit sourire pervers :

– Deux jours d'hôtel…

– Oh non !

Mon cri du cœur les enchante. Je suis condamné à deux jours d'hôtel dans les locaux de la douane. Pas question de ronger mon frein pendant quarante-huit heures ici où même eux s'ennuient à mourir. A leurs mines réjouies, on comprend qu'ils sont contents d'avoir de la compagnie et de me faire partager leur vie de garnison. Pas question non plus de retourner sous la treille de Galavnoï, les douaniers turkmènes m'ont prévenu que, pour rentrer, il faut un visa. Le pire c'est que le 1er septembre étant la fête nationale ouzbèke, les services risquent d'être fermés et on pourrait m'obliger à un troisième jour en résidence forcée. L'affaire est mal emmanchée et il me faut trouver d'urgence un argument massue.

L'idée me vient d'un coup et je dis aux trois troufions sur le ton de la confidence :

– J'ai un rendez-vous avec une fille à Boukhara. Elle doit rentrer en Europe le 3 septembre au matin. Si je ne pars d'ici que le 1er, j'arriverai trop tard.

L'argument a porté. Solidarité des mâles, ces garçons qui ont sans doute une amie au pays entrent dans mon jeu immédiatement. Ils se concertent, puis celui qui tient mon passeport annonce :

– Une seule nuit à l'hôtel.

Je pousse mon avantage.

– Impossible. Tenez, regardez ma carte. Cent quinze kilomètres d'ici Boukhara, comment voulez-vous que je les fasse en trois jours, il m'en faut au moins quatre. Merci de m'avoir fait grâce d'une nuit, c'est gentil, mais j'arriverais quand même trop tard.

Nouveaux conciliabules, cette fois plus longs. Puis le même vient vers moi la main tendue, étreint la mienne :

– Pas de problème, tu vas passer.

Mais il a vendu un peu tôt la peau de l'ours. L'officier fouineur n'est pas du tout d'accord. Un deuxième bidasse vient en renfort, puis le troisième qui avant d'aller prêter main-forte à ses copains me confie :

– On va le décider. Un type qui a fait deux mille kilomètres pour aller à un rendez-vous, on ne peut pas le laisser tomber.

Il y a un flottement dans les troupes. Il s'écoule près d'une demi-heure, puis le galonné pose mon passeport sur la table et, sans périphrase ni état d'âme, me lance cet ordre déconcertant :

– *OK, go, boy.*

Dix minutes plus tard, en terre ouzbèke, je mange une soupe qu'on me facture une fortune, mais je n'en ai cure. Je me sens un moral et une forme en béton.

A nous deux, Samarcande.

XV

BOUKHARA

Les tamaris fleurissent pour la deuxième fois de l'année. Ils produisent de petits boutons roses qui en s'épanouissant prennent une teinte violine. Les voitures sont rares et je marche gaiement au son du craquement de mes godillots. Par trois fois, dans le canal qui longe la route, je pique une tête et mouille mes vêtements pour supporter la température. Je suis parti tard à cause des formalités de la douane et je n'ai plus le choix : Alat est à quarante kilomètres.

Lorsque j'y arrive, un flic surgit comme un diable d'un commissariat qui somnolait en cette fin d'après-midi. C'est un grand échalas très excité qui prend un air méchant pour exiger mon passeport que je lui tends en souriant. Il ne le regarde même pas, m'intime l'ordre de le suivre dans le commissariat.

– Niet.

Il est interloqué. On ne doit pas souvent discuter ses ordres. Dans la cour du commissariat, trois policiers crient et lui font de grands signes.

La grande perche me saisit le bras, je me dégage d'un mouvement brusque car cette fois je ne rigole plus.

– Vous avez mon passeport. Vous pouvez vérifier ici, je suis en règle.

J'essaie de lui faire le coup qui m'a réussi de feuilleter

moi-même le passeport pour finir par le remettre dans ma
poche. Mais il refuse de me le donner, se dirige vers le commissariat, espérant que je vais suivre pour récupérer mon
document. Je ne bouge pas. A peine esquissé son geste, il fait
demi-tour et je sais bien pourquoi : ce qui l'intéresse, ce n'est
pas mon passeport, ce sont mon sac et mes poches. Mais il ne
peut me dépouiller dans la rue. Il faut d'abord se mettre à
l'abri des regards. Comme j'ai posé le timon d'EVNI par
terre, il se baisse et s'apprête à le tirer mais je mets le pied sur
mon engin et cette fois je crie très fort :

– Niet !

Il se retourne, a un geste d'impuissance à l'égard de ses collègues qui se décident à le rejoindre. Dans le même temps,
deux ou trois curieux qui buvaient tranquillement dans le bistrot voisin ont quitté leur verre de thé pour venir voir de plus
près. C'est ce que je voulais. L'un des trois flics, à l'évidence le
chef, est précédé d'une grosse bedaine qui menace d'arracher
les boutons de sa chemise. Une baudruche juste avant l'écla-
tement. Son subordonné lui tend mon passeport dans lequel il
se plonge. D'autres quidams, hommes et femmes – je
remarque qu'ils sont tous endimanchés – sortent du bistrot et
viennent aux nouvelles. C'est parfait, maintenant j'ai un
public. J'explique, en parlant fort au gradé afin d'être
entendu par les témoins, ce que je fais, d'où je viens, où je
vais. Et j'insiste : mon visa est parfaitement en règle. La
preuve, j'ai passé ce matin la frontière, il n'a qu'à regarder le
tampon. Je termine, sans lui laisser le temps de placer une
parole, que je vais au tchaï-khâné pour boire un coup. S'il
veut me parler, il peut m'y retrouver. Et je tends la main pour
récupérer mon bien. Après quelques secondes de suspense
– mon cœur doit battre à 180 – il me rend mon laissez-passer.
Soulagé, j'attrape EVNI et, suivi des curieux à qui je dois une
fière chandelle, j'entre dans le bistrot ou plutôt sous une ton-
nelle qui abrite un bassin en son centre. On court me chercher
un jus de fruits cependant que les questions tombent dru.

– Que se passe-t-il ? Une fête ?

Il y a un orchestre dans un coin, qui s'apprête à jouer.

– Un mariage. On attend les mariés.

En robe de tulle blanc, coiffée d'un diadème, on dirait une enfant. Elle tient la main de son mari, gamin poussé en graine guère plus âgé qu'elle. Tous les trois pas, elle s'incline comme une automate faisant un salut méthodique, sec, mécanique, cependant que son mari ponctue d'une petite courbette. On m'explique qu'ils remercient ainsi les invités de leur présence. On installe les jeunes époux à une table garnie de bouteilles et de gâteaux et la musique éclate, les invités se mettent à danser. Comme on m'y invite, je me joins aux danseurs, content d'évacuer ainsi la tension accumulée avec la flicaille. S'ils étaient parvenus à m'attirer dans leurs murs, ils avaient tout leur temps. J'ai lu qu'un touriste étranger ainsi piégé fut invité à retirer son pantalon pour que les « gardiens de l'ordre » puissent faire la chasse aux dollars plus à leur aise. L'odeur des billets verts rend fou. Dollar, en Asie centrale, signifie « argent étranger ». On m'a demandé mille fois combien de dollars je gagne. Lorsque je parle de francs, on s'ébaudit.

On me présente aux mariés et on m'invite à leur faire un compliment. Arguant de mon pauvre russe, j'essaie de me défiler. « Qu'à cela ne tienne, fais-le en français. » Tout le monde semble ravi de cette touche inattendue d'exotisme européen. Dès les premiers mots, la mariée a baissé la tête d'un air piteux, le marié a mis la main sur son cœur. Ils sont muets et plantés là comme deux potiches. Tout le monde s'amuse sauf eux. La vodka circule, les hommes et les femmes dansent, les mains tendues vers le ciel, eux semblent assister en étrangers à toute cette agitation, la mariée continûment agitée d'un mouvement de culbuto. Son mari tout neuf semble souffrir d'un lumbago et limite son salut à une brève inclinaison de la tête, la main sur le cœur.

L'heure a passé, je renonce à poursuivre jusqu'à Karakoul. De toutes manières j'ai marché quarante kilomètres aujourd'hui et l'incident avec les flics m'a coupé les jambes.

On me présente le père du marié, un homme à la charpente impressionnante, avec une belle chevelure frisottée poivre et sel. Il m'annonce que je suis invité à la noce et qu'on part dans dix minutes. Je n'ai guère le loisir de contester, EVNI est empoigné par de solides mains, jeté dans un coffre et je me retrouve à l'arrière d'une voiture, coincé entre deux jolies créatures dont l'une m'annonce qu'elle est la sœur de la mariée.

Traditionnellement, la noce commence au domicile des parents de la mariée et s'achève chez le père de l'époux, ici une grande ferme blanche où nous arrivons vers 9 heures. Devant la maison, de très longues tables sont installées de part et d'autre d'une allée. A droite les hommes, à gauche les femmes. A un bout de l'allée, une estrade avec un orchestre. A l'autre extrémité, bien en vue pour tout le monde, une sorte de « bonbonnière » rose de trois mètres de large, et profonde de deux. Cela tient de la vitrine, de l'arc de triomphe, de la baraque de foire. Des dizaines d'ampoules éclairent violemment la chose et des mots signifiant « vœux de bonheur » en ouzbek clignotent, s'éteignent, s'allument lettre à lettre, à l'envers, à l'endroit, comme les néons de certains magasins. Les mariés arrivent sous un dais porté par les demoiselles et les garçons d'honneur, puis on les installe dans cette espèce de châsse clinquante d'où ils ne vont plus bouger de la soirée, poupées qui saluent du chef, comme ces chiens en peluche mitée qui hochent de la tête sur les plages arrière d'automobiles jalousement entretenues.

Les invités sont hiérarchiquement placés près de la façade, des tables pour huit personnes accueillent les « politiques ». Aussitôt après viennent les notables, médecins, ingénieurs… Des planches posées sur des tréteaux serviront pour le plus grand nombre, assis sur des bancs : en majorité des paysans ou des gens en affaire avec la famille. Debout à l'entrée de la cour, les villageois qui n'ont pas été conviés au banquet mais sont venus pour jouir du spectacle qu'offrent ces cinq cents invités. Curieux, je vais visiter les « cuisines ». Dans la cour intérieure, installés sous la treille et dans le jardin, une armée de cuisiniers et de cuisinières s'active autour d'immenses bassines juchées sur des rampes à gaz, mais je n'ose pas demander ce qu'elles contiennent... Une procession de serveurs apporte les mets dans des plats pour les hôtes de marque, dans des cuvettes émaillées pour les grandes tables.

J'ai été placé entre les « politiques » et la piétaille, près de deux médecins. Je dois mener la bataille habituelle car la vodka coule à flots et bien sûr on veut m'en faire boire « tchout tchout ». Je me régale d'un plat appelé *loulah* – mouton, pommes de terre, ail, oignons, tomates et fruits dont je ne parviens à discerner que le raisin. Mais il y a longtemps que j'ai renoncé à faire la différence entre les divers plov, nom générique qui regroupe une quarantaine de recettes, dont sans doute le loulah. Entre les mets de viande, on se gave de melons, de raisins, de petits gâteaux qu'on appelle *bilmen*. Pendant que les invités déposent au pied de la « bonbonnière à mariés » les cadeaux dont les plus volumineux sont des tapis ou des appareils électroménagers, un animateur, micro en main, invite les personnalités et les plus proches parents à faire un compliment aux nouveaux époux, momifiés dans leur sarcophage clignotant. Je remarque que, des quelque trois cents hommes présents, le marié est le seul à porter une cravate.

Une danseuse professionnelle donne le ton et jeunes, vieux et vieilles envahissent la piste, les mains toujours tendues vers le ciel. L'orchestre – une sorte de mandoline *(tore)*, un tambour *(doïra)* et un clairon *(dorbosse)* – est infatigable. Pas comme moi qui, épuisé par quarante kilomètres de marche et quelques danses, file dormir dans une pièce où me rejoindront une kyrielle de bonshommes. Il fait si chaud que je dors en caleçon. Mais au réveil, mes vêtements que j'avais posés près de moi ont disparu. Je les cherche dans le noir, à tâtons, car je veux partir de bonne heure, et je les déniche enfin... sous la tête d'un dormeur qui n'a pas trouvé de meilleur oreiller.

Dehors, sous la treille, le marié qui a enfin retiré sa cravate et son père, installés sur un lit de bois, prennent un petit déjeuner de fruits qu'ils m'invitent à partager. J'accepte mais refuse les tournées de vodka qui commencent déjà. Non non, même pas tchout tchout...

Nouveau contrôle de police à Karakoul. On veut voir le contenu de mon sac. Je prends l'affaire à la rigolade en tendant mon passeport :

– Mon sac a été fouillé hier matin à la douane. On n'y a trouvé qu'une petite bombe. En vérité, c'est une grosse bombe, une bombe atomique.

Contre toute attente le flic éclate d'un rire clair, moi aussi, et il oublie la fouille.

Au soir, je m'arrête dans le tchäï-khâné de Nourredine. « Enlève le cordon qui maintient tes lunettes, tu as l'air d'un Russe et je n'oserai pas me promener avec toi dans le village », me dit-il. C'est Mekhriddin, qu'on est allé chercher parce qu'il parle français, qui me traduit cela. Il travaille au kolkhoze voisin. Ce géant couvert de boue car il moule des briques en terre, pieds nus et en haillons, a appris notre langue à l'école primaire et, très doué, a écrit en français une poésie qu'il me récite, ce qui lui a valu un voyage de quinze jours quelque part le long de la Loire, dans un camp de jeunes géré par le PCF au temps de sa splendeur et des échanges avec l'URSS. Il me demande des nouvelles du seul Français qu'il connaisse : Georges Marchais... Son professeur de français est mort et, en est-ce la cause, l'esprit de Mekhriddin est parti à la dérive. Aujourd'hui il est tout à la fois l'interprète et le simplet du village. Cruellement les soiffards du bistrot le pressent de montrer son sexe qui, m'assurent-ils, est impressionnant. Confus – moi je le suis pour ses bourreaux –, le bon géant me fait promettre de lui envoyer une carte de la tour Eiffel lorsque je serai rentré.

Je repars de Sayat très patraque. J'ai mal au dos, je me sens épuisé comme si les cinq jours de repos à la frontière m'avaient fatigué. En réalité, je commence à être ailleurs, le nez au vent, sans doute parce que le but approche. Et puis j'ai été piqué par un insecte et ma main a doublé de volume. Malgré ou à cause de cela, j'ai décidé de couvrir les cinquante kilomètres qui séparent Sayat de Boukhara en une journée.

C'est la rentrée des classes. Les enfants, en uniforme – pantalon noir et chemise blanche pour les garçons, jupe plissée noire ou bleue et chemisier blanc pour les filles qui portent en outre un tablier en dentelle et une coiffure de tulle qui les fait ressembler à des Bigoudènes –, portent tous une bouteille d'eau car, dans les classes, on craint la déshydratation.

Ismat, dont je fais la connaissance au restaurant à l'heure du déjeuner, m'annonce qu'il donne une fête pour la circoncision de son fils, le *tsunaté*, et que je suis invité. Eh bien c'est décidé, je n'irai pas ce soir à Boukhara et je passerai la nuit chez mon nouvel ami.

Boukhara. J'y arrive vers 13 heures. La ville cuit mais cela n'empêche pas les bus de débarquer leurs cargaisons de Japonais, de Russes et d'Européens en short, l'appareil photo en bandoulière, devant la tour de Kalan.

L'une des plus vieilles cités du monde. Un lieu de merveilles et d'horreurs mêlées, l'une des villes les plus religieuses d'Orient, comptant plus de trois cent soixante mosquées et une centaine d'écoles coraniques qui totalisèrent jusqu'à dix mille étudiants. Marché capital sur la Route de la Soie, elle a possédé plusieurs dizaines de caravansérails. Son bazar s'étendait sur des hectares. S'y retrouvaient les marchands les plus spécialisés, vendeurs de flèches ou de farine, changeurs d'argent… Trois coupoles ont été préservées et rénovées et servent aujourd'hui exclusivement aux vendeurs de tapis et de souvenirs pour touristes. La bibliothèque, l'une des plus riches d'Asie, a contenu jusqu'à quarante-cinq mille volumes. Le grand Abù Ali al-Husayn ibn Sïnà, linguiste, musicien, astronome, y assuma aussi le poste de grand vizir à la cour. Mais il devint surtout célèbre pour avoir écrit le *al-Qànoùn fi I-tibb*, une encyclopédie médicale réunissant les savoirs de la Chine, de l'Inde, de la Perse, de l'Égypte et de la Grèce. C'est cette bible qu'on nomma le *Canon de la médecine* qui servit de base aux toubibs du monde entier entre le Xe et le XIXe siècle. On christianisa le nom d'ibn Sïnà en Avicenne.

D'abord le mausolée d'Ismaël Samani. Considéré comme le plus ancien et le plus beau de toute l'Asie centrale, c'est une construction carrée, sise au sein du parc Kirov. L'imagination des bâtisseurs pour, avec de simples briques, renouveler les motifs décoratifs est ici proprement merveilleuse. Quand Gengis Khan fit raser la ville au début du XIIIe siècle, le mausolée dut sa survie au fait que, n'étant plus entretenu, il était enfoui dans les sables. A survécu, aussi, pour d'autres raisons, la tour de Kalan. Lorsqu'on l'élève à trente mètres du sol au XIIe siècle, elle est le monument le plus haut d'Orient. Gengis Khan lui-même, qui a ordonné qu'on rase la ville, est si impressionné qu'il ordonne sa sauvegarde. Avec ses quinze mètres de fondations, elle a résisté aux tremblements de terre et même à l'artillerie russe qui juste l'écorna, au début du siècle. Il faut dire pour leur défense que, sans doute pris de remords, ce sont les Russes qui l'ont réparée et rénovée. Elle porte le sinistre nom de « Tour de la mort » car les khans de Boukhara expédiaient les condamnés au haut de la tour, les faisaient enfermer dans un sac et jeter par-dessus le parapet. Une légende prétend qu'une femme dut la vie sauve à son tchador qui lui servit de parachute.

Mais Boukhara, c'est aussi le marché aux esclaves chrétiens ou persans razziés dans toute la région. C'est surtout le lieu où régnèrent une série de souverains tous plus cruels les uns que

les autres. Celui qui mérite une mention spéciale est sans
doute Nasrullah Khan – que ses sujets surnommèrent affectueusement « le Boucher ». Dès qu'il fut au pouvoir, il fit exécuter son père et son frère afin de leur éviter la mauvaise
pensée de vouloir prendre sa place. De même, on n'en sait
trop la raison, il tua trois de ses autres frères et dix-huit
membres de sa famille. Nicolas Ignatieff, envoyé de la part du
tsar pour négocier un traité commercial, raconta que le chemin menant à sa résidence était bordé de piques fichées en
terre sur lesquelles pourrissaient des têtes d'hommes [1]. Nasrullah Khan, économe et soucieux de sauver les âmes de ses
sujets en les incitant à la bienfaisance, faisait conduire chaque
vendredi les prisonniers au bazar afin qu'on leur fît l'aumône
sous forme de quelques provisions qui devaient les nourrir
jusqu'au vendredi suivant. Stoddard, un Britannique venu
proposer un traité de commerce à Nasrullah, eut l'impudence
de ne pas descendre de cheval en empruntant la route menant
au palais. Le monarque le fit enfermer en compagnie de rats
et d'araignées dans le *Sia Chat*, un puits dont le seul accès
était une trappe à son sommet. Un autre Anglais, Conolly,
venu au secours de son compatriote, connut le même sort.
Puis on proposa aux deux hommes de choisir entre la conver-
sion à l'islam et la décapitation. On leur coupa la tête le
17 juin 1742.

Le khan avait osé défier l'Angleterre, d'abord parce qu'il
pensait que c'était un khanat comme chez lui, mais fort éloigné ; ensuite parce que l'Empire britannique était dans une
sale passe. Six mois plus tôt, une troupe de seize mille Anglais
avait quitté Kaboul après avoir échoué dans la pacification
de l'Afghanistan. Un seul arriva à Djalalabad dix jours plus
tard, tous les autres ayant été tués ou réduits en esclavage.
Nasrullah, personnage galant s'il en fût, ne dédaignait pas de
frapper un pays déjà à terre.

L'homme, quels que soient les pays et les époques, est un

1. Geoffrey Moorhouse, *op. cit.*

artiste dans le raffinement des horreurs et des supplices. Voyez encore cet autre khan, un homme à l'affection farouche et à l'amour exclusif, qui convoqua à son chevet, alors qu'il en était à la dernière extrémité, sa favorite et trois de ses filles parmi les plus belles. Tout simplement parce qu'il ne supportait pas l'idée que quelqu'un d'autre que lui puisse porter la main sur elles, il les fit exécuter sur place.

Je visite la ville au milieu des touristes qui arpentent les rues du centre, véritable musée en plein air. Au pied de la tour de Kalan, une gamine au regard effronté m'accoste en anglais puis en français :

– Voulez-vous m'acheter un chapeau de prière ? Non ? Alors venez voir ma mère qui vend les plus beaux tapis de Boukhara. Non ? Alors pour visiter la ville je vais vous présenter mon père, c'est le meilleur guide, il connaît tous les monuments.

A onze ans cette gamine parle couramment le russe, l'ouzbek et le tadjik, sa langue natale. Elle maîtrise parfaitement l'anglais et apprend le japonais en cours privé. En français et en allemand, elle se débrouille suffisamment pour arriver à caser ses chapeaux.

Je fuis. La densité touristique est un peu moindre sur la place du Registan et je peux admirer tranquillement la mosquée d'Oulougbek. Mais lorsque j'y pénètre, une nuée de marchands de tapis me tombe dessus. Fuyons pour de bon. Je suis trop fatigué pour affronter ces invasions. Je vais me mettre à la recherche d'un hôtel de luxe, pour une fois j'en ai très envie.

Alors que j'arrive à la grande porte tournante, le portier me bloque. EVNI doit lui donner des doutes sur ma qualité de vrai touriste. Des touristes, justement, en voici : deux cars qui déversent une foule de gens en uniforme – short, lunettes de soleil et caméras. Le chasseur les laisse passer, il a raison, ce sont des clients conformes.

Je vais donc baguenauder dans un square voisin où je bavarde avec un groupe de jeunes gens. Apprenant ma nationalité, ils font un concours pour me citer les Français qu'ils connaissent : Zinedine Zidane évidemment, mais aussi Jean-Paul Belmondo, le commandant Cousteau, Alain Delon, Patricia Kaas, Jacques Chirac et Marina Vlady. Mais ils ignorent qui est Garaudy. Fazli m'apprend qu'il peut me loger.

Sa femme, Rano, me prépare le soir même de savoureux samsas et le plov qu'elle me cuisine le lendemain est fameux. Ils ont trois enfants. L'aîné s'est ébouillanté tout petit, et il garde une cicatrice impressionnante au visage. L'enfant est adorable, mais il faut du temps pour l'apprivoiser. Fazli me dit qu'on pourrait lui faire des greffes de peau à Moscou, mais cela lui coûterait dix années de salaire.

Je passe quatre jours agréables à Boukhara, loin du centre. Non pas que les monuments n'y soient pas admirables. Mais je hais cette partie de la ville dont on a chassé toute vie pour en faire un musée à ciel ouvert. N'y déambulent que des touristes pressés et des vendeurs de souvenirs rapaces. J'ai demandé le prix d'une pellicule photo : trente et un dollars. Cent mètres plus loin, la même valait trois dollars. Je traîne à Labi Hauz, un endroit de paix et de tranquillité qui n'a pas changé depuis quatre siècles. A Boukhara, les *hauz* qu'on trouve dans chaque quartier sont des bassins d'eau en forme de pyramide inversée. Ils sont faits de gros blocs de pierre qui sont autant de marches, de telle manière que, quel que soit le niveau de l'eau, on peut descendre en puiser. Le Labi a été construit en 1662, bordé d'arbres aujourd'hui plus que tricentenaires. De vénérables Ouzbeks, aussi vieux que les arbres, sont installés sur des bancs de bois pour jouer d'interminables parties de dominos. Bien que proche du centre-ville, aucun touriste ne vient sur le côté sud du Labi Hauz. Mais le côté nord est occupé par un restaurant qui n'accueille que des étrangers. Par une règle magique et tacite, chacun respecte son territoire et n'empiète pas sur le territoire de l'autre. Sous un arbre, un cordonnier répare des savates. Sous un autre, une statue rigolarde de Nasr Eddin Hodja, ce simple d'esprit révéré tout au long de ma route, d'Istanbul jusqu'en Chine, et qui nous rappelle que la meilleure façon d'avancer n'est peut-être pas celle que recommande la raison supposée la mieux partagée. Un drôle de bonhomme, dont je n'ai cessé d'apprendre, depuis le début de mon chemin.

Je me perds dans les vieilles rues de la ville. Rue Tchardjouskaya, je passe une heure dans un tchâï-khâné au milieu de joueurs fanatiques d'échecs et de backgammon – ici *narda*. Il y a longtemps qu'on ne connaît plus en France ces atmosphères enfumées de cafés où se concentrent et se déchaînent des joueurs enthousiastes qui oublient pour quelques heures, ensemble, le reste du monde.

Dans un petit caravansérail à demi enterré par suite de l'élévation des sols, un vieux couple s'y fait griller des cha-chliks sur un feu de bois au milieu de la cour. Ils veulent m'inviter à dîner mais refusent que je prenne des photos. Derrière la tour de Kalan, un autre caravansérail est en ruine. Il s'appelle Ayas Djan. Saïd, un vieux réparateur d'objet en fer-blanc qui occupe une petite boutique dans une des cellules me parle de Jean-Luc et de Rachid. Les deux Français sont venus ici pour tenter de réhabiliter l'antique monument. Ils les aimait bien. Mais l'argent a manqué et les Français sont repartis. Une grosse chaîne barre l'énorme porte mais elle est si lâchement fixée qu'elle permet qu'on se glisse dans l'entrebâillement. Saïd me dit que je peux m'y promener. Hélas, le chantier en panne est devenu toilettes publiques.

Les vieilles rues sont étroites. Chaque maison, construite d'une armature de bois dont on remplit les vides avec des briques liées par un plâtre à base de gypse, le *gantch*, dispose d'une petite cour ceinte de hauts murs. De la rue, on aperçoit parfois une treille ou un grenadier dont les fruits ne sont pas encore tout à fait mûrs en cette saison. Si l'on s'éloigne du centre, on retrouve ces mêmes habitations collectives communes à toute l'ex-URSS, neuves et déjà lépreuses. La tour où habitent Fazli et sa famille est encore plus récente. Elle semble avoir été construite sur un champ bombardé. Il pourrait servir de terrain d'entraînement à des adeptes du 4 x 4. C'est un morceau de fer à béton qui sert de rambarde à l'escalier et l'ascenseur pour les onze étages ne marche qu'une ou deux heures par jour. Seule de l'eau chaude coule des robinets, et pour avoir de l'eau tiède ou presque froide, il faut la stocker dans des seaux.

Je termine ma visite de Boukhara par le Balchoï Rynok, le marché kolkhozien. Il est situé près de la citadelle, l'Ark – l'ancienne résidence des khans de Boukhara bombardée par les Russes au début du siècle, mais reconstruite à neuf, rien n'étant trop beau pour attirer les touristes. Sous des halles de toile ou de béton, on vend tout ce qui peut s'acheter. A la halle des fruits de solides, rubicondes et rondes paysannes en robes aux couleurs aussi violentes que leurs fruits, sont assises en lotus sur les comptoirs et chantent les vertus de leur production en russe, ouzbek, tadjik et autres dialectes que je suis incapable de reconnaître. A la halle des bouchers, vendeurs et vendeuses se meuvent au milieu d'un brouillard de mouches et de guêpes. Partout flotte la fumée des chachliks qu'on grille et des feux de bois qui font chanter les samovars. Seule note bizarre, l'omniprésence des flics, repérable à leur casquette ocre et à leur chemise bleue. Ils inspectent les commerces. Je n'ai jamais vu une telle densité policière. Lorsque j'en demanderai à Fazli le pourquoi, il me dira qu'ils pourchassent les Afghans vendeurs de drogue. On m'expliquera par ailleurs qu'en réalité fort mal payés les policiers ouzbeks ratissent les marchés et, grâce à des amendes plus ou moins justifiées, complètent ainsi leurs maigres revenus.

Le dernier soir, Rano me cuisine et me donne la recette des samsas. Elle cuit en outre des *manty*, raviolis de viande cuites à la vapeur.

Le paysage est inchangé, des champs de coton, encore et toujours des champs de coton. Je n'y prête guère attention. Je suis maintenant à une semaine de Samarcande. Voici presque cent vingt jours que je marche et la solitude me pèse. Je n'en peux plus de ne communiquer que de façon toute superficielle, à cause de mon russe de cuisine. On dit qu'un bébé à qui on ne parle pas meurt. J'ai bien peur d'être contaminé par cette bizarre maladie qu'on appelle solitude. Quatre mois, c'est trop. En outre, Boukhara m'a déçu. Je n'ai guère de goût pour les musées et je trouve son centre-ville éteint, frelaté, triste. J'ai maintenant hâte d'en finir. Je regarde les champs d'ici et s'y superpose ma maison normande, je vois ma chienne qui gambade...

Pourtant je n'ai pas de raisons particulières de me plaindre. Depuis quelques jours il fait un peu moins chaud. Je traverse une suite ininterrompue d'oasis qui relient Boukhara à Samarcande en passant par Navoï et décrivent un arc de cercle de verdure au nord du désert du Kizilkoum. Tout au long du chemin il y a pléthore de tchâï-khânés et de restaurants, je peux faire des pauses autant que je le souhaite, mais, je le répète, sur de telles distances, on marche avec sa tête plus qu'avec ses pieds, et ma tête en a marre. Elle est déjà repartie en France retrouver ceux que j'aime et qui, tout à coup, me manquent terriblement.

C'est dans cet état d'esprit que je m'arrête, vers 10 heures, dans un petit restaurant qui a installé quelques tables sous le couvert de mûriers aux feuilles larges et grasses qui répandent une ombre attirante. Je prends place à une table et crie « Tchâï! » à une serveuse qui semble m'ignorer. Pourtant peu après elle revient avec une théière et un verre qu'elle pose devant moi en me demandant d'où je viens, où je vais, qui je suis... Elle porte une blouse blanche sur une quelconque robe de soie, et un foulard emprisonne ses cheveux. J'enregistre tous ces détails sans y attacher d'importance, je crois que je suis ailleurs. Elle semble très intéressée par ce que je lui raconte

mais son patron la rappelle à l'ordre. Avec un haussement
d'épaules d'agacement, elle me quitte. Et puis elle revient et
sans façon s'assied à ma table. Son sourire est radieux.

– Raconte-moi.

Le menton dans les mains, elle me mitraille de questions.
Je l'observe mieux. Elle est fort jeune, guère plus de vingt
ans, elle a la peau dorée et veloutée des Ouzbèkes et des sourcils arqués sur des yeux rieurs. Littéralement elle boit mes
paroles. Peu à peu, elle cesse de questionner, moi de parler, et
puis le silence s'établit. Alors, mes yeux rivés dans les siens,
je sens monter en moi un désir fou pour cette fille et je lis le
même dans son regard. Notre silence est beaucoup plus éloquent que mon russe hésitant. « Je te veux, moi aussi », disent
nos corps.

Le gérant, lui, s'époumone. Elle ne l'entend pas. Sa collègue, sans doute envoyée par le chef, s'approche, s'assied à
notre table, nous observe. Nous, nous sommes comme
aimantés, les yeux dans les yeux, et la copine n'est pas plutôt
assise que nous l'avons oubliée. Son commentaire se passe de
traduction : « Oh là là ! » fait-elle en se levant et en repartant
avec ostentation sur la pointe des pieds.

– Je m'appelle Finafsha, dit enfin la jeune femme, et si tu
veux, tu peux rester cette nuit chez moi.

Je n'ai rien contre et elle le devine, car elle sourit, se lève et
se rend d'un pas tranquille et balancé auprès du gérant
braillard. Durant cette brève absence, je me ressaisis. Qui est
cette fille ? Une prostituée ? Non, à l'évidence. Elle n'en a ni
le genre ni le comportement. Alors ? Lorsqu'elle est de retour,
je la questionne :

– Tu sais presque tout de moi, et toi, qui es-tu ?

Elle a vingt-quatre ans, est mariée depuis deux. Il y a un
an elle a eu un bébé, mort il y a six mois sans qu'on sache de
quoi. Elle reste un long moment à contempler ses mains, très
émue. Je crois qu'elle va pleurer, mais elle se reprend. Son
mari travaille à la récolte du coton dans un autre kolkhoze et
revient les week-ends.

– Et que diront les gens si je reste chez toi cette nuit ?

– Je m'en fiche.

Le gérant crie encore. Elle se lève et, avant de s'éloigner, me dit que tout à l'heure, après le service de midi, elle me conduira chez elle pour que je me repose.

Après trois mois et demi d'abstinence, la tentation est forte, la fille jolie. Mais je saisis mieux son impulsion. Cette jeune femme est en plein désarroi après la mort de son bébé. Si elle se jette ainsi à mon cou, c'est que, venant de loin, je repré- sente une échappée dans l'univers où elle se sent captive. Sa solitude et la mienne nous ont poussés à ce rapprochement. Mais qu'en résultera-t-il ? Pour moi, un joli souvenir. Pour elle, un désastre. Et puis j'ai passé soixante ans et elle est si jeune. Folie. Quand elle revient, ma décision est prise.

– Je dois partir. J'ai mon chemin à suivre.

Lorsque je reprends EVNI, elle me lance un regard de noyée. Je me fais l'effet d'être à la fois un imbécile et un sale type. Mais aussi, que diable, quelqu'un m'attend à Paris et je ne suis pas homme à courir plusieurs lièvres à la fois. Simplement, qu'on ne me demande pas à quoi ressemblait le paysage ce jour-là. Je n'ai rien vu.

XVI

LE CIEL TURQUOISE
DE SAMARCANDE

9 septembre 2000. Qiziltepa. Kilomètre 2 532.

Le pandore d'un air harassé me fait signe : « Viens ici. » Je traverse la route et nous n'avons pas même besoin de nous parler : je sors mon passeport et le lui tends. Avant de me le rendre, il le feuillette machinalement, tous ses gestes semblent dénués de sens et d'intérêt. Je vais repartir quand son chef arrive.

– Passeport.

– Mais je viens de le montrer…

– Passeport !

J'ai horreur des manifestations intempestives d'autorité. Avant-hier, en sortant de Boukhara, j'ai été contrôlé quatre fois, hier trois et deux déjà ce matin. Un car d'Intourist bourré de touristes-appareil photo passe sans même ralentir.

– Et ceux-là, vous ne leur demandez rien ?

Il sait mieux que moi qu'ils sont sous contrôle, avec leur guide-flic. Il va me rendre mon passeport lorsqu'un autre chef, sans doute le chef du chef, assis sous un arbre, une théière posée devant lui, nous interpelle. Le chef-debout m'invite à le suivre.

– Niet. Je viens de subir deux contrôles, ça suffit.

Le chef-debout m'abandonne et porte mon passeport au chef-assis. Celui-ci l'épluche avec méticulosité. Il est évident que plus il prendra son temps plus il manifestera sa position de gradé. Du menton, il me signifie que je dois m'approcher. Moi, je réponds non de la tête. Le chef-debout revient vers moi.

– Pourquoi tu refuses ?

– Vous venez de contrôler mon passeport deux fois. Je suis en règle.

Une série de mimiques-bras de fer commence alors entre le chef-assis et moi. Comme je m'obstine à faire ma tête de pioche, il a finalement un geste de la main qui semble épousseter l'air brûlant et une moue qui sont l'un et l'autre faciles à comprendre : j'ai tout mon temps, âne buté, à nous deux.

Pour toute réponse, je m'assieds sur une grosse pierre, les bras croisés, et là encore le sens est clair : moi aussi j'ai tout mon temps, tête de mule.

Il faut être plus malin qu'il ne l'est pour savoir que le mutisme est une ultime position de pouvoir. Et comme l'envie d'en découdre le tenaille et qu'il entend me prouver son autorité, c'est lui qui rompt le silence :

– Vous marchiez sur le côté gauche de la route, c'est interdit et…

Je bondis. La voilà leur tactique ! Ils ont inventé une contravention et s'apprêtent à plumer le pigeon que je représente.

– Faux. Le règlement international stipule que toute personne seule doit marcher sur le côté gauche de la chaussée et sur le côté droit s'il s'agit d'un groupe.

Je n'en sais fichtre rien, mais puisqu'ils inventent, moi aussi. Il marque une seconde d'étonnement mais ne s'avoue pas vaincu.

– Je veux voir le contenu du sac.

– Mon sac a été contrôlé à la douane. Vous avez le tampon sur le passeport. Il le sera à nouveau à Tashkent à la frontière. Vous n'êtes pas la police des frontières, vous êtes la police de la route.

Cette fois, il va me mettre en taule. Mais non, il continue d'apprendre par cœur mon passeport, histoire de se donner une contenance et de l'importance, quand soudain il s'exclame :

– Vous êtes né en janvier 38, comme le président !

C'est bien possible, je l'apprends et m'en bats l'œil, mais lui a trouvé le moyen de sauver la face et sa grosse trogne s'éclaire :

– Le même âge que le président Karimov !

Pour une nouvelle épatante, c'en est une ! Alors je joue le jeu :

– Et il marche à pied, lui aussi ?

La large trogne, maintenant, est hilare :

– Non, en grosse voiture.

Et il me tend mon passeport.

Je repars, et intérieurement je crâne… quand cent mètres plus loin je tombe sur un autre barrage. Un flic qui bavarde avec un type en civil sort précipitamment de la guérite.

– Passeport !

– Mais je viens de le montrer à vos collègues ! Tout est en règle.

Il hésite. Le type en civil émerge de la guitoune et d'une voix qu'il veut sans réplique répète :

– Passeport !

Trente ans, le cheveu ras, une chemise blanche impeccable, des lunettes de soleil. A l'évidence, le bonhomme est content de lui. Je le toise, j'en ai vraiment marre.

– Vous êtes policier ? Vous n'avez pas d'uniforme. Je ne montre mon passeport qu'aux miliciens. Vous avez une carte ?

Il porte la main à la pochette de sa chemise puis se ravise. Ou bien il usurpe son titre ou il n'accepte pas que j'inverse les rôles. Le bidasse qui m'a interpellé en premier a fait un pas prudent en arrière. Un autre chef en uniforme apparaît, amène :

– *American ? Alman ?*

– *Niet, Frantsouz.*

J'ajoute, en français, à voix haute mais pour moi-même,

surtout pour évacuer un peu de la fureur qui me secoue : « Je
vais te le montrer, mon bon Dieu de passeport, mais les flics
ouzbeks, j'en ai jusque-là », et j'accompagne ma déclaration
du geste de ras-le-bol qui est le même dans tous les pays. Et
puis je crache « Niet, niet passport » avant d'empoigner EVNI
et de démarrer comme pour un cent mètres.

Un quart d'heure plus tard, je m'engueule. Passer en force,
ça peut être accepté, mais il ne faudrait pas en abuser, parce
que si je tombe sur de vrais durs, il risque de m'en cuire. En
même temps je suis content qu'une fois de plus mon intran-
sigeance ait payé.

De part et d'autre de la route, de sombres cognassiers
croulent sous le poids d'innombrables fruits d'un beau jaune
lumineux. Tout au long du chemin alternent champs cultivés
et vergers. La région est incroyablement riche. Pas étonnant
qu'elle ait été l'objet de convoitises et de luttes permanentes
entre les différents khanats, dont ceux de Boukhara et de
Khiva.

Excepté l'incroyable densité policière, mon trajet entre
Boukhara et Samarcande se déroule sans problèmes. Les gargotiers sont plutôt aux petits soins pour l'énergumène que je
dois être à leurs yeux et, une fois sur deux, mettent un point
d'honneur à m'inviter.

L'établissement est neuf et ne sera inauguré que dans une
semaine. Tout le monde est en pleins préparatifs. Le patron,
Utkit Tashen, est un homme comblé. Il me raconte qu'il était
paysan avant de prendre conscience que le bénéfice ne se fait
pas sur les produits mais sur leur transformation. Il lance
alors une fromagerie qui se développe et lui rapporte de gros
bénéfices. Avec cet argent, il monte une conserverie qui
double vite la mise. Une fois de plus il vient de risquer toutes
ses billes dans cet hôtel d'un genre particulier : un caravansérail moderne qu'il appelle *hôtel-camping*, lequel offre non
seulement hébergement et restaurant classique, mais encore,

intégré à l'ensemble, un garage qui fournit essence, réparations ou pièces détachées, et un magasin d'alimentation. L'emplacement est idéal, entre les deux lieux hautement touristiques que sont Boukhara et Samarcande. Et le concept intéressant. Nous bavardons tard et Utkit me dit : « Prends la chambre qui te convient. Moi je vais me coucher. J'ai marié mon fils hier, cinq cents invités le midi, huit cents le soir, et je suis crevé. »

J'avais prévu de couvrir Boukhara-Samarcande en neuf jours. Mais je marche comme un fou, pressé de finir. Je file, je cours, aspiré par l'objectif tout proche. J'ai beau me répéter « personne ne t'attend, prends ton temps », mes pieds cavalent.

De temps à autre, un grand panneau me dit que je suis sur la « Oq yol », la route du coton. Elle résume tout le problème agricole de l'Ouzbékistan. Le coton, sorte d'or blanc pour le pays, le rend très dépendant du marché mondial qui peut, à tout moment, s'effondrer. Par ailleurs le coton occupant chaque mètre carré de terrain agricole, il n'y a plus place pour les cultures vivrières, ce qui oblige l'État à des importations multiples. Et les dégâts sur l'environnement sont considérables, à preuve l'assèchement de la mer d'Aral. La Route de la Soie est oubliée au profit de la route du coton...

Je rêve aux caravaniers qui m'ont précédé. Les tout premiers sont passés ici voici plus de deux mille cinq cents ans. Au temps des rois achéménides, cette voie s'appelait alors la route de l'or. Les échanges se faisaient sur de courtes distances, entre la Bactriane et la Chine. Puis le chemin s'allongeant, les marchandises se sont diversifiées : on y fait le trafic des émeraudes, des lapis-lazulis tant appréciés des Égyptiens, du jade venu de Chine, du musc descendu des montagnes du Tibet, des fourrures apportées de Sibérie, des parfums d'Arabie, et des épices originaires des lointaines Philippines. Et puis la soie s'impose, et les caravanes ne transportent plus bientôt que le précieux tissu. Les clients des caravaniers sont d'abord les religieux qui veulent impressionner leurs ouailles, et les militaires, toujours à l'affût d'oriflammes fastueuses. Les élégantes prendront le relais. Sur ce chemin que j'emprunte, entre Boukhara et Samarcande, qu'on appelle « le chemin des rois », ont aussi transité quelques idées qui voyagent dans les têtes, en l'occurrence les religions. Ainsi la Route de la Soie va devenir route du bouddhisme, inaugurée en 399 avant J.-C. par un moine chinois, Faxian, qui de Chine part à pied vers l'Inde pour rechercher des textes bouddhiques sacrés. Il a soixante ans. Il reviendra douze ans après pour raconter son aventure. Puis le manichéisme, le nestorianisme et l'islam vont tour à tour bâtir leurs temples tout au long de la route.

A Nourabad, un couple de gentils bistrotiers me fait un accueil chaleureux et littéralement me gave. Comme je m'apprête à passer la nuit dehors sur un takhté, ils me proposent d'utiliser un appentis équipé d'un lit qui jouxte leur salle de restaurant. J'accepte car la pièce d'eau voisine zonzonne de moustiques. La femme m'assure qu'à 7 heures elle sera là avec un bol de lait fraîchement tiré de la vache pour mon petit déjeuner, et sur cette belle promesse ils repartent chez eux, à deux kilomètres. Je m'installe. La porte ne ferme pas, mais qu'importe. Comme à l'habitude, je place le sac près de mon lit, sors mon couteau et ma torche que je place sous l'oreiller et je cherche le sommeil. Pas facile. La proximité du but m'excite et j'ai du mal à m'endormir. Bien m'en prend car je discerne une ombre qui se faufile sous la fenêtre. Une deuxième suit. Et je reconnais le second à la lueur d'un lampadaire : c'est le gamin qui est venu tout à l'heure bavarder avec moi et me faire parler de mon voyage. Je me lève. Doucement, la porte s'ouvre, poussée par une main prudente. Une ombre se glisse, puis une deuxième. J'attends trois secondes puis j'allume la torche. Les deux petits malfrats aperçoivent un homme debout, ô horreur, tout nu, qui d'une main braque sur eux une torche et de l'autre tient une lame.

On dirait qu'ils ont vu un fantôme. Ils poussent à l'unisson le cri grêle et retenu d'un campagnol pris au piège et détalent comme deux lapins. Le temps que je passe un œil par la porte restée ouverte, ils sont loin et courent encore.

Au matin, je repars très tôt, trop tôt pour le lait et le petit déjeuner. J'ai le feu aux semelles. Vers 10 heures, je m'arrête dans une gargote qui sera l'avant-dernière de mon parcours cette année. J'y rencontre l'un des couples les plus aimables de mon voyage. Maxime, qui vient à ma rencontre du plus loin qu'il me voit, est un petit homme aux yeux très bridés et aux pommettes saillantes de Mongol. Il doit mesurer un mètre soixante, est presque aussi large que haut. Un hercule en miniature. Il est coiffé d'une petite calotte noire à parements blancs et son sourire lui fend la bouille d'une oreille à l'autre. Il me prie de m'installer, le temps, dit-il, de me préparer un petit déjeuner. Je ne me suis ni lavé ni rasé depuis une semaine. J'ai peu à peu intégré cette particularité qu'ont les nomades de s'approprier les lieux où momentanément ils se posent. Aussi, torse nu dans la cour, j'entreprends quelques ablutions. Ira m'a vu et accourt avec une bassine d'eau chaude. Elle est aussi fine que son mari est massif, et elle a de toute évidence une ascendance russe. Elle a les incisives écartées – les dents du bonheur –, et son sourire enfantin lui donne l'apparence d'une adolescente montée en graine. J'ai tout de suite le coup de foudre pour ce couple qui, à l'évidence, me le rend bien. « Un homme qui marche doit manger », m'assène Ira, alors qu'elle accumule les mets sur la table. Elle sait bien que je n'en viendrai pas à bout, mais cela ne l'empêche pas d'aller en chercher encore et encore. Pour finir, elle me demande si je préfère la vodka russe ou la vodka ouzbèke. Je suis vraiment un type bizarre qui refuse l'une et l'autre. Lorsque je repars, Maxime m'étreint et j'embrasse Ira qui s'empourpre. Bien entendu, ils refusent que je paie le moindre sou pour cet énorme « petit déjeuner ».

Je ne paie pas non plus le repas que je prends à midi. Le gentil patron me donne en outre une pastèque qu'il achète à un vendeur de bord de route. Les marchands de melons, à l'approche de Samarcande, se succèdent sur des kilomètres : melons verts, jaunes, striés, ronds, longs, gros, parfois tout petits comme chez nous. Dans les champs, stupeur, il y a de l'herbe. Un peu roussie, certes, mais c'est de l'herbe. Je n'en ai pas vu depuis près de deux mille cinq cents kilomètres et j'ai bien envie d'aller en tâter... Je vais m'y allonger, mais je ne tiens pas en place. Samarcande, Samarcande... Je piaffe.

A 17 h 30, ce 13 septembre, je marche le nez sur le bitume à petits pas pressés lorsque je relève la tête. Un champignon de béton de la taille d'un château d'eau, surmonté d'un énorme macaron aux couleurs du drapeau ouzbek, me nargue au bord de la route, affichant en lettres majuscules SAMARQAND. Jambes coupées, je lâche EVNI et m'assieds sur le trottoir de ciment qui borde la route. Voilà quatre mois, exactement cent vingt jours, que je suis parti de Dohoubayezit. Deux mille sept cent quarante-cinq kilomètres...

J'ai réussi. J'ai réussi... Je répète machinalement la phrase sans trop y croire. Ce n'est pas possible. C'était trop facile. Et pourtant, combien de pas de fourmi tout au long de ce parcours ? La tête me tourne. Je veux immortaliser cet instant et demande à un quidam qui passe à vélo de me photographier devant le bâtiment-champignon de l'octroi. Il accepte tout d'abord puis me rend précipitamment l'appareil. « Police », dit-il, et il saute sur son vélo. Il y a effectivement un poste au pied du monument et des flics arrêtent les voitures. Je sollicite d'autres passants, mais ce n'est que le quatrième, un jeune sans doute moins effrayé ou plus inconscient que les autres, qui accepte de fixer sur l'objectif la preuve de ma victoire. Il ne comprend pas bien le pourquoi de cette photo, je lui crie : « J'ai réussi, j'ai réussi » et j'ai beau lever les bras en V, il me quitte persuadé d'avoir eu affaire à un fou.

Alors que la nuit tombe je pénètre dans la grande ville. Des enfants qui jouent à se déguiser m'apostrophent. Le plus grand connaît-il un hôtel dans les parages ? Ces émotions m'ont épuisé, je veux dormir sans attendre. « Je vais demander à nos parents si on peut t'accompagner, me dit un autre, *niédaliéko*, ce n'est pas très loin. » Ils reviennent tout joyeux et se battent pour conduire EVNI qui les fascine comme tous les enfants que j'ai rencontrés jusqu'ici. Magnanime, je leur accorde cet insigne honneur. Devant l'hôtel, ils ont l'ordre de bien le tenir pendant que j'enlève le sac de mon chariot-copain.

– Où on le met ?

– Où vous voulez. Je vous le donne.

– Quoi ?… C'est vrai ?

Je crois qu'il n'y a pas eu ce soir-là d'enfants plus heureux dans toute l'Asie centrale. J'empoigne mon sac et le glisse sur mon épaule. Le portier m'ouvre la porte.

Je suis arrivé.

Par une association française, « Timourides » dont les membres se passionnent pour la culture ouzbèke, j'ai l'adresse de Mounikha Vakhidova. C'est une femme efficace, soucieuse de rendre service, et par son intermédiaire tous mes problèmes immédiats sont résolus. Je m'installe dans la belle maison traditionnelle de la famille Tchoukourov. Le père était un critique littéraire connu. Sa veuve vit dans cette grande maison avec son fils Faroukh, sa femme et leurs enfants. On ne peut rêver endroit plus propice à mes aspirations du moment : me reposer, laisser tomber l'excitation qui m'a saisi ces derniers jours et reprendre quelques-uns des douze kilos que j'ai perdus depuis le départ. Mon hôtesse et sa belle-fille rivalisent d'imagination pour me préparer des repas de *Mille et Une Nuits* que je déguste dans la cour, à l'abri du soleil sous une treille d'où pendent de lourdes grappes d'un raisin d'encre. Dans le petit jardin, un cognassier perd de temps à autre un gros fruit mûr qui résonne sourdement sur le sol. La visite de la ville se fera dans un deuxième temps. Je paresse avec jouissance, sur la terrasse qu'on arrose, le soir venu, pour installer la fraîcheur.

Durant deux jours, je dors. Je vais du lit à la table, de la table au lit. La fatigue accumulée tombe sur moi et m'engourdit. Je redécouvre l'ivresse d'une douche journalière et me récure avec acharnement, comme si toutes les crasses récoltées sur le chemin restaient incrustées dans ma peau. Au cours de ces deux jours paisibles, je m'offre aussi un bilan, somme toute positif : tout d'abord j'ai, contre ma propre crainte, gagné mon pari. Ce n'était pas évident lorsque je suis descendu du bus d'Erzouroum. Ensuite, je termine ce voyage, certes amaigri, mais sur mes deux jambes et non pas sur une civière comme l'an dernier. J'ai bien quelques petits soucis. Mes ongles de doigts de pied sont tout noirs et menacent de tomber, carbonisés par ces millions de pas que j'ai faits. C'est secondaire. Le soleil m'a tant brûlé le visage que j'ai la peau à vif. Secondaire également. La douceur du ciel normand arrangera cela. En revanche, au repos mon cœur bat à cinquante-deux pulsations par minute. Une belle performance.

Pour le reste, j'ai fait une merveilleuse, une extraordinaire moisson de rencontres que je n'ai pas fini de cultiver. Des noms chantent dans ma mémoire saturée de tous ces visages rencontrés, dont les derniers, Ira et Maxime et surtout, surtout, Monir et Mehdi, mes amis, mes frère et sœur. Enfin, par-dessus tout, j'ai vaincu cette fichue pétoche qui me paralysait au départ.

La ville, je l'ai dit, chante dans ma tête depuis mes premières lectures. Sera-t-elle aussi magique que je l'ai imaginée ? Mounikha – encore elle – m'a fait rencontrer une de ses élèves qui est assistante d'anglais. Firouzah (Turquoise – Firouzé en Iran), vingt-quatre ans, s'est proposée pour me guider dans ma découverte de la ville, voulant ainsi mettre en pratique la langue qu'elle apprend. Tout en visitant Samarcande, à pied ou en bus, elle me parle d'elle et de la jeunesse ouzbèke. Firouzah est l'aînée de quatre enfants, un garçon et deux filles. Voici deux ans, ses parents un soir lui ont annoncé qu'ils ont à lui parler. « Tu as vingt-deux ans et tu ne nous as toujours pas présenté de garçon. Les voisins jasent. Tu sais que si tu ne te maries pas, tes sœurs non plus ne le pourront pas. Alors nous t'avons trouvé un prétendant, gentil, travailleur et qui ne fume pas ! Bref, un bon parti. Le mariage aura lieu samedi en huit. C'est un garçon qui n'a eu qu'une exigence : que tu cesses de porter ces pantalons comme tu le fais tous les jours. Nous nous y sommes engagés.

– Tu n'as pas refusé ?

– Difficile. Dans nos sociétés, les gens se marient par ordre d'âge. Je ne pouvais condamner mes sœurs au célibat. Une femme non mariée à vingt-cinq ans est considérée comme une vieille fille à vie. Si personne ne lui a proposé de l'épouser, c'est qu'il y a anguille sous roche. Et là encore, le problème devient celui de toute la famille. Si l'aînée ne se marie pas, c'est qu'il y a une tare familiale.

Faroukh me tiendra le même discours.

– Et si elle ou il refuse et veut épouser quelqu'un d'autre ?

– Il n'y a pas de cérémonie de mariage. Et dans ce pays, c'est une catastrophe, la noce est une sorte de consécration sociale.

Le deuxième soir, justement, je suis invité à me rendre à un mariage auquel sont conviés les Tchoukourov. La cérémonie, qui compte sept cents invités, se déroule en tout point comme la première à laquelle j'ai assisté. Ici, le respect de la nationalité est important. Un Ouzbek peut épouser une Russe mais l'inverse est impensable. Dans la majorité des cas, un Tadjik épouse une Tadjik et un Ouzbek une Ouzbèke. On évite les mariages avec un partenaire d'un autre clan, et ces clans sont nombreux pour chaque nationalité. On fait en revanche peu de cas du niveau culturel des fiancés. Firouzah, diplômée de l'Université, s'est vu imposer comme mari un garçon qui est pompiste dans une station d'essence.

Le pays subit des transformations. Les Russes émigrent. Ils acceptent difficilement d'avoir perdu la place prépondérante qu'ils avaient lorsqu'ils sont venus ici en pionniers et que leur langue – et même leur alphabet – manifestait leur supériorité. Désormais, la langue officielle est l'ouzbek,

même si le russe est encore la principale langue véhiculaire
entre les ethnies. A partir de 2005, tout patron pourra licen-
cier un employé qui ne parle pas couramment ouzbek. La
religion, elle, regagne quelques lettres de noblesse, mais elle
est étroitement surveillée. Et le régime n'est pas prêt de relâ-
cher sa vigilance, car les talibans, entraînés en Afghanistan,
font des incursions dans le pays et ont procédé à des attentats
l'année dernière à Tashkent. Régulièrement, la télévision
invite à réfléchir en montrant des batailles menées par
l'armée contre de petits groupes mobiles à la frontière avec le
Tadjikistan.

Ces questions qui touchent aux hommes et aux femmes de
ce pays m'intéressent plus que les vieilles pierres, mais je suis
venu voir Samarcande, et je vois Samarcande. Ainsi de la
place du Registan et de ses trois *madrasas* (écoles coraniques), dont celle d'Oulougbek. C'est la troisième, construite
il y a six cents ans, par ce prince, petit-fils de Tamerlan. La
première est à Boukhara. La seconde était sur ma route et j'ai
fait un détour, malgré ma hâte d'arriver, pour la voir à
Ghijdovan. Oulougbek, poète, mathématicien et astronome,
construisit ici un énorme astrolabe, découvrit des étoiles nouvelles et calcula, à quelques secondes près, la durée d'une
année. Mais ses théories, trop novatrices pour l'époque,
inquiétèrent le clergé islamique qui craignait qu'il ne mît le
dogme en cause. Pleins de délicatesse, ils le firent arrêter par
son propre fils et, raffinement suprême, décapiter. Les deux
autres madrasas sont de belles copies. La place du Registan
est donc rénovée et superbe… mais vide. Les mosaïques flambant neuves recouvrent les trois façades sublimes que
quelques touristes mitraillent avec constance. A l'intérieur,
des marchands de tapis en embuscade attendent les visiteurs
porteurs de dollars. Je trouverai plus tard des clichés datant
du début du siècle et montrant la même place bourgeonnante
d'échoppes, que l'on imagine bruissante d'une foule bigarrée
et de cavaliers fendant la foule. Autrefois, ici, il y avait la vie.

Mon charmant guide me conduit ensuite au Gur Emir, le

tombeau de Tamerlan, le conquérant que l'histoire a sur-
nommé le Diable boiteux. Ce sanguinaire chef de guerre qui
a terrorisé et conquis toute l'Asie mais qui est considéré
aujourd'hui comme le père de la Nation, y est enterré avec
deux de ses fils et trois de ses petits-fils, dont Oulougbek.
Sous le dôme bleu, au centre du mausolée décoré à la feuille
d'or, trône le tombeau du patriarche : un énorme bloc de jade
vert sombre. Il était si exceptionnel qu'en 1740, un autre
conquérant, perse celui-là, Nadir Shah l'emporte. Mais le
bloc se fend, et Nadir Shah conjointement se retrouve victime
d'une série d'ennuis dont le plus grave est une maladie qui
amène son fils au bord de la tombe. Ses conseillers le pressent
de rendre le jade porte-malheur – ce qu'il fait – et miracle,
son fils guérit. Timour Lang – alias Tamerlan – porterait-il la
poisse ? En 1941, l'anthropologue russe Mikhail Gerasimov
ose exhumer le squelette du grand homme (un mètre
soixante-dix, pour l'époque, c'est beaucoup) malgré l'ins-
cription portée sur la stèle : « Celui qui ouvrira ma tombe
sera victime d'un ennemi plus terrifiant que moi. » Le lendemain de la profanation, Hitler envahit la Russie. « Il était
pourtant prévenu », diront de Gerasimov quelques crédules
descendants du féroce Mongol.

Me reste à voir – mais l'on a compris que les visites de
monuments, hormis les caravansérails à l'abandon, ne
m'enchantent guère – la troisième merveille architecturale de
Samarcande : la mosquée de Bibi Khanim. Bibi Khanim était
la femme de Tamerlan. Lorsque celui-ci part à la tête d'une
armée pour conquérir l'Inde, sa favorite veut lui faire une surprise et ordonne la construction de la plus grande mosquée
qu'on ait jamais vue. Elle sera la perle des bâtisses, dans la
perle des villes. Le pari est gagné, le bâtiment dépasse par ses
dimensions et ses audaces architecturales tout ce qu'on a fait
jusqu'ici. Il en sera d'ailleurs victime, car ses voûtes sont si
hardies qu'elles s'écrouleront lors de tremblements de terre
ultérieurs. L'architecte qui l'a bâtie n'aura pas le loisir de s'en
apercevoir car il paiera cher une ultime crânerie. En effet,

durant la construction, il est tombé follement amoureux de
Bibi Khanim et lui a annoncé qu'il refuse de terminer
l'ouvrage tant qu'elle ne lui aura pas accordé un baiser. En
revenant, Tamerlan lui fait gentiment couper la tête et décide
que, désormais, afin qu'elles ne tentent pas les faibles
hommes, les femmes devront cacher leur beauté sous un foulard. Six siècles plus tard, lorsque l'édifice, très endommagé,
achève de s'écrouler, elles en portent toujours.

On a presque achevé de le reconstruire à neuf, sous le haut
patronage de l'Unesco. Lorsque nous le visitons, l'entrée
principale qui est en voie d'achèvement laisse encore apparaître les cintres en béton armé qui remplacent les murs de
brique et qui devraient résister aux prochains séismes. Je fais
vite le tour de la mosquée car, au pied des murs, je trouve
enfin ce qui, de cette ville, m'a fait tant rêver : le bazar de
Samarcande.

J'y passerai tout le temps qui me reste avant de repartir vers
Tashkent, puis Paris. Car c'est ici, à l'ombre des mosaïques
bleues de Bibi Khanim, que bat le cœur millénaire de
Samarcande. Un cœur que même soixante-dix ans de communisme n'ont pas réussi à étouffer. C'est dire. Je parcours la ville
en tous sens, sans jamais me lasser du spectacle prodigieux.
Durant ces trois jours, je n'aurai pas assez d'yeux, de nez ni
d'oreilles pour saisir les couleurs, les effluves et les brouhahas.

Comme tous les bazars orientaux, celui-là regroupe les
marchands par spécialités. Marché des épices, des graines,
des légumes, des fruits frais, des sucres, des fruits secs, du
matériel agricole, de l'équipement des maisons, des tapis, des
objets religieux, des vêtements… Il n'y a pas un, mais dix,
cent bazars. S'y ajoutent des vendeurs ambulants qui offrent
vêtements traditionnels ou rouleaux de ficelle, ou encore des
samsas tout juste sortis du four. Comme une étrave fend
l'onde qui s'écarte et se referme sitôt le bateau passé, les
commis se fraient dans la foule un chemin pour leur chariot
débordant de nippes, de ferrailles ou de victuailles…

Partout, les couleurs éclatent, violentes comme les

mosaïques de la mosquée, avivées par ce soleil qui projette des ombres noires sous les arcades. Poivrons, tomates, aubergines semblent avoir prêté leurs tons aux robes élégantes, aux foulards bariolés des paysannes qui les vendent. Derrière leurs énormes sacs de jute remplis de légumes secs, s'alignent les visages rubiconds des épiciers sanglés dans leurs *yaktaï* à rayures que retient à la taille un ruban arc-en-ciel. Sur les comptoirs, impeccablement empilées en minuscules pyramides, les épices compensent par de puissantes fragrances leurs petits volumes, dans ce marché où l'excès, la démesure semblent la règle. De rouges langues de feu surgissent des fours dans lesquels on cuit sans discontinuer des plateaux de samsas. Penché sur la bouche rouge de ces enfers, les jeunes marmitons ont pris le teint cuivré de ces vieux consommateurs aux visages brûlés de soleil, éclairés par d'immaculées barbes de hadjis sous les turbans multicolores. Dans les stands tenus par des femmes, les rires s'émaillent de dentitions en or. Le blanc lui-même, sous ce soleil brûlant, prend des couleurs : grands voiles tendus pour protéger les étals et leurs précieuses marchandises des rayons du soleil, foulards de femmes religieuses simplement posés sur les têtes et retombant sur les épaules et les robes polychromes. Je navigue, entre les jaillissements colorés des fleurs et des légumes en tas sur le sol, dans cette foule mouvante, me laissant porter par les courants qui l'agitent, m'usant les yeux à saisir les mille bigarrures, les nuances infinies de cette palette vivante.

Enivré, je cherche vainement à analyser les sons qui sourdent de cet océan de couleurs. On parle trente langues en Asie centrale, toutes sur cette esplanade. Tadjiks, Ouzbeks, Russes, Iraniens, Turcs, Afghans, Kirghizes clament et s'interpellent pour se saluer, se disputer ou attirer le chaland. C'est une rumeur souterraine et assourdie comme un tremblement de terre, qui monte, ponctuée par les cris aigus des coursiers dont les chariots cherchent à percer cette multitude. Des camelots, leur produit à bout de bras, psalmodient les prix qu'ils proposent. Un âne, longuement, quelque part, braie d'épouvante. Plus discret, le froissement des billets qu'on compte et fait passer en un tour de passe-passe d'une main dans l'autre. Une femme vocifère contre le flic qui la pousse vers le poste pour la verbaliser à propos d'on ne sait quelle peccadille. Dans une galerie à l'entrée de laquelle un mendiant implore, la main tendue, des hommes discutent affaires devant des tables où s'amoncellent victuailles et verres qui s'entrechoquent, tout cela dans l'odeur doucereuse du thé qui coule par litres. Partout ça marchande, ça rit, ça crie, ça crache. Une paysanne pousse un cri strident pour chasser un pigeon audacieux venu lui chiper quelques graines, et son invective perce la clameur comme une flèche dans une chair.

Mais tout cela ne serait rien sans les odeurs, les effluves, les parfums et les pestilences qui flottent sur les hectares de cette mer humaine et vous saoulent. Les plus entêtants sont bien sûr au marché aux épices, les plus âcres dans les allées où, sur un charbon gras, on grille des milliers de chachliks qui répandent leur fumet de graisses brûlées. Plus subtiles, les senteurs du marché aux fruits, plus lourdes celles du marché aux fleurs, plus suaves les fragrances autour des comptoirs où l'on brise les pains de sucre candi à coup de marteau sur les tables de marbre. Au marché aux fromages, les petites boules de chèvres, blanches, dures et rondes comme des billes, exhalent un arôme discret dominé par l'aigreur des fromages blancs, des *tchakkas* ou des *bruisas* qui baignent dans le petit-lait et que défendent des matrones armées de tue-mouches.

Je suis saoulé par ce monde bruissant, coloré et odorant, gavé par ces produits inconnus ou magiques. Le voyage de Samarcande, qu'on se le dise, pourrait se justifier par le seul goût des fruits qu'on y trouve à l'automne. Le suc des figues, des melons et des raisins n'est comparable à nul autre. Ici pourtant je les néglige, car je sais qu'ils seront sur la table des Tchoukourov qui ont vite compris le goût immodéré que j'en ai. Les poches pleines de petits raisins secs d'un bleu pruiné et de *donaks* – ces noyaux d'abricots ouverts et saupoudrés de sel –, j'arpente les allées des bazars tout en grignotant. Lorsque, épuisé par ma quête d'émotions, une faim plus consistante me tenaille, je m'approche des fours à samsas ou vais affronter la fumée des *kanouns* où grillent ces chachliks qu'on vous sert accompagnés de tomates et d'oignons frais.

Je rentre au soir chez mes hôtes, plus fatigué que par une journée de marche, imprégné de ces senteurs multiples, les yeux impressionnés de mille images, l'âme heureuse. Je ne pouvais rêver d'un but aussi excitant, aussi exaltant. Samarcande, tu n'as pas changé depuis les temps immémoriaux où tu étais encore la Maracanda des Grecs. A travers toutes les vicissitudes, sous la botte des soudards, la férule religieuse ou l'occupation russe – puis soviétique –, tu as gardé ton esprit marchand, ta soif d'échanges. Tu as conservé ce génie mercanti qui fit de toi l'un des plus hauts lieux de la Route de la Soie. Rien, rien dans l'habit, les langues, les produits, n'a changé depuis vingt siècles.

Ces images ne sont pas près de me quitter. Elles nourriront mes rêves jusqu'à ce que je reparte de ce même bazar, dans moins de dix mois. Pour l'année 2001, la première de ce millénaire nouveau dont Samarcande se fiche comme d'une guigne, c'est d'ici, au mitan de ma longue route, que j'attaquerai l'étape qui devra me conduire deux mille six cents kilomètres plus loin à une autre étape mythique, l'oasis de Turfan, dans le Sinkiang chinois.

Ce devrait être un trajet mémorable, sans doute moins tranquille que celui de cette année. Certes, il y aura encore des déserts, en particulier le célèbre Takla Makan dont le nom ouïghour signifie : « Celui qui le pénètre n'en revient pas. » Mais surtout parce qu'il me faudra, dès le début, traverser le Tadjikistan où sévit la guerre civile, avec un régime néocommuniste englué dans la guérilla. Le découpage des pays du Turkestan soviétique a été une telle hérésie qu'il me faudra marcher trois cents kilomètres au Tadjikistan pour aller d'Ouzbékistan en... Ouzbékistan. J'entrerai ensuite dans la mythique et riche vallée du Fergana où les chevaux étaient si beaux que l'empereur de Chine, fine guêpe, dépêcha des armées pour s'en emparer. Puis ce sera l'ascension des cols du Pamir avant de franchir, aux alentours de quatre mille mètres d'altitude, la frontière chinoise. A partir de là, ce sera la descente sur Kashgar, dont le nom seul enfièvre le sang des aventuriers.

D'évoquer cela me donne déjà envie de repartir. A peine serai-je revenu qu'il me faudra préparer la suite. Je me défends d'aller « à l'aventure ». Pour moi, voyager c'est découvrir ce qui n'est ni dans les livres ni dans les guides de voyage – que je lis tous avant de partir. Découvrir quoi alors ? me direz-vous. Je ne sais pas, justement. C'est rencontrer, au moment le plus inattendu, un être hautement improbable, se trouver foudroyé, sans qu'on ait seulement pu l'envisager, par l'harmonie simplissime d'un coin de campagne, ou encore se surprendre soi-même à faire ou penser ce qu'il n'a jamais été pensable qu'on fasse ou pense jusque-là.

Un voyage vous forme, a-t-on coutume de répéter. Et si, non content de vous former, il vous déformait ?

La route m'aura-t-elle appris, cette fois, quelque chose de plus ? Je n'en suis pas sûr, je suis une bête du genre rétif. Après six mille kilomètres, je n'accepte toujours pas de m'avouer le pourquoi de cette aventure, de cette folie. Sinon peut-être, voyage après voyage, de mon village normand aux déserts d'Asie en passant par les mégalopoles modernes, de me convaincre que je suis devenu un citoyen du Monde. La piste qui s'étire loin au-delà de l'horizon a l'air de se moquer de moi. Me mènerait-elle par le bout du nez ? C'est possible. Et je dirai que je m'en fiche un peu. Nous nous connaissons depuis si longtemps, à présent, elle et moi. Pas question de divorcer : nous ne sommes qu'à la moitié du chemin ! Mes amis continueront de ricaner gentiment : il marche, il marche, et ne sait toujours pas pourquoi ! Brave bête, je me garderai de leur répondre ce qui me trotte de plus en plus souvent par la tête : ils vivent, ils vivent, et ne sont pas beaucoup plus avancés. La piste, ma douce maîtresse, ma vieille maîtresse, me tromperait-elle ? Ce n'est pas grave. Elle m'a fait, chemin faisant, un cadeau qui vaut peut-être toutes les fortunes : elle m'a donné l'envie de continuer. L'envie, encore, de frôler le divin lorsque le corps, harassé, transcendé par l'effort, libère enfin la pensée. Je veux encore, pendant deux mille six cents kilomètres et quatre mois, rêver comme je respire... Aller plus loin, me dépouiller plus encore, alléger mon maigre baluchon. En attendant que, m'y étant préparé, je voie venir la mort avec sagesse.

Le poème d'Omar Khayyam cité en exergue est traduit par Pierre Seghers.

Le poème d'Omar Khayyam cité p. 198 est traduit par Pierre Lescot.

REMERCIEMENTS

J'exprime ma gratitude, pour leur aide et leur soutien, aux très nombreux lecteurs qui m'ont écrit après la publication de *Longue marche* pour me témoigner leur sympathie et leurs si chaleureux encouragements.

Merci à tous les libraires qui ont organisé tant de rencontres sympathiques avec leurs fidèles clients.

Merci aussi :

à Claudia Braun et à ses amis qui m'ont abondamment fourni les pin's si prisés par les enfants de rencontre;

à Cyrus Etemâdi, Parnian et Parinaz, de *Caravan Sahra* à Téhéran;

à l'agence de voyages «Orients, sur les routes de la Soie» où je ne compte que des amis alors que j'en suis sans nul doute le plus mauvais client;

à Sibylle Debidour, de l'agence Explorator à Paris.

Cet ouvrage enfin doit beaucoup à Sofy Leddet, dont l'optimisme souriant, la connaissance approfondie du fârsi et du chinois, les conseils sur les régions traversées qu'elle connaît bien, et les encouragements qu'elle ne m'a pas mesurés ont tant fait pour la réussite de ce parcours difficile.

TABLE

SEUIL

L'association *Seuil* créée par Bernard Ollivier en 2000 s'efforce d'aider de jeunes délinquants à retrouver leur équilibre à l'issue d'une « longue marche ». Ils partent à deux, avec un accompagnant, pendant quatre mois dans un pays étranger dont ils ne connaissent pas la langue. Ils parcourent sac au dos deux mille cinq cents kilomètres par les chemins de randonnées ou les petites routes d'Europe, avec une seule obligation : ne pas emporter de musique enregistrée. Ils campent, font leurs courses et leur cuisine. Et marchent.

Le voyage, organisé en complète harmonie avec les parents, les juges et les éducateurs, peut être pour ces 16-18 ans une alternative à la prison.

Outre les cotisations des membres, les droits d'auteur du présent ouvrage financent l'association.

Pour plus d'informations, s'adresser à *Seuil*, 35, rue Jussieu 75005 Paris ; tél. 01 44 27 09 88 ; télécopie 01 40 46 01 97 ; e-mail : assoseuil@wanadoo. fr ; site internet http://www.assoseuil.org.

DANIÈLE DESGRANGES

Autopsie d'un massacre
Mountain Meadows : une lacune dans la mémoire de l'Ouest

MICHEL VIEUCHANGE

Smara
Carnets de route d'un fou du désert
Préface de Paul Claudel
(également en collection « *Libretto* »)

JAN YOORS

Tsiganes
Sur la route avec les Rom Lovara
Préface de Jacques Meunier
(également en collection « *Libretto* »)

La Croisée des chemins
La Guerre secrète des Tsiganes 1940-1944

DANIEL DEFOE

Histoire générale des plus fameux pyrates (2 vol.)
I. Les Chemins de fortune
(également en collection « *Libretto* »)
II. Le Grand Rêve flibustier
(également en collection « *Libretto* »)

GEOFFREY MOORHOUSE

Au bout de la peur
Le Désert en solitaire

Le Pèlerin de Samarcande
Un voyage en Asie centrale

FRANCIS PARKMAN

La Piste de l'Oregon
A travers la Prairie et les Rocheuses 1846-1847

JAN POTOCKI

Au Caucase et en Chine
Une traversée de l'Asie 1797-1806

FAWN BRODIE

Un diable d'homme
Sir Richard Burton ou le démon de l'aventure
(également en collection « *Libretto* »)

PHILIP MEADOWS TAYLOR
Confessions d'un Thug
En Inde, au cœur d'une secte d'assassins professionnels 1815-1830

JOHN STEINBECK
Voyage avec Charley

MARC TRILLARD
Cabotage
A l'écoute du chant des îles,
Cap-Vert 1993
Si j'avais quatre dromadaires

JOSEPH BULOV
Yossik
Une enfance dans le quartier du Vieux-Marché
de Vilna (Lituanie) 1907-1920

ALAIN BOMBARD
Naufragé volontaire
(également en collection « *Libretto* »)

A. O. ŒXMELIN
Les Flibustiers du Nouveau Monde
Histoire des flibustiers et boucaniers
qui se sont illustrés dans les Indes

WILLIAM SEABROOK
Yakouba
Le Moine blanc de Tombouctou
1890-1930
L'Ile magique
En Haïti, terre du vaudou
Préface de Paul Morand

THEODOR KRÖGER
Le Village oublié
Bagnard en Sibérie 1914-1919
Préface de Jean Raspail

A.W.KINGLAKE
Eothen
Au Pays de l'Aurore
Un dandy en Orient 1834-1836

GERALD DURRELL
Les Limiers de Bafut
Au pays des souris volantes
Cameroun, années 50

PIERRE MAC ORLAN
Quai de tous les départs
L'Ancre de Miséricorde
(également en collection « *Libretto* »)

JACQUES BACOT
Le Tibet révolté
Vers Nepemakö, la Terre Promise des Tibétains 1909-1910

JEAN-FRANÇOIS DUVAL
Boston Blues
Les routes de l'inattendu

ODETTE DU PUIGAUDEAU
Pieds nus à travers la Mauritanie
1933-1934
(également en collection « *Libretto* »)
Tagant
Au cœur du pays maure 1936-1938
Le Sel du désert

FREDERICK G. BURNABY
Khiva
Au galop vers les Cités interdites d'Asie centrale 1875-1876

MAX RADIGUET
Les Derniers Sauvages
Aux îles Marquises 1842-1859

ANDRÉ CHEVRILLON
Terres mortes
Égypte, Palestine
Préface de Jacques Lacarrière

MELANI LE BRIS
La Cuisine des Flibustiers

SLAVOMIR RAWICZ
A marche forcée
A pied du Cercle polaire à l'Himalaya, 1941-1942

Cet ouvrage
réalisé pour le compte des Éditions Phébus
a été achevé d'imprimer
en avril 2005
dans les ateliers de Normandie Roto Impression s.a.s.
61250 Lonrai
N⁰ d'imprimeur : 05-0915

Imprimé en France

Dépôt légal : avril 2005
I.S.B.N. : 2-7529-0079-1
I.S.S.N. : 1285-6002